BUSB

D0590395

GEVANGEN IN HET MAANLICHT

Shirlee Busbee

Gevangen IN HET maanlicht

the house of books

Eerste druk, juli 2002
Tweede druk, december 2002

Oorspronkelijke titel
Swear by the moon
Uitgave
Warner Books,Inc., New York
Copyright © 2001 by Shirlee Busbee
Copyright voor het Nederlandse taalgebied © 2002 by The House of Books,
Vianen/Antwerpen

Vertaling
Toby Visser
Omslagontwerp
Julie Bergen
Omslagillustratie
Thomas Schlück/John Ennis

ISBN 90 443 0587 5
D/2002/8899/140
NUR 342

Voor twee dierbare vrienden die mijn leven vaak
eenvoudiger – en aangenamer – maakten!

Pauline Brumley, die mijn dagen altijd glans geeft en me
bloemen uit haar tuin brengt die door haar man, Ernie,
geplant worden.

En Marlene Bauer, die al jaren geduldig antwoord geeft
op mijn vraag: 'Wie is dat?' en me op de hoogte houdt
van de laatste roddels. Maar vanwege het feit dat ze me
bij de Weight Watchers heeft gekregen, is ze goud waard!

En, zoals altijd voor Howard, de liefde van mijn leven.

☽

Proloog

Als er iemand had gekeken, waren de twee figuurtjes in het licht van de volle novembermaan duidelijk zichtbaar geweest. Ze haastten zich over het uitgestrekte terrein rond het landgoed van Lord Garrett. Het was hoogst onwaarschijnlijk dat iemand om twee uur 's nachts verwachtte de zus van Lord Garrett, de net zeventien geworden Thea, op zo'n heimelijke manier bezig te zien. Wat precies de bedoeling was.

Een beetje giechelig en nerveus bereikten Thea en Maggie Brown, haar kamermeisje, de beschutting van de hoge bomen die het terrein omzoomden. Het plan was niet van haar. Lord Randall had het bedacht. En met alle naïviteit van iemand die zo jong was en voor het eerst krankzinnig verliefd, had Thea het een heel slim plan gevonden. Maar ze vond eigenlijk elk woord dat over Lord Randalls lippen rolde slim. Ze had zijn plan maar een klein beetje veranderd. Op het laatste moment had ze besloten om Maggie, die werd opgeleid om haar persoonlijke kamenierster te worden, bij het geheim te betrekken. Ze kende haar al haar hele leven en wist dat Maggie haar bij deze gewichtige onderneming zou bijstaan.

Maggie, slechts een jaar ouder dan Thea, was door het dolle geweest toen Thea haar van het plan op de hoogte had gebracht. Het was, zoals ze vanavond opgewonden had uitgeroepen 'zo romantisch en opwindend' dat Thea en Lord Randall ervandoor gingen. Maggie vond het verschrikkelijk dat Thea's ouders, Lord Garrett en Mrs. Northrop, zo fel gekant waren tegen de zeer aantrekkelijke Lord Randall. Lord Garrett had Lord Randall toch zelf aan de familie voorgesteld? Hij had de knappe aristocraat uitgenodigd om deze zomer voor onbepaalde tijd op het landgoed, Garrett Manor, te komen logeren.

Enkele uren geleden had Thea met tranen in haar ogen verklaard dat ze zou *sterven* als ze niet met Lord Randall mocht trouwen! Mama en Tom, Lord Garrett, begrepen het gewoon niet. Het was onredelijk van hen om van haar te verwachten dat ze tot het eind van het volgende Londense seizoen zou wachten voordat ze zou verkondigen met Lord Randall te willen trouwen. Jeetje, dat duurde nog maanden! En hun bezwaren tegen deze verbintenis waren allemaal onzin! Ze had haar kinnetje koppig opgeheven. Poe! Wat maakte het haar nou uit dat Lord Randall ouder was dan zij? Of dat haar fortuin groter was dan het zijne? Of dat hij volgens zeggen een losbol was? Waren losbollen niet de beste echtgenoten? Dat wist iedereen toch zeker!

Tom was gewoon een lastpak, had Thea ronduit verklaard, terwijl ze Maggie verscheidene dingen toewierp om in te pakken, en mama… Mama was toch maar een jaar ouder geweest dan Thea toen ze met papa was getrouwd? En had papa niet bekendgestaan als de grootste losbol uit de omgeving? En was hij niet bijna twintig jaar ouder geweest dan mama? Ze begreep dus echt niet waarom zij niet met een losbol mocht trouwen. Mama was met een losbol getrouwd, eigenlijk twee, om precies te zijn. Want nadat papa zo dom was geweest om dronken en wel met zijn paard en wagen van een klif in Cornwall te vallen, waarbij hij om het leven kwam, was mama met Mr. Northrop getrouwd. En was er twee jaar later niet veel over Mr. Northrop geroddeld die vijftien jaar ouder was dan zij? Hoe kon mama, twee keer getrouwd met een man die veel ouder was dan zij, zo wreed en gevoelloos zijn om Thea te verbieden haar hart te volgen? Mama was gewoon niet eerlijk! Ze zou met Lord Randall trouwen. Niemand, noch mama noch Tom, zou haar kunnen tegenhouden.

Terwijl ze haastig de hoedendozen voor de reis naar Gretna Green inpakten, had Thea Lord Randalls verdiensten opgehemeld. Ze had Maggie er bijna van overtuigd dat er veel voor te zeggen was om stiekem te trouwen, en dat Lord Randall een toonbeeld van volmaaktheid was. Bijna.

Maggie, gevleid omdat ze plotseling betrokken was bij de opwindendste gebeurtenis die ze ooit had meegemaakt, was het met Thea's argumenten eens geweest. Lord Randall was knap. Hij was volgens Lord Garrett een echte stedeling, met goede connecties en een redelijk fortuin. Het was waar wat Thea ernstig had verklaard, Lord Randall had een wild en schandelijk leven geleid, maar hij had gezworen dat dat allemaal voorbij zou zijn zodra Thea zijn vrouw was geworden. Thea had bovendien luchtig gezegd dat iedereen wist dat de heren konden doen wat ze wilden. En zelfs Tom stond bekend als iemand die geen vreemde aan de goktafel was en hij was dol op drank. En had Tom niet ook een maîtresse in Londen? Thea werd niet verondersteld dat te weten, maar haar halfzus, Edwina, die de lelijke gewoonte had om aan deuren te luisteren, had gehoord dat mama tegen hem tekeerging omdat hij er een of andere jonge actrice

9

op nahield, en Edwina had er geen gras over laten groeien om dat aan Thea te vertellen. Dus hoe kon Tom er nou in hemelsnaam bezwaar tegen hebben dat ze met een vriend van hem trouwde die precies hetzelfde deed? Maar Lord Randall had nu gezworen dat die tijd voor hem voorbij was.

Meegesleept in Thea's enthousiasme had Maggie ingestemd met haar jonge meesteres, maar nu ze de veiligheid van het huis hadden verlaten en op weg waren naar een ontmoeting met Lord Randall, werd Maggie geplaagd door angstige voorgevoelens. Lord Randall was echt een stuk ouder dan Thea, dacht ze, terwijl ze het slanke figuurtje door het bos volgde. Met zijn drieëndertig jaar was hij zelfs veel ouder dan Thea's broer, Lord Garrett, die in augustus net eenentwintig was geworden. En als de roddels klopten, was Lord Randall ook een doorgewinterde dobbelaar, die zich de laatste tijd bij het gezelschap van Lord Garrett had gevoegd. Daar was Mrs. Northrop niet blij mee geweest! Net zomin als het feit dat haar enige zoon hard op weg was net zo'n nietsnut te worden als wijlen zijn vader was geweest.

Maar dat deed er allemaal niet toe, hield Maggie zich vastberaden voor. Iedereen wist dat Lord Randall een blik op Miss Thea had geworpen en verliefd op haar was geworden. En Miss Thea – Maggie slaakte een diepe zucht. Miss Thea was net zo hard voor hem gevallen. En hoewel Maggie misschien bedenkingen had over Lord Randalls geschiktheid voor een jonge, onschuldige vrouw als haar meesteres, en de heimelijke aard van hun hofmakerij met hier en daar een stiekem afspraakje, was het niet aan haar om de daden van deze voorname mensen in twijfel te trekken. En Miss Thea verraden... nou, dan zou ze nooit meer met opgeheven hoofd kunnen rondlopen!

Thea werd, in tegenstelling tot Maggie, door geen enkele bedenking geplaagd. Ze was te opgewonden, te vastbesloten om bij Lord Randall te komen om zich af te vragen of ze er verstandig aan deed. Ze was verliefd! Ze was ervan overtuigd dat Lord Randall, of Hawley, zoals hij haar had gevraagd hem te noemen, de man van haar dromen was. Met zijn glimlachende grijze ogen, dikke zwarte haar en lange breedgeschouderde gestalte, was hij volgens haar de droom van iedere jonge vrouw. En dan te bedenken dat zíj de gelukkige was die hij had uitgekozen om mee te trouwen! Ze fronste haar wenkbrauwen. Het was jammer dat Tom beweerde dat Hawley haar fortuin had uitgekozen, dacht ze, terwijl ze zich de bondige opmerkingen van haar broer herinnerde.

Thea en Maggie braken plotseling uit het bos en daar, aan de kant van de weg stonden volgens afspraak het rijtuig en de man: Lord Randall. Groot en imponerend in zijn overjas ijsbeerde hij nerveus naast de onrustige paarden. Zodra hij Thea in het oog kreeg, haar levendige gezicht gehuld in de kap van haar paarsfluwelen mantel, een paar propvolle hoedendozen in haar handen geklemd, haastte hij zich naar haar toe.

Hij tilde haar op, kuste haar hartstochtelijk, veel hartstochtelijker dan ze ooit in haar leven was gekust, en riep: 'Lieveling! Daar ben je eindelijk. Ik ben koortsachtig van ongeduld – ik vreesde dat je bange hartje je op het laatste moment in de steek zou laten.'

Blozend door zijn kus en een beetje verlegen, keek Thea naar hem op. 'Niets had me tegen kunnen houden,' verklaarde ze zacht. 'Ik had je beloofd hier te zijn.'

Hij glimlachte tevreden, zijn grijze ogen glansden in het maanlicht. 'Ik weet het… maar ik was desondanks bang. Ik zou het je niet kwalijk hebben genomen als je had besloten dat je familie gelijk had en dat ik je niet waard was.' Hij sloeg zijn wimpers neer en keek weg. 'Ik zou je terug moeten sturen,' zei hij manhaftig. 'Ik ben een zelfzuchtige dwaas om je weg te halen bij alles wat je lief is.'

'Zeg dat nooit meer!' protesteerde Thea, haar donkere ogen vochtig van emotie. 'Jij bent het enige wat ik wil. Als we eenmaal getrouwd zijn zullen mama en Tom inzien wat een geweldige echtgenoot je voor me bent en van gedachten veranderen. Echt.'

Nu zijn twijfel was verdwenen schonk hij haar een smeltende glimlach en knikte. 'Ik weet zeker dat je gelijk hebt. Maar nu moeten we gaan voor je wordt gemist.'

Hij tilde Thea in het rijtuig en wilde zich net bij haar voegen, toen hij zich bewust werd van Maggie, die onzeker aan de kant van de weg stond. Hij fronste zijn voorhoofd, de lijntjes in zijn knappe gezicht verdiepten zich plotseling.

'En wie is dit?' vroeg hij met iets van ergernis in zijn stem. 'Ik heb je gezegd dat niemand het mocht weten. Niemand.'

'O, het is Maggie maar,' zei Thea luchtig. Een lichte blos, nauwelijks zichtbaar in het maanlicht, vloog over haar gezicht. 'Ik weet dat we gaan trouwen, maar ik vond het niet gepast om de hele weg naar Schotland alleen met jou te reizen. Het zou niet betamelijk zijn.'

'En waar moet ik haar en al die hoedendozen volgens jou neerzetten?' vroeg hij koel. 'Zoals je ziet heb ik slechts een rijtuig voor ons.'

Thea knipperde met haar ogen. Die toon had ze nog nooit eerder van hem gehoord en ze wist niet hoe ze erop moest reageren. Maggie had haar kunnen vertellen dat de bedienden van Garrett Manor deze toon heel goed kenden, en dat het meestal met een oorveeg gepaard ging.

Met het gevoel dat de spanning van de situatie hem een beetje geprikkeld maakte, schonk Thea hem een oogverblindende glimlach. 'O, we redden het wel. Maggie kan zich heel klein maken – we zijn geen van beiden erg groot, en ik weet zeker dat je voor alles een plaatsje zult vinden.'

'Hmm.' De uitdrukking in zijn ogen was ondoorgrondelijk. Zich tot Maggie wendend, mompelde hij: 'Aangezien mijn aanstaande vrouw je heeft meegebracht, kun je beter instappen.' Hij keek naar Thea. 'In de toekomst, schat,' zei hij, 'zou ik het op prijs stellen wanneer je geen veranderingen in mijn plannen maakt zonder eerst met mij te overleggen.'

In de stilte die volgde deed hij geen poging Maggie te helpen bij het instappen. Ze maakte zich zo klein mogelijk en schoof dankbaar naast Thea.

Het was een zwijgzaam drietal dat door het maanlicht reed. Lord Randall, die de afstand tussen hem en de vast en zeker woedende Lord Garrett zo groot mogelijk wilde maken, zette de paarden aan tot draf. De uitdrukking op zijn gezicht nodigde niet uit tot een gesprek, en Thea voelde zich, nu de eerste opwinding was verdwenen, een beetje ongemakkelijk en teleurgesteld. Maggie, denkend aan alle roddels onder de bedienden die ongelukkigerwijs een aanvaring met Lord Randall hadden gehad, wenste lafhartig dat Miss Thea haar niet had uitgekozen om deel te nemen aan dit avontuur.

Garrett Manor lag op korte afstand van Cheltenham in Gloucester, bijna honderdvijfendertig kilometer ten noordwesten van Londen. Gretna Green, hun bestemming, lag op de grens tussen Schotland en Engeland, een aanzienlijke afstand verder. Ze zouden meer dan een paar dagen onderweg zijn, zelfs wanneer Lord Randall met hoge snelheid zou rijden. De hoop was dat tegen de tijd dat Lord Garrett en Mrs. Northrop Thea's afwezigheid zouden ontdekken het weggelopen paar een behoorlijk voorsprong zou hebben.

Tot halverwege de ochtend ging alles goed, maar toen verloor een van de paarden die ze bij de vorige herberg hadden gehuurd zijn hoefijzer en raakte kreupel. Lord Randall, die niet meer boos leek over het feit dat Maggie was meegekomen, had de twee jonge vrouwen onderhouden met een enigszins gewaagd verhaal over Prinny, de oudste zoon en erfgenaam van koning George III. Nu mompelde hij een vloek en bracht de paarden tot stilstand. Een snel onderzoek van het paard bevestigde dat hij zijn hoefijzer kwijt was en dat ze pas weer snelheid konden winnen als het hoefijzer was vervangen, en misschien zelfs het paard.

Aangezien ze zich op een nogal verlaten stuk weg bevonden, liet Lord Randall de twee vrouwen in het rijtuig zitten en reed op het gezonde paard een paar kilometer terug naar het dichtstbijzijnde dorp. Het was bijna twee uur later voordat ze hun reis konden voortzetten, en Lord Randalls knorrige humeur was teruggekeerd. Thea's pogingen een gesprek te beginnen leverden een kil zwijgen of een kort antwoord op.

Later in de middag, toen Thea voorstelde bij de volgende herberg te stoppen zodat Maggie en zij de benen konden strekken en misschien iets fris drinken, schonk hij haar een woedende blik die haar deed schrikken. 'Je schijnt vergeten te zijn dat het noodzakelijk is dat we onze bestemming bereiken voor je broer ons inhaalt,' bitste hij. 'Ik wil niet al mijn plannen in duigen zien vallen omdat jij limonade wilt drinken.' En nadat ze de herberg waren gepasseerd zonder zelfs de paarden te controleren, had de uitdrukking op zijn gezicht ervoor gezorgd dat ze haar protest onuitgesproken liet.

Toen de herberg in een wolk van stof achter hen verdween, drong het een beetje laat tot Thea door dat haar aanstaande man heel charmant kon zijn... zolang alles op zijn manier ging, maar anders... Ze gluurde naar hem terwijl hij reed, zijn aantrekkelijke profiel stond grimmig. Dit was een kant van hem die ze nooit had gezien, nooit had verwacht. Maar hij was natuurlijk van streek, hield ze zich dapper voor. Het oponthoud door het verloren hoefijzer was kostbaar geweest, en het was noodzakelijk dat ze Gretna Green veel eerder dan Tom zouden bereiken. Toch, dacht ze, was het niet nodig dat hij zich zo onaangenaam gedroeg. Als het niet voor henzelf was, dan hadden ze voor Maggie moeten stoppen, dacht ze ongelukkig, nadat ze een blik op Maggies vermoeide gezicht had geworpen.

Ze waren al veertien uur onderweg en een halfuurtje rust zou geen ramp hebben betekend, vooral niet omdat ze slechts een paar keer heel kort hadden gestopt... Thea keek nogmaals naar Maggies gezicht. Hoewel Maggie niet in de positie was om te klagen, was het Thea's taak erop te letten dat haar bediende niet werd misbruikt. Het was traditie bij de Garretts dat ze goed voor hun mensen zorgden, en praktisch vanaf haar geboorte was Thea bijgebracht dat ze verantwoordelijk was voor het welzijn van hun bedienden, eigenlijk voor iedereen in een lagere positie dan zijzelf. Thea mocht dan krankzinnig verliefd zijn, maar ze was niet dom. En Lord Randalls duidelijk onachtzaamheid ten opzichte van haar en Maggies behoeften maakte haar nadenkend en op haar hoede voor de betovering waarmee ze hem had bekeken.

Ongeveer een kilometer verderop schonk Hawley haar een verontschuldigende blik. 'Het spijt me, Thea,' zei hij. 'Ik had niet zo kortaf tegen je moeten zijn. In mijn haast om ons veilig buiten bereik van je broer te brengen, heb ik al het andere buiten beschouwing gelaten.' Hij glimlachte veroverend naar haar, zijn grijze ogen rimpelden bij de hoekjes. 'Maar bij de volgende herberg zal ik natuurlijk stoppen en dan kunnen jij en je bediende limonade drinken als jullie willen.' Zacht voegde hij eraan toe: 'Vergeef je het me, schat, dat ik zo graag met je wil trouwen dat ik al het andere heb genegeerd? Zelfs jullie eenvoudige behoeften? Ik zweer je dat ik het niet meer zal doen.'

Thea's hart zwol. Natuurlijk was hij slechtgehumeurd en kortaf – hij was verschrikkelijk bezorgd dat Tom hen zou inhalen. Iedereen in zijn plaats zou net zo doen.

Ze glimlachte zonnig naar hem, en knikte. 'Maar vergeet niet,' zei ze plagend, 'dat je echt bij de volgende herberg stopt.'

'Afgesproken.'

Hawley hield woord, en ze stopten bij de volgende herberg. Terwijl Thea en Maggie zich in een kamer wat opknapten, ging hij een mand voedsel en drinken voor hen bestellen om onderweg mee te nemen.

Enkele minuten later gingen ze uitgerust en opgefrist weer op weg. Terwijl de kilometers voorbijvlogen en de afstand tussen hen en hun mogelijke achtervolgers groter werd, ontspande Hawley zich. Het oponthoud door het hoefijzer was vervelend geweest, maar hij was van plan om de hele nacht door te rijden. Het weer was bijna plezierig voor begin november, en de heldere maan maakte het geheel uitvoerbaar. Hij glimlachte voor zich heen. Er was nog een hele afstand af te leggen, maar Thea was nu al bijna zijn bruid.

Die gedachte was amper bij hem opgekomen toen er een luid gekraak klonk op het moment dat het rechterwiel afbrak, waarop het rijtuig wild begon te slingeren. De paarden deinsden achteruit en bokten, en het rijtuig kieperde bijna om nu het geen steun meer had van het wiel. Thea en Maggie snakten naar adem en klemden zich aan elkaar vast terwijl Lord Randall moeite had om de paarden in bedwang te houden.

Uiteindelijk lukte het hem de paarden tot stilstand te brengen en een ogenblik later sprong hij uit het rijtuig om het probleem in ogenschouw te nemen. Het wiel was eraf en het rijtuig hing vervaarlijk naar een kant. Na even zoeken vond hij het wiel enkele meters verder op de weg. De naaf was gebroken waardoor het wiel van de as was gelopen. Hawley vloekte toen hij de schade op- nam. Op dit uur zou hij nooit een smid kunnen vinden om het wiel te repareren. Met een grimmig gezicht liep hij terug naar het rijtuig waarin Thea op hem wachtte.

'Is het erg?' vroeg ze bezorgd.

'Erger kan niet,' gromde hij. Naar links en rechts langs de weg kijkend waar zelfs nog geen boerenschuur viel te ontdekken, slaakte hij een zucht. 'Het laatste dorp waar we doorheen kwamen was een paar kilometer terug,' zei hij ten slotte. 'Voor ons uit is ongetwijfeld een herberg of een dorp. Ik ben bang dat ik je weer alleen moet laten, mijn lief, en zien of ik hulp kan vinden.' Hij keek haar aan. 'Het is misschien wel donker voordat ik terugkom. De maan zal echter schijnen, zodat je niet helemaal zon- der licht zult zijn. Ben je bang om hier alleen achter te blijven?'

Thea schudde haar hoofd. 'Nee. Maggie en ik redden ons wel.'

Hij hielp hen beiden uit het scheefgezakte rijtuig, spreidde een reisdeken op de grond aan de kant van de weg waarop ze konden zitten en spande snel de paarden uit. Hij bond een paard vast aan een boom, steeg op het andere en maakte aanstalten te vertrekken. Kijkend naar Thea en Maggie op de reisdeken, aarzelde hij. Ze zouden veilig zijn. Hij maakte zich nooit zo druk over het comfort van anderen, maar hij vond het desondanks niet prettig de twee jonge weerloze vrouwen alleen op een verlaten stuk weg achter te laten. 'Ik zou jullie wel mee willen nemen, maar in mijn eentje zal ik sneller kunnen rijden,' zei hij verontschuldigend.

'Natuurlijk,' zei Thea, en glimlachte naar hem. 'Ga. Ga, en maak je over ons geen zorgen. We zijn op het platteland grootgebracht en de nacht schrikt ons niet af. We redden het heus wel. En wees maar niet bang dat we het koud krijgen – Maggie en ik hebben onze dikke mantels aan – we zullen het redelijk warm hebben.' Ze onderdrukte een geeuw. Haar gebrek aan slaap begon zijn tol te eisen, haar ogen vielen bijna dicht. 'Wanneer je straks terugkomt zul je ons ongetwijfeld in slaap vinden,' zei ze slaperig.

Toen Hawley terugkwam met een gehuurde boerenkar, was zijn humeur er niet beter op geworden. Zelfs de aanblik van Thea en Maggie, op de reisdeken tegen elkaar aan in slaap gevallen, verbeterde zijn stemming niet. Het dorp, eerder een gehucht, hoewel er een herberg was, lag een flink eind verder op aan de weg. Tegen de tijd dat hij het had bereikt en te horen had gekregen dat zijn rijtuig niet voor de volgende ochtend gerepareerd kon worden, had hij geweten dat het plan om stiekem ergens te trouwen in groot gevaar verkeerde. Ze moesten de nacht hier doorbrengen en hij was ervan overtuigd dat Lord Garrett hen tegen die tijd op de hielen zou zitten. Zijn gezicht vertrok. Hij was nu te ver gekomen om het plan te laten mislukken – en de staat van zijn financiën maakte het huwelijk met Thea noodzakelijk. Deze onvoorziene omstandigheid liet hem geen keus. Hij moest het Lord Garrett onmogelijk maken het huwelijk te voorkomen.

Als Thea al merkte dat Lord Randall zwijgzaam was tijdens de hobbelige rit naar de kleine herberg waar ze die nacht zouden slapen, dan zei ze er niets van. Ze was moe, hongerig en verheugde zich op een goede nachtrust. Dit wegloopgedoe was tamelijk uitputtend en niet erg romantisch, peinsde ze, een lange geeuw onderdrukkend.

Thea had niet echt nagedacht over wat er zou gebeuren zodra ze bij de herberg zouden zijn, maar ze was onthutst toen ze ontdekte dat Maggie de kamer niet met haar zou delen. 'Het is niet nodig een andere kamer voor Maggie te vragen – ze kan mijn bed delen. Ik vind het niet erg,' zei ze met een bezorgd gezicht tegen Lord Randall.

'Ah, maar ík wel,' zei Hawley glimlachend. 'Ik wil niet dat mijn vrouw gedwongen wordt met een bediende te slapen. Ik moet voor je zorgen, liefje, en ik keur het niet goed.'

'O,' zei Thea op vlakke toon, geroerd en toch vreemd ongemakkelijk.

Hij glimlachte en streelde haar wang met een vinger. 'Ga naar bed, liefje, ik zorg voor de rest.'

'En Tom dan?'

Zijn glimlach werd een grijns. 'Maak je niet druk. Ik heb alles in de hand.'

Gerustgesteld nadat ze had gezien dat Maggie op haar gemak was in de kamer die ze met de dochter van de herbergier zou delen, klom Thea dankbaar in bed. Gekleed in een zedig katoenen nachthemd en de dekens tot aan haar kin opgetrokken tegen de kilte van de novembernacht, lag ze daar en voelde zich kleintjes en onzeker.

De dag was lang en vermoeiend geweest, maar ze kon geen rust vinden. Weglopen bleek niet zo romantisch te zijn als ze had verwacht, en Hawley's manier van doen was soms verontrustend. Tom en haar moeder hadden haar beiden voor hem gewaarschuwd, haar gezegd voorzichtig te zijn, dat hij niet de charmante huwelijkskandidaat was die zij in hem zag. Haar moeder had er vooral op aangedrongen dat ze zich niet door zijn beschaafde houding en knappe gezicht voor de gek moest laten houden. Ze waren des duivels geweest toen ze hem had verdedigd, bedacht ze schuldig. Gedachten aan thuis en haar moeders afkeuring en Toms veroordeling flitsten door haar brein. Hun mening over Hawley klopte gewoon niet. Ondanks zijn daden van vandaag was Thea ervan overtuigd dat Hawley een geweldige echtgenoot zou zijn.

Bij het geluid van haar deur die openging schoot ze overeind in bed, haar ogen groot en rond van angst. In het licht van de kaars die hij vasthield, herkende ze Hawley, en ze slaakte een zucht van verlichting.

'Wat aardig dat je komt kijken of alles in orde is voor je zelf gaat slapen,' zei ze met een verlegen glimlach. 'En zoals je ziet is alles in orde.' Hawley gaf geen antwoord maar liep naar het midden van de kamer en zette de kaars op het eiken tafeltje. 'Is jouw kamer vlakbij?' vroeg ze.

'Niet precies,' zei hij enigszins onduidelijk, waarna hij zich begon uit te kleden. Hij gooide zijn jas op een stoel, ging zitten en begon zijn laarzen uit te trekken.

Thea rook dat hij had gedronken; en het feit dat hij zo onduidelijk sprak vertelde haar dat hij veel had gedronken in de korte tijd dat ze hem niet had gezien. Ze had per ongeluk haar broer een paar keer gezien toen hij 's avonds laat wankelend en zwaaiend door het huis liep, en ze wist dat mannen zich onder invloed van sterkedrank nogal grillig konden gedragen, en ze wilde niet in Lord Randalls buurt zijn wanneer hij in een dergelijke staat was. Haar ogen werden nog groter, haar maag voelde aan alsof hij met ijs was gevuld en ze concentreerde zich op wat hij had gezegd. 'Wa-w-wat bedoel je?' stamelde ze.

Hij verwijderde het kant van zijn hals en polsen, schudde zijn hemd uit en zei: 'Niets bijzonders, liefje.' Hij keek naar haar en de glinstering in zijn ogen maakte dat haar mond droog werd. 'Mijn kamer is niet vlakbij omdat dit mijn kamer is.'

'Hier?!' gilde ze, haar ogen afwendend van zijn brede naakte borst. 'Maar dat kan niet! Je kunt hier niet blijven. We zijn niet getrouwd.'

Hij knikte. 'Dat weet ik. Ik had het ook liever anders gehad, maar het oponthoud van vanavond maakt het noodzakelijk.'

'Wa-wat bedoel je?' vroeg ze met wild kloppend hart.

'We gaan toch trouwen, is het niet, liefje?' zei hij vriendelijk. En toen Thea voorzichtig knikte, voegde hij eraan toe: 'Ik weet zeker dat je broer morgenochtend voor de deur staat. We moeten het hem dus onmogelijk maken ons van elkaar te scheiden.'

Plotseling angstig en zich ongemakkelijk bewust van hetgeen Hawley van plan was, fronste ze haar wenkbrauwen. Ze was tamelijk onschuldig, en hoewel ze wist dat Hawley en zij na hun huwelijk een bed zouden delen, had ze nog niet veel over dat aspect nagedacht. Geboren en opgegroeid op het platteland had ze, ondanks haar stand, een redelijk idee van wat het inhield om Hawley's bed te delen – ze was er alleen niet op voorbereid dat het nu zou gebeuren. En zeker niet zonder getrouwd te zijn!

'Je bedoelt vrijen?' vroeg ze met een klein stemmetje.

Hawley knikte. Hij liep naar het bed, ging op de rand zitten en pakte haar handen. 'Het zou er uiteindelijk toch van komen, liefje,' zei hij, en kuste haar vingertoppen. 'We moeten alleen nog een paar dagen op onze huwelijksgeloften wachten.'

Het idee stond haar niet aan. Hij zag het aan de uitdrukking op haar gezicht, en boog zich naar haar toe. 'Thea, het is de enige manier. Je broer zal hier morgenochtend zijn. Je weet dat hij je bij mij vandaan zal halen.'

Thea keek hem niet aan, in haar borst ontstond een strakke bal van paniek. Wat enkele uren geleden nog zo romantisch en heerlijk had geleken, had een onsmakelijk tintje gekregen. Ze wilde, ontdekte ze vol afschuw, dat ze bij haar moeder was. Plotseling, terwijl hij zich dichter naar haar toe boog en haar polsen kuste, drong het tot haar door dat ze deze knappe man niet echt kende. Die heimelijke ontmoetingen in de rozentuin van Garrett Manor, de hartstochtelijke briefjes die in haar trillende handen waren geduwd, en de brandende blikken die ze elkaar in het gezelschap van anderen hadden toegeworpen, hadden haar niet voorbereid op de werkelijkheid.

Ongelukkig besefte ze dat die korte contacten absoluut niet genoeg waren om een huwelijk op te baseren. Ze was, erkende ze ongelukkig, verliefd geweest op het nieuwe ervan, de opwinding ervan; gevleid en opgewonden dat zo'n knappe, stadse man haar zelfs maar had opgemerkt, en haar ook nog zijn liefde had verklaard. De afkeuring van haar moeder en Tom had haar in haar besluit gesterkt om er met Lord Randall vandoor te gaan, hun te tonen dat ze het mis hadden, dat ze oud genoeg was om zelf besluiten te nemen, dat ze geen kind meer was. Maar nu…

Thea haalde diep adem en keek de kleine kamer rond. Het was er plezierig genoeg, keurig en schoon, maar het was vreemd voor haar, de meubels versleten en gerafeld. Het was bepaald niet het satijnen en zijden boudoir dat ze zich voor haar huwelijksnacht had voorgesteld.

Verward, haar gedachten dwarrelden door elkaar, keek ze naar Hawley. 'Kunnen we niet doen alsof? Hier met jou alleen zijn zal mijn reputatie bederven. Zou Tom niet met een huwelijk instemmen om mijn eer te redden?'

'Wil je niet met me vrijen?' vroeg hij, zijn grijze ogen op haar gericht.

Ze sloeg haar ogen neer. Door de manier waarop hij naar haar keek voelde ze zich naakt – en bang. 'I-i-ik w-w-weet het niet,' stamelde ze. 'Ik dacht van w-w-wel, maar nu weet ik het niet meer.'

Zijn mond vertrok tot een smalle streep. Het was wat hij had gevreesd, waarom hij haar zo ver en snel mogelijk weg had willen brengen. Hij had haar geen tijd willen geven om na te denken over wat er gebeurde. 'Het is te laat om je mening te veranderen,' zei hij. 'En ik zal je broer geen kans geven je bij me weg te halen en dit proberen te verzwijgen – er hangt te veel van ons huwelijk af.'

Paniek verspreidde zich door haar hele lichaam. Ze trok haar hand uit zijn greep los en zei: 'Laat me gaan. Ik wil dat je deze kamer verlaat – nu! Morgenochtend praten we verder.'

'Nee, dat doen we niet. Na vannacht hoeven we niets meer te bepraten, liefje. De daad zal hebben plaatsgevonden.'

Hij stak zijn hand naar haar uit, en Thea deinsde achteruit in een poging aan hem te ontkomen. 'O, alsjeblieft,' riep ze, 'laat me gaan.'

'Nee,' zei hij, met een onaangename glimlach, de lust welde in hem op. 'Je zúlt de mijne zijn... mijn vrouw.'

Als gevolg van een beschermde jeugd in een veilige omgeving als enige dochter van een aristocratische familie, was Thea nu volkomen de kluts kwijt – zoals ze was geweest sinds het moment dat haar broer Lord Randall in de familiekring had geïntroduceerd. Ze wilde op dit moment maar één ding, wakker worden in haar eigen bed op Garrett Manor en beseffen dat dit allemaal een verschrikkelijke nachtmerrie was. Jammer genoeg was het dat niet, zoals Lord Randalls volgende acties bewezen.

Hij negeerde Thea's pogingen om hem te ontsnappen, bracht haar terug naar het bed, zijn mond tegen de hare geperst. De smaak van haar zoete mond en het kronkelen van haar slanke lichaam wonden hem op, wekten het beest in hem. Zonder acht te slaan op haar vluchtpogingen maakte hij korte metten met haar katoenen nachthemd, het tere materiaal scheurde moeiteloos onder zijn vastberaden handen tot ze naakt voor hem stond.

Hij hief zijn lippen van de hare, keek naar de bleke, ontluikende borsten, de tepels roze en verleidelijk. Zijn adem siste in zijn keel bij het zien van haar slanke rondingen, en hij omvatte een borst, nam de tepel in zijn mond en zoog eraan, beet erin.

Thea kronkelde van pijn, bijna gek van angst en ongeloof over wat er gebeurde. Ze knipperde met haar oogleden de tranen van angst weg en duwde tegen zijn schouder, wilde gewoon dat hij wegging.

'O, alsjeblieft,' smeekte ze, 'laat me – als je van me houdt, zul je me niet dwingen.'

Hij keek haar glimlachend aan. 'Natuurlijk hou ik van je – en als je van mij houdt, zul je me niet weigeren wat ik het liefste wil.'

Ze slikte een snik weg, haar wimpers glinsterend van tranen. 'Ik w-w-weet niet of ik van je hou,' bekende ze. 'Ik d-d-dacht het, maar je maakt me bang.'

'Het doet er niet toe – het is nu te laat om van mening

te veranderen,' mompelde hij, waarbij zijn handen schokkend intiem over haar heen dwaalden. Ze snakte naar adem en kronkelde onder hem, en toen hij naar haar gezicht keek verbaasde het hem niet dat ze bloosde. Zo onschuldig. Zo onberoerd. En zo heel erg verrukkelijk.

'Verlegen, mijn lief? Hoeft niet. Als ik klaar met je ben heb je geen verlegen botje meer in je lichaam.'

Dat had hij mis. Tegen de tijd dat het vroege ochtendlicht de kamer binnendrong, waren Thea's vernedering en verwarring bijna tastbaar. Ze was zich pijnlijk, angstig bewust van haar lichaam, en ze was er heilig van overtuigd dat ze nog nooit iemand dermate had veracht als ze nu Lord Randall verachtte.

De hele lange nacht had hij haar heftige pogingen om te ontsnappen verijdeld, en hij had haar tegen haar wil meer dan eens genomen, haar kreten en haar weerstand genegeerd. Hij was niet opzettelijk ruw geweest – uiteindelijk had hij, terwijl zijn lichaam het hare plunderde, gefluisterd dat hij van haar hield. Maar gericht op zijn eigen verlangens en doelen had hij gewoon genomen wat hij wilde, gedaan wat hij wilde, en hij had zich niets aangetrokken van het feit dat Thea stijf van afschuw en angst was geweest.

Toen hij ten slotte opstond en zich, na een haastige wasbeurt in het water dat de herbergier had gebracht, aankleedde en de kamer verliet, trok Thea haar kapotte en bebloede nachthemd rond haar naakte lichaam en krulde zich volkomen beroofd van al haar dromen tot een bundeltje ellende op. Ze huilde niet – ze had geen tranen meer; na die eerste pijnlijke overmeestering van haar lichaam had ze al geen tranen meer gehad.

Maggie kwam stilletjes zonder kloppen de kamer binnen. Er waren maar weinig mensen in de herberg die niet wisten wat er was gebeurd; de muren waren dun, en Lord Randall was niet in staat geweest al Thea's huilerige smeekbeden te onderdrukken. Maggie had gisteravond geweten dat er iets mis was toen Lord Randall haar bij haar meesteres had weggestuurd. Maar ze had niet geweten in welke mate het mis was, tot ze vanochtend de herbergier en zijn vrouw in de keuken hoorde praten.

Aangezien Maggie aan de achterkant van de herberg had geslapen, had ze Thea's kreten niet gehoord, maar de herbergier en zijn vrouw wel, en ze waren hoogst verontrust door de situatie. Ze waren goede mensen, maar ze kenden Thea's achtergrond niet, en het was ondenkbaar dat ze zich met een lid van de hogere klasse zouden bemoeien die zich met een bediende amuseerde – gewillig of niet. Dergelijke dingen gebeurden nu eenmaal, maar het beviel hun niet.

Terwijl Maggie met groeiende afschuw had geluisterd, had de vrouw, met een boos en wrevelig gezicht tegen haar man gezegd: 'Ik wil niet dat ze hier nog een nacht blijven. We hebben niet zo'n soort herberg, en het kan me niet schelen of hij een heer is, ik wil zijn soort niet van voedsel voorzien – ongeacht hoeveel geld hij je heeft gegeven. Hij heeft zich onfatsoenlijk gedragen. En het maakt me niet uit wat hij je heeft verteld – hij heeft dat arme wicht zo goed als verkracht, en dat weet je. En ze is nog maar zo'n jong ding. Wat hebben haar mensen gedacht toen ze haar met hem mee lieten gaan?'

De stoere herbergier had aan zijn oor getrokken. 'Bessie, ga nou niet zo tekeer, hij zei dat het gewoon een ruzietje tussen geliefden was, dat het meisje niets mankeert. Het is niet onze plaats om hem ter verantwoording te roepen.'

Bessie had gesnoven en toen ze Maggie in het oog had

gekregen, had ze zich uit de voeten gemaakt.

Zonder ontbijt was Maggie naar Thea's kamer gevlogen. De met bloed bevlekte lakens en Thea's witte, verbijsterde gezicht hadden hun eigen verhaal verteld.

Maggie hielp Thea zwijgend met haar bad en kleren nadat de herbergier vriendelijk een emmer heet water en handdoeken naar boven had laten brengen. Tegen de tijd dat ze de kamer verlieten, was Maggie helemaal uit haar doen door de zwijgzaamheid van haar meesteres en haar gebrek aan animo. Miss Thea was altijd een babbelkous, een glimlach op haar gezicht, maar deze bleke, stille vreemde leek niet op haar, en Maggie vreesde dat ze haar verstand had verloren.

Maar Thea was bij haar verstand; ze kon alleen op dit moment niet omgaan met hetgeen haar was aangedaan, kon niet geloven hoe verschrikkelijk haar leven plotseling was geworden. Ze was geruïneerd. En nu zou ze gedwongen zijn met het verachtelijke wezen te trouwen dat haar in die toestand had gebracht. Ze had geen andere keus, en haar ellende en verdriet waren des te schrijnender omdat ze wist dat het allemaal haar eigen schuld was. Haar dwaze, dwaze fout om te denken dat ze verliefd was.

Bij het ontbijt kon Thea geen hap door haar keel krijgen, doordat ze de ruimte moest delen met een breed glimlachende Lord Randall, die haar elke eetlust benam.

Na haar zwijgzaamheid enkele minuten te hebben aangezien, zei Hawley: 'O, kom op, schatje, het is niet zo erg. Ik weet dat je nog maagd was, maar je zult ontdekken dat je gaat genieten van hetgeen we hebben gedaan.' Hij glimlachte, de glimlach die ze eens zo charmant had gevonden. 'Zo ging het bij mij ook.'

Thea keek hem aan, blinde woede brandde in haar borst. Haar lip vertrok, en ze zei: 'Noem me geen "schatje".'

Zijn gezicht verstrakte. 'En jij zult niet op die toon tegen me praten.'

'O, nee?' vroeg Thea, haar energie hervindend. 'Ik zal precies doen wat ik wil, my lord – wat kun je er uiteindelijk aan doen – me nogmaals verkrachten? Want dat is er vannacht gebeurd. Je hebt me verkracht.'

'Noem het wat je wilt,' bromde hij, terwijl hij opstond en zijn servet op tafel gooide. 'Ik deed alleen wat ik moest doen om ervoor te zorgen dat je broer ons niet kan scheiden.'

'Maar moest je daar zoveel van genieten, my lord?' vroeg ze liefjes. 'Moest je zoveel van mijn weerstand genieten?'

'Je bent overspannen,' zei hij kil. 'Ik stel voor dat je hier blijft en bij zinnen probeert te komen, terwijl ik ervoor ga zorgen dat er een ander wiel aan het rijtuig wordt gezet.'

Zijn hand lag op de deurknop toen het geluid van paardenhoeven de komst van snel rijdende ruiters aankondigde. Hij wachtte en keek naar haar om. 'Je broer, ongetwijfeld.'

Thea's dapperheid verdween. Het feit dat Tom haar hier zou vinden, met dit wezen, dat hij zou weten wat er afgelopen nacht was gebeurd, zijn gezicht te zien nadat hij haar voor Lord Randall had gewaarschuwd, was de laatste druppel van schaamte en vernedering. Ze wilde sterven.

De deur van de herberg knalde open, Lord Garretts binnenkomst deed Hawley verscheidene stappen achteruitdeinzen. Schitterende donkere ogen, die zo op Thea's ogen leken, flitsten gevaarlijk op. Lord Garrett, moordlust op zijn gezicht, rende naar voren, maar bleef staan toen hij Thea zag.

De moordlustige uitdrukking verdween, om plaats te

maken voor de spanning en zorgen en slapeloosheid die hij had doorstaan. Toen hij Thea's verpletterde uitdrukking op haar gezicht zag, verzachtten zijn gelaatstrekken. Hij vergat Hawley, liep naar haar toe, knielde bij haar neer en nam haar handen in de zijne. 'Hallo, poesje,' zei hij zacht. 'Je hebt ons een fikse achtervolging laten maken. Maar nu we je hebben gevonden, brengen we je naar huis. Mama maakt zich ernstige zorgen over je veiligheid.'

Bij het horen van zijn vriendelijke woorden vulden Thea's ogen zich met tranen. 'O, Tom,' huilde ze, 'ik ben zo stom geweest – maar je mag Maggie niets kwalijk nemen. Het is niet haar schuld – ik heb haar meegenomen.' Thea onderdrukte een snik. 'Je moet me hier laten – ik ben geruïneerd. Mama zal zo'n zondig wezen als ik nooit meer willen aankijken. Jij zult me nooit meer in je buurt willen hebben. Niemand trouwens. Ik kan nooit meer naar huis gaan.'

'Stil,' zei hij, en duwde zachtjes een zwarte haarlok uit haar gezicht, net zo zwart als zijn eigen haar. 'Hoe kun je nou zoiets zeggen? Jij kunt nooit iets doen dat onze liefde voor jou zou veranderen.'

Plotseling kwamen er nog twee mannen binnen, hun gezicht stond ernstig en bezorgd. Thea's doodsangst werd nog groter toen ze de broer van haar moeder herkende, baron Hazlett, en zijn oudste zoon, John. John was precies een jaar ouder dan zij; ze waren op dezelfde dag jarig en waren erg intiem. Het feit dat John en haar oom haar schande zagen, maakte de situatie alleen maar erger.

Lord Hazlett deed de deur achter zich dicht. Hij en John stonden daar, zagen er groot en intimiderend uit in hun mantel, met hun armen voor hun borst gekruist.

Lord Garrett hield Thea's handen nog steeds troostend

vast toen hij naar zijn oom en neef keek. 'We zullen voor haar en Maggie een rijtuig moeten regelen.'

Lord Randall, die zich stil had gehouden, schraapte plotseling zijn keel. Hij stapte naderbij tot hij vlak voor Lord Garrett en Thea stond en zei: 'Dat zal niet nodig zijn. Thea wordt mijn vrouw. Vanaf nu zal ik voor haar zorgen.'

In één beweging stond Tom overeind, de rug van zijn hand kletste keihard tegen Hawley's gezicht. 'Nee, dat doe je niet,' zei Tom zacht, de donkere ogen bijna zwart van onderdrukte woede. 'Jij gaat dit vertrek verlaten en je mag blij zijn dat ik je niet ter plekke als een hond vermoord.'

Een spiertje in Hawley's kaak vertrok en hij had zichtbaar moeite met zich te beheersen. 'Omdat we vrienden zijn zal ik je daden door de vingers zien,' zei hij gespannen, 'maar je bent toch echt te laat. Ik ben bang dat we, eh… vannacht ons huwelijk al hebben geconsumeerd. Er is niets –'

Toms vuist knalde tegen Hawley's mond. 'Hou je smerige mond!' snauwde Tom; bloed spoot uit Hawley's lippen terwijl hij achteruitdeinsde door de kracht van de klap. 'Niets, wat je ook al of niet hebt gedaan, kan onze plannen veranderen. We brengen Thea naar haar moeder en haar huis.' Met een verachtelijk gezicht vroeg Tom: 'Denk je soms dat we haar aan jouw genade zouden overlaten? Ik schaam me dat ik je ooit een vriend heb genoemd, dat ik ooit zo dwaas was je aan mijn familie voor te stellen. Dit is allemaal mijn schuld, en daar zal ik voor de rest van mijn leven mee moeten leven,' voegde hij er verbitterd aan toe.

'O nee, Tom,' protesteerde Thea, die nu opstond. 'Het was mijn schuld. Je moet jezelf niets verwijten. Ik was dom en dwaas – ik had naar jou en mama moeten luisteren.'

Hij keek haar aan. 'Nee, poes. Het is mijn fout. Het was misdadig van me, in het besef van wat ik van hem wist, jou aan hem voor te stellen, en hem ook nog uit te nodigen op Garrett Manor te komen logeren.' Hij keek Lord Randall vernietigend aan. 'Maar ik dacht dat hij mijn vriend was, en ik was arrogant genoeg te denken dat hij het niet zou wagen zijn trucjes op míjn zus uit te proberen. Ik had het mis, en jij hebt de prijs voor mijn arrogantie betaald.'

'Ik heb nu wel genoeg gehoord,' bitste Hawley. 'Ik heb geprobeerd toegeeflijk te zijn ten opzichte van je sterke emoties en je gevoel van onrechtvaardigheid, maar niemand kan hier nog iets aan veranderen. Thea wordt mijn vrouw.'

'Nee, dat wordt ze niet,' zei Lord Hazlett. 'Wij, de familie, hadden al voordat we de achtervolging inzetten besloten dat er een eind aan deze affaire moest komen. Thea gaat met ons mee naar huis, en jij' – zijn lip vertrok – 'jij kunt naar de duivel lopen, my lord!'

Hawley zag eruit als een donderwolk. Dit was een mogelijkheid waarmee hij geen rekening had gehouden. 'Wil je me vertellen,' zei hij ongelovig, 'dat jullie van plan zijn dit stil te houden, ondanks het feit dat ze vierentwintig uur alleen met me is geweest?'

Lord Hazlett knikte, zijn gezicht een en al afkeer en verachting.

Hawley lachte vreugdeloos. 'O, bij God, dit is geweldig! Het meisje is geruïneerd en jullie zijn bereid dat feit te verzwijgen. En wat zijn jullie van plan een toekomstige minnaar te vertellen?' sneerde hij. 'Dat ze slechts lícht bezoedeld is? Alleen maar een beetje beschadigd?'

De woorden waren amper zijn mond uit of Tom greep Hawley stevig bij de keel. 'Stil! Je zegt hier nooit meer een woord over! Ik wil niet dat je Thea's naam nog ooit een keer noemt. Begrepen? Noem haar naam en je bent er geweest.'

Hawley was blind van woede. In de hoop er zonder bloedvergieten vanaf te komen, had hij zich gedwongen de beledigingen van dit schaamteloze hondenjong te ondergaan, maar bij God, het moest niet veel langer duren. Het was duidelijk dat hij nu niets meer te verliezen had – zonder Thea's fortuin staarde een financiële ramp hem aan; al zijn plannen waren in duigen gevallen.

Hawley verbrak Toms greep om zijn keel, gaf de jongeman opzettelijk een klap in zijn gezicht en zei: 'Noem je secondanten.'

Toms ogen glinsterden, de indruk van Hawley's hand kleurde rood op zijn wang. 'Met plezier.'

'Tom! Ben je gek?' vroeg Lord Hazlett. 'Een duel is het laatste wat we willen. Als we hier zonder een schandaal te veroorzaken vanaf willen komen, moeten we de zaak stilhouden.'

Tom knikte onwillig. Hij keek naar Hawley. 'Thea's reputatie is me meer waard dan de bevrediging die ik zou krijgen door jou neer te steken, my lord.' Behoedzaam voegde hij eraan toe: 'Je zult het me vergeven wanneer ik je uitdaging weiger.'

Volkomen teleurgesteld, zijn trots geknakt en zijn toekomst geruïneerd, verlangde Hawley naar een gevecht. Hij moest iets hebben om tegenaan te slaan, iemand om zijn woede op te koelen, en Tom stond vlak voor hem.

'Lafaard,' zei hij pesterig.

Tom verbleekte. 'Lafaard? Durf je mij een lafaard te noemen? Jij, die een jong, onschuldig kind hebt ontvoerd?'

Lord Randall bestudeerde zijn vingernagels. 'Nou, ik weet geen andere naam voor iemand die weigert een uitdaging aan te gaan.'

Toms handen balden zich tot vuisten. 'Ik neem je uitdaging aan – als je mijn neef als jouw secondant wilt aanvaarden, zal mijn oom als de mijne handelen, en kunnen we het hier en nu uitvechten.'

Hawley glimlachte. 'Zwaarden?'

'Zwaarden.'

Ondanks de protesten en smeekbeden van de anderen wilde geen van beiden zich terugtrekken. Binnen de kortste keren waren de regels opgesteld, en in het vertrek werd een ruimte vrijgemaakt, de meubels aan de kant geschoven om plaats te maken voor het duel. De heren van haar familie probeerden Thea over te halen het vertrek te verlaten, maar Thea wilde er niets van horen.

Haar ogen waren zwarte poelen in haar bleke gezicht toen ze zei: 'Wat maakt het nou uit? Ik weet dat jullie proberen mij te beschermen, maar het is te laat. Ik moet blijven. Ik moet.'

Ze konden haar niet overhalen, en na een hulpeloos schouderophalen wendde Tom zich naar zijn tegenstander, die midden in de vrijgemaakte ruimte stond. Zijn zwaard raakte de punt van het zwaard van Hawley. 'En garde.'

Beide mannen hadden hun jas uitgetrokken om meer bewegingsvrijheid te hebben, en het gevecht dat volgde was fel en venijnig. Bij aanvang was het al duidelijk dat Hawley van plan was te winnen; hij dreef Tom met een beweging van zijn zwaard achteruit. Telkens weer kletsten de zwaarden tegen elkaar, het dodelijke geluid van staal tegen staal in het kleine vertrek.

De twee mannen waren even groot, maar Hawley was gespierder en had veel meer ervaring, en Thea's hart stond een paar keer bijna stil toen het onvermijdelijk leek dat Tom onder Hawley's aanval zou bezwijken.

Tom deinsde keer op keer achteruit bij de vakkundige stoot van Hawley's flitsende zwaardblad, scheen nauwelijks in staat Hawley te ontwijken.

Het was stil in het vertrek, op het hijgen na van de twee tegenstanders, het gekletter van hun zwaarden en het gestamp van hun laarzen op de houten vloer. Thea, tegen de muur gehouden door de arm van haar oom, sloeg ze zwijgend gade, doodsbang door het geweld dat zij had veroorzaakt.

Het tempo van het gevecht veranderde geleidelijk, Toms flitsende zwaard wist Hawley af te weren, liet hem terugdeinzen. Een grimmige glimlach krulde rond Toms mond toen Hawley zich begon terug te trekken, het geluid van zijn zwaardblad zoefde door de lucht toen hij de afstand tot zijn vijand verkleinde, het flitsende blad glipte onder Hawley's verdediging door en bezorgde hem een lange scheur op zijn schouder.

Het bloed van de wond was vuurrood tegen het wit van Hawley's hemd, en hij scheen verbaasd dat Tom hem had geraakt. Zwaar hijgend door zijn inspanningen, stapte Tom onwillig achteruit. Met zijn zwaard langs zijn zij, zei hij: 'Het eerste bloed. Zullen we het voor gezien houden?'

'Nooit!' riep Hawley. Zijn lippen krulden in een dodelijke grimas, waarna hij naar Tom sprong, zijn zwaard op diens hart richtte.

Thea schreeuwde, maar Tom doorstond de aanval en het gevecht begon opnieuw. Iedereen wist nu dat het alleen met de dood zou eindigen. Tom vocht evenwichtig, zijn donkere ogen doordringend, zijn jonge gezicht grimmig terwijl hij elke dodelijke stoot van Hawley's zwaard ontweek. Toen de minuten voorbijgingen kreeg Tom weer het overwicht en dwong Hawley achteruit door het vertrek.

Gedwongen door Toms aanval achteruit te wijken, struikelde Hawley en viel tegen de tafel die naar een van de muren was geschoven, de restanten van de maaltijd die hij en Thea hadden gedeeld, vielen eraf. Zijn zwaard raakte dat van Tom terwijl Tom hem over de tafel boog, en hij een manier zocht om Toms aanval af te slaan. Toen hun zwaarden weer los van elkaar kwamen en Tom hem de finaleklap wilde toedienen, raakte Hawley's vrije hand plotseling de nog hete theepot van het ontbijt. In blinde woede sloten zijn vingers zich eromheen en met een vloek hief hij de pot omhoog en gooide de inhoud in Toms gezicht.

Verblind wankelde Tom achteruit, vergat zijn verdediging, terwijl Lord Hazlett en John stomverbaasd naar adem hapten om Hawley's oneervolle daad. Voordat een van beiden de strijd een halt kon toeroepen, zonk Hawley's zwaard met een snelle beweging in Toms borst. Tom kreunde en zonk neer op een knie, zijn hand greep naar zijn borst, bloed droop tussen zijn vingers.

Thea gilde en worstelde zich onder Lord Hazletts greep uit. Maar het was te laat; Hawley's zwaard werd weer in Tom gestoken. Tom zakte verder ineen, zijn donkere hoofd gebogen, terwijl hij tegen de zwarte golven vocht die hem overspoelden.

'Sterf, jij verdomd arrogante hondenjong!' schreeuwde Hawley, zijn gezicht woedend en lelijk vertrokken terwijl hij boven Tom uit torende.

Tom hief zijn hoofd, en glimlachte eigenaardig, waarna hij al zijn laatste krachten verzamelde en zijn zwaard met een snelle stoot recht in Hawley's hart stak.

Even keek Hawley ongelovig op, alsof hij niet kon geloven wat er net was gebeurd – het volgende ogenblik viel hij dood op de vloer.

Thea vloog door het vertrek naar Tom, en nu diens vijand was uitgeschakeld, zakte hij slap in Thea's armen in elkaar. Zijn hoofd rustte op haar schoot en zijn ogen waren gesloten. Thea staarde vol afschuw naar het zich snel verspreidende bloed op de voorkant van zijn hemd.

'O, Tom,' smeekte ze. 'Ga niet dood, ik smeek het je. Het is allemaal mijn schuld. Je mag niet sterven! Het mág niet!'

Toms wimpers knipperden, en hij keek op naar Thea's betraande gezicht. Hij streek met een vinger over haar wang en zei: 'Niet huilen, zusje. Het is niet jouw schuld. Ik heb een fout gemaakt.' Een heftige verkramping trok door hem heen. Bijna fluisterend voegde hij eraan toe: 'Niet jouw schuld. De mijne.' En toen vielen zijn ogen dicht, en bleef hij stilliggen.

Ze hield hem tegen zich aan, liet haar tranen de vrije loop. Buiten zinnen van verdriet en schuld wiegde ze heen en weer, hield Toms levenloze lichaam tegen zich aan, zich onbewust van het lichaam van de man met wie ze zou gaan trouwen, dat nauwelijks een meter bij haar vandaan lag.

Uiteindelijk lukte het Lord Hazlett Toms lichaam uit haar armen te bevrijden. Met Johns sterke armen om haar heen werd ze naar de deur geleid, waar de herbergier en zijn vrouw zich verdrongen om in het vertrek te kunnen kijken. Bij de deurpost keek ze nog een keer over haar schouder naar het lichaam van haar broer, schuld sneed door haar heen. Bijna per ongeluk viel haar blik op Hawley's uitgestrekte gestalte. Haat, zo hevig als ze nooit voor mogelijk had gehouden, welde in haar op. Ze zou nooit meer, zwoer ze plechtig, de zoete woorden en beloften van welke man dan ook geloven. Nóóit.

☾

Hoofdstuk 1

Londen, 1798

Met twee treden tegelijk beklom Patrick Blackburne fluitend de trap van het huis dat hij op Hamilton Place had gehuurd. Het was een aangename septemberochtend in Londen, en aangezien hij net bij een verkoping op Tattersall een prachtige merrie had gekocht, voelde hij zich uiterst tevreden met zichzelf.

Het leven was Patrick gunstig gestemd. Hij was gezegend met een aantrekkelijk gezicht en gestalte, waarbij een fortuin hem in staat stelde te wonen waar en hoe hij wilde. Aan de andere kant van de Atlantische Oceaan bezat hij een grote plantage en een mooi huis bij Natchez in het Mississippi Territory. Zijn vader was een rijke Engelsman van goede afkomst geweest die zijn fortuin in de Nieuwe Wereld gigantisch had vergroot. Zijn moeder, eveneens van goede afkomst, was verwant aan de halve aristocratie van Engeland, en ze bezat zelf een groot fortuin. Patricks vader was vijftien jaar geleden gestorven en Patrick had dat fortuin op de betrekkelijk jonge leeftijd van drieëntwintig jaar geërfd. Op een gegeven moment zou hij, als enig kind, ook het fortuin van zijn moeder erven.

Patricks moeder, Alice, had hem op twaalfjarige leeftijd verlaten toen ze ontdekte dat ze het leven op Willowdale, de Blackburne-plantage bij Natchez, niet langer kon verdragen en terug wilde naar Engeland. Haar man, Patricks vader Robert, had een zucht van verlichting geslaakt en haar helpen pakken om haar niet de kans te geven haar mening te veranderen.

Het was algemeen bekend dat hun huwelijk een verstandshuwelijk was geweest, en dat ze elkaar vanaf het begin onverschillig hadden gelaten. Enkele maanden na de bruiloft was hun onverschilligheid omgeslagen in pure afkeer, en Patrick, die precies negen maanden na het huwelijk werd geboren, kwam in een huishouding terecht die veel op een bewapend kamp leek.

Gebruikt als wapen tussen de strijdende partners had Patrick zich voortdurend in het midden van de veelvuldige en heftige ruzies bevonden. Het had in hem geen enkel verlangen naar de huwelijkse staat gewekt en dat was de voornaamste reden waarom hij de leeftijd van achtendertig jaar had bereikt zonder een huwelijkspartner in zicht.

Zijn moeders afwijzing van Natchez en alles wat daarmee verbonden was, had hem als kind gekwetst en in verwarring gebracht. Patrick hield van zijn huis, en had het ruime, drie verdiepingen tellende herenhuis op Willowdale gerieflijk en elegant gevonden. Tot vandaag de dag genoot hij er nog steeds van om door de vrije natuur te struinen die aan de plantage grensde, en hij had nooit helemaal begrepen waarom zijn moeder alles verafschuwde wat met Willowdale en Natchez verbonden was. Toen hij twaalf was had zijn moeders houding hem verbijsterd, en tot op zekere hoogte was dat nog steeds zo, maar hij had geleerd haar afkeer te aanvaarden van een huis en plek die hij aanbad, hoewel haar incidentele opmerkingen erover hem nog steeds een steek van wrevel konden bezorgen.

Patrick vond dat het huwelijk van zijn ouders een poging was geweest krijt en kaas met elkaar te verbinden, en geen van beiden viel eigenlijk iets te verwijten. Toen zijn vrouw was vertrokken had Robert rust gekregen en van zijn resterende jaren genoten – hij had nooit meer een voet in Engeland gezet uit vrees oog in oog met zijn vrouw te komen. En wat Alice betrof, zij was in Engeland volkomen gelukkig. Tegenwoordig leek ze nog maar weinig op de trieste vrouw die op Willowdale had gewoond. Haar relatie tot Patrick was een beetje afstandelijk, hoofdzakelijk omdat hij zonder haar was opgegroeid en ervoor had gekozen het grootste deel van de tijd op Willowdale te wonen. Wanneer hij naar Engeland kwam begroette ze hem altijd met warme genegenheid, en hij genoot ervan haar te zien.

Maar zijn moeder was wel de laatste persoon aan wie hij dacht toen hij op deze ochtend zijn huis binnenging. Hij legde zijn hoed op de tafel in de hal van het huis, en fronste zijn voorhoofd toen hij een envelop ontdekte, die in zijn moeders fraaie handschrift aan hem was geadresseerd.

Wat nu, vroeg hij zich af. Toch niet weer een feest waarop ze zijn aanwezigheid wenste? Sinds zijn aankomst in Engeland, nog maar twee weken geleden, had hij zijn moeder naar een soiree vergezeld; was drie keer met haar in zijn rijtuig uit rijden geweest in Hyde Park; en hij had een ongemakkelijk familiediner met Henry verdragen, de man met wie ze iets meer dan een jaar getrouwd was – de tiende baron Caldecott. Hij had inmiddels toch wel getoond dat hij een plichtsgetrouwe zoon was. Kon ze hem nu niet met rust laten zodat hij zijn eigen pleziertjes kon najagen?

Zuchtend opende hij de brief, en de frons verdween onder het lezen niet van zijn voorhoofd. Ze wilde hem vanmiddag zien. Dringend.

Met een peinzende blik in zijn bedrieglijk slaperige grijze ogen slenterde Patrick naar zijn werkkamer. Waarom wilde zijn moeder hem zo dringend zien? Hij had haar twee dagen geleden nog mee naar Hyde Park genomen, en die keer was ze ontspannen en zorgeloos geweest. Er was beslist geen teken geweest dat ze iets dringenders aan haar hoofd had dan wat ze donderdagavond naar het bal van Lady Hilliard moest dragen.

Hij ging achter het indrukwekkende mahoniehouten bureau zitten en begon een antwoord aan zijn moeder te schrijven. Daarna schreef hij nog een briefje om de plannen te annuleren die hij met zijn vriend Adam Paxton had gemaakt om naar de wedstrijd op Lord's Cricket Ground aan St. John's Wood Road te kijken. Natuurlijk hadden ze een vriendschappelijke weddenschap op de uitkomst afgesloten.

Om twee uur, zoals door zijn moeder verzocht, beklom hij de stoep van het huis van Caldecott op Manchester Square. Nadat hij zijn hoed aan de butler, Grimes, had afgegeven, liep hij door de ruime hal naar de salon.

Zijn moeder zat op een sofa, haar lichtblauwe rokken rond haar voeten gedrapeerd. Een zilveren theeblad stond voor haar, en toen Patrick binnenkwam zei ze: 'Ah, precies op tijd. Ik was al bang dat Grimes me de thee te vroeg had gebracht.'

De gelijkenis tussen moeder en zoon was niet uitgesproken. Afgezien van het feit dat ze beiden lang waren en dezelfde grote, grijze ogen en zwart haar hadden, vertoonde hun gezicht geen enkele overeenkomst. Patrick was, tot ongenoegen van Alice, het evenbeeld van zijn vader. Het gaf haar altijd een schok wanneer hij een kamer binnenkwam en ze die vastberaden kaak, de rechte neus en arrogante zwarte wenkbrauwen zag, waardoor ze het gevoel had dat haar eerste echtgenoot was gekomen om haar terug te slepen naar die godverlaten plantage, Willowdale.

Nadat hij een kus op de bepoederde wang van Alice had gedrukt, nam Patrick tegenover haar plaats. Hij strekte zijn lange benen voor zich uit, en sloeg haar gade terwijl ze de thee inschonk en hem een kopje gaf.

'Je vraagt je ongetwijfeld af waarom ik je wilde zien,' zei ze een ogenblik later terwijl ze suiker en citroen in haar eigen thee deed.

Patrick boog zijn hoofd. Zijn moeder zag er net zo koninklijk uit als altijd, haar haar in een elegante bos krullen boven op haar hoofd vastgestoken; de brede grijze strengen bij haar slapen een van de paar tekenen van haar gevorderde leeftijd. Voor een vrouw die net haar negenenvijftigste verjaardag in juni had gevierd, was Lady Caldecott goed geconserveerd. De bleke, smetteloze huid vertoonde slechts flauwe rimpeltjes, de trotse kin was misschien iets voller dan in haar jeugd, en er was een fijn netwerk van rimpeltjes bij haar ooghoeken. Ze was echter nog steeds een oogverblindende vrouw, haar lichaam slank en goedgevormd, en Patrick was niet verbaasd dat Lord Caldecott haar ten huwelijk had gevraagd. Wat hem wel verbaasde was dat ze hem, na zo veel jaar een weduwe te zijn geweest, en gezien haar eerste ongelukkige huwelijk, had geaccepteerd. Wat hem nog meer verbaasde was het feit dat het huwelijk op liefde was gebaseerd, als de openlijke genegenheid die hij tussen Lord en Lady Caldecott had opgemerkt tenminste iets was om op af te gaan. Desondanks was Patrick verbijsterd door het tweede huwelijk van zijn moeder. Waarom zou iemand die eens aan de strop was ontsnapt zijn nek er voor een tweede keer in steken?

Kijkend naar zijn moeder die in haar thee zat te roeren, drong het tot hem door dat ze er afgetobder en vermoeider uitzag dan hij haar ooit had gezien, en voor het eerst kwam het bij hem op dat haar eis om hem te zien misschien een serieuze bijbetekenis had. Hij wachtte een paar minuten, maar toen ze niets zei, schijnbaar gefascineerd door de ronddraaiende thee in haar kopje, vroeg hij: 'Moeder, wat is er? Je schreef dat je me dringend wilde zien.'

Ze dwong zich te glimlachen, zette haar thee onaangeroerd neer en zei: 'Het is dringend, maar nu je hier bent weet ik niet hoe ik moet beginnen.'

'Bij het begin, misschien?'

Ze trok een gezicht, haar tegenzin was duidelijk. Als hij niet beter had geweten, had hij gezworen dat zijn moeder in verlegenheid was – ze deed beslist anders dan hij van haar gewend was.

Nadat er weer een paar minuten waren verstreken en zijn moeder nog steeds bleef zwijgen, zei Patrick: 'Ben je misschien van gedachten veranderd over deze ontmoeting?'

Ze schudde haar hoofd en zuchtte. 'Nee – je bent de enige tot wie ik me kan wenden. Het is alleen dat ik me... vernederd voel íemand de toestand uit te leggen, vooral mijn zoon, waarin ik me bevind.'

Haar gezicht vertoonde zo'n ellendige uitdrukking dat Patrick zich slecht op zijn gemak begon te voelen.

'Ik ben je zoon,' zei hij langzaam. 'Je weet toch zeker wel dat je je niet in verlegenheid hoeft te voelen door iets dat je me moet vertellen?'

Haar grijze ogen ontmoetten de zijne en ze schonk hem een gepijnigde blik. 'Dan heb je het mis. Ik weet dat we niet altijd bij elkaar zijn geweest... en ik aarzel je iets te vertellen waardoor je misschien minder over me gaat denken.'

Nu serieus gealarmeerd boog Patrick zich naar voren. 'Moeder, vertel het me! Het zal vast niet zo erg zijn.'

'Je hebt waarschijnlijk gelijk,' zei ze onwillig. 'Het is alleen dat ik –' Ze stopte, beet op haar lip en toen, zich kennelijk vermannend, zei ze: 'Ik moet je vertellen dat er twintig jaar geleden iets is gebeurd nadat ik je vader had verlaten en naar Engeland was teruggekeerd.' Ze aarzelde, en ineens kroop er een blos over haar wangen. Ze schraapte haar keel: 'Ik was nog steeds een jonge vrouw en ik maakte de vergissing hevig verliefd te worden op een andere man. Een getrouwde man van goede komaf.' Haar ogen ontweken de zijne. 'We rolden ongewild in een affaire. Het feit dat we beiden getrouwd waren en dat hij een lid van het hof was, maakte het noodzakelijk de affaire geheim te houden. Ik zou volslagen geruïneerd zijn geweest als het algemeen bekend was geworden, en hij, tja, hij zou uit de hofkringen worden gebannen.' Ze trok een gezicht. 'George III staat niet bekend om zijn tolerantie ten opzichte van buitenechtelijke verhoudingen.' Ze keek Patrick aan. 'Ben je geschokt?'

Patrick haalde zijn schouders op, wist niet precies wat hij voelde. Hij wás verbijsterd dat zijn moeder een affaire had gehad, maar niet geschokt. Hij was uiteindelijk een man van de wereld en wist dat mensen in naam van de liefde dwaasheden begingen – weer een reden waarom hij die toestand vermeed. 'Verrast is een beter woord. Maar waarom vertel je me dit?' zei hij ten slotte toen zijn moeder bleef zwijgen.

Alice haalde diep adem. 'Omdat iemand me ermee chanteert.'

'Waarmee?' vroeg Patrick met een frons op zijn voorhoofd. 'Die affaire heeft twintig jaar geleden plaatsgevonden – wie maakt zich daar nu nog druk om? Je voormalige minnaar?'

Ze schudde haar hoofd. 'Nee, hij is dood – al tien jaar.' Ze sloeg haar ogen neer. 'Ik heb hem een paar brieven geschreven. Openhartige brieven.' Vermoeid voegde ze eraan toe: 'De affaire duurde niet lang – minder dan een jaar, maar het was heftig. En toen het voorbij was, toen ik bij zinnen kwam en besefte dat ik me weinig beter gedroeg dan een smerige duif in Covent Garden, wilde ik er een streep onder zetten. Ik vertelde de man dat het uit was tussen ons en dat ik hem niet meer wilde zien. Hij nam het goed op – hij was een eerlijke en trouwe echtgenoot geweest tot ik in zijn leven kwam, en ik weet zeker dat onze verhouding hem hartzeer en verdriet heeft bezorgd.' Er was een verre blik in haar ogen. 'Hij was een eerbaar man, en ik denk, als ik terugkijk naar die tijd, dat hij zowel doodsbang was voor onze passie als betoverd. Ik vermoed dat hij heimelijk dankbaar was dat ik er een eind aan maakte. Hoe dan ook, toen we eenmaal uit elkaar waren heb ik nooit meer aan die brieven gedacht.' Haar mond vertrok. 'Ik had zeker nooit gedacht dat iemand twintig jaar later zou proberen me in ruil ervoor geld af te troggelen.'

Ondanks de ondoorgrondelijke uitdrukking op zijn gezicht dwarrelden er allerlei gedachten door Patricks hoofd. Door de bekentenis van zijn moeder bekeek hij haar met andere ogen. Hij zag haar nu niet alleen als de ongelukkige figuur uit zijn jeugd, de statige vrouw des huizes die ze was geworden, maar ook als een vrouw met eigen behoeften en verlangens. Het kostte hem moeite zich haar voor te stellen terwijl ze verwikkeld was in een heimelijke affaire, maar hij had haar woord dat het was gebeurd – en dat iemand haar ermee chanteerde. Zijn mond verstrakte. Dat was iets dat hij niet zou toestaan.

'Hoe werd er contact met je opgenomen?' vroeg hij,

met een steek in zijn hart bij het zien van haar kwetsbaarheid. Hij had zijn moeder nooit eerder zo kwetsbaar gezien, hij had nooit gedacht dat ze kwetsbaar kón zijn, en hij was zich bewust van een groeiende woede voor de persoon die deze uitdrukking op haar gezicht had veroorzaakt.

'Er lag een briefje op me te wachten,' zei Alice, 'toen ik maandag na ons ritje in het park thuiskwam. Ik herkende het handschrift niet, maar de inhoud verwees naar de affaire en de brieven. En een eis om geld in ruil voor hun teruggave.' Ze zuchtte. 'Het was heel slim gedaan – niets werd rechtstreeks gezegd, maar degene die het had geschreven wist van de affaire en de brieven en wilde betaald worden om het stil te houden.'

'Wanneer en hoeveel?' vroeg Patrick grimmig.

'Ik heb de eerste betaling al gedaan,' bekende Alice. 'De verstuurder wist dat Henry en ik diezelfde avond een bezoek brachten aan het huis van Mrs. Pennington. Er werd me gezegd duizend pond in mijn tasje te doen en het na aankomst bij mijn sjaal achter te laten. Toen ik thuiskwam en in mijn tasje keek, was het geld eruit. Zoals beloofd zat er ook een van mijn brieven in... voor het geval ik eraan twijfelde dat de chanteur de brieven werkelijk had.' Ze perste haar lippen opeen. 'Ik heb hem verbrand zodra ik alleen was.'

'Je chanteur was slim – die huisbezoeken zijn drukbevolkte aangelegenheden, met allerlei mensen die voortdurend komen en gaan. Iemand kan de garderobe binnen zijn geglipt en het geld hebben genomen.' Hij keek haar scherp aan. 'Aangezien je een brief hebt teruggekregen, is het duidelijk dat dit eindeloos kan doorgaan.'

Ze knikte. 'Ik had gehoopt dat een eis om geld hen tevreden zou stellen – dwaas, natuurlijk. Dit kwam vanochtend.'

'Dit' was een briefje dat op tafel naast het theeblad had gelegen. Ze boog naar voren en overhandigde hem het opgevouwen papier. Patrick las het snel door.

'Deze keer tweeduizend pond.' Hij keek haar aan, bezorgdheid in zijn grijze ogen. 'Kun je het betalen? Ik kan kan het, als het jou niet lukt.'

'Geld is niet de moeilijkheid – hoewel het dat kan worden als deze "verzoeken" doorgaan en de prijs blijft verdubbelen.'

'Heb je er met Caldecott over gesproken?'

Ze sloeg haar ogen neer. 'N-n-nee,' zei ze ten slotte. Toen Patrick haar bleef aanstaren, stond ze op en liep geagiteerd door de salon. Ze bleef voor hem staan, en zei heftig: 'Ik hou van Henry – heel veel. En hij houdt van mij. Hij denkt dat ik perfect ben.' Ze glimlachte triest. 'Ik weet dat jij het moeilijk kunt geloven, maar dat denkt hij.' Haar glimlach verdween, en die kwetsbaarheid keerde terug. 'Niemand heeft ooit van me gehouden zoals Henry van me houdt. Niemand, niet eens die minnaar van lang geleden, heeft ooit zoveel en zo oprecht om me gegeven als hij.' Een hand naast haar zij balde zich tot een vuist. 'Ik zou alles doen om te voorkomen dat hij iets over dat smakeloze incident uit mijn verleden te weten komt. Het is dwaas van me, ik weet het, maar ik wil niet dat Henry's beeld van mij wordt bezoedeld.'

'Nou,' zei Patrick zacht, 'dan zal ik je chanteur moeten vinden en hem eens stevig aan de tand voelen, is het niet?'

Ze nam weer plaats op de sofa, haar grijze ogen bezorgd toen ze naar voren boog en vroeg: 'Kun je dat doen? Kun jij erachter komen wie hij is? En Henry erbuiten houden?'

'Maak je niet druk over mijn gewaardeerde stiefpapa,' zei Patrick droog. 'We bewegen ons niet in dezelfde kringen – mijn activiteiten namens jou zullen beslist niet onder zijn aandacht komen.'

'Ik zou willen,' zei Alice, nu weer op haar gebruikelijke wrange toon, 'dat je je niet in die kringen begaf.'

'Tja, dat weet ik, maar in dit geval kunnen mijn losbandige vrienden en maten daadwerkelijk een hulp zijn.'

'Je zult het toch niet aan iemand anders vertellen?' vroeg ze, met haar hand tegen haar hals gedrukt.

Patrick keek haar aan en ze ontspande zichtbaar. Met een verontschuldigende glimlach zei ze: 'Natuurlijk doe je dat niet. Het was dom zoiets zelfs maar te denken. Vergeef je het me?'

Hij knikte, herlas het briefje en fronste zijn voorhoofd. 'Het lijkt erop dat hij, op dit moment gaan we ervan uit dat het een hij ís, denkt dat je een gemakkelijke prooi bent. Ik vermoed dat die betaling op maandag alleen gebeurde om te zien of je zou bijten. Aangezien je dat hebt gedaan, weet hij nu dat hij je aan de haak heeft. Je kunt er vast op rekenen dat je meer van dit soort briefjes zult ontvangen.'

'Dat denk ik dus ook, en daarom heb ik je gevraagd te komen.' Ze deed een ogenblik haar ogen dicht. 'Ik kan op mijn leeftijd niet geloven dat ik word gechanteerd met iets dat zo lang geleden is gebeurd. Het is belachelijk!'

'Heb je er enig idee van wie de chanteur zou kunnen zijn?'

'Nee. De ontvanger van de brieven is dood – al tien jaar. Er waren geen directe erfgenamen. Toen hij stierf gingen de titel en de rest naar zijn broer. Trouwens, zijn broer is ook al ongeveer zes jaar dood. De oudste zoon van zijn broer heeft nu de titel.'

'Nu je me dit allemaal hebt verteld, kun je me misschien ook de naam van je minnaar toevertrouwen?' vroeg Patrick zacht.

Alice trok een gezicht. 'Het was Lord Embry, de graaf van Childress – de zesde graaf. Ik geloof dat je zijn neef kent, de huidige Lord Embry.'

Patrick knikte. 'Ja, ik ken hem. En aangezien hij bij allerlei toestanden in de stad is betrokken, kan ik me niet voorstellen dat hij je chanteur is.'

'En ik kan niet geloven dat zijn oom mijn brieven niet heeft vernietigd toen er een einde aan onze affaire kwam.'

'Heeft hij wellicht jouw vertrek niet zo gemakkelijk opgevat als jij dacht?'

'Misschien heb je gelijk,' beaamde ze triest. 'Maar aangezien we moeten aannemen dat hij mijn brieven heeft bewaard, waarom word ik er dan nu pas mee gechanteerd om ze terug te krijgen?'

'Het meest voor de hand liggende antwoord is dat iemand ze nu pas in handen heeft gekregen. Maar wie en hoe?' Hij fronste zijn voorhoofd. 'Embry zit misschien wel dicht bij het vuur, maar ik kan me niet voorstellen dat hij zo laag zou zinken door de moeder van een vriend te chanteren – en hij ís een vriend van me. Bovendien, tenzij het familiefortuin dramatisch is afgenomen, heeft hij niet meer geld nodig – en ik kan me niet voorstellen dat Nigel de zolder van Childress Hall heeft doorzocht, wat een van de plaatsen is waar de brieven zich misschien hebben bevonden, en dat ze nu pas zijn ontdekt.'

Alice zuchtte. 'Ik denk dat je gelijk hebt. Het is alleen zo moeilijk te geloven dat ze pas na twintig jaar boven water zijn gekomen.'

Ineens trok er een peinzende uitdrukking over Patricks gezicht. 'En zijn vrouw? Kan zij de brieven hebben gehad?'

Alice schudde haar hoofd. 'Nee, ze stierf zes maanden

nadat de affaire was beëindigd.' Plotseling kreeg ze een inval en ze boog naar hem toe. 'Wacht! Een paar jaar daarna is hij hertrouwd. Hoe heette ze ook alweer? Ah, ik heb het – Levina Ellsworth.'

'Denk je dat zij wellicht die brieven heeft bewaard?'

'Ik kan me niet voorstellen dat ze dat heeft gedaan – Levina heeft geen enkele kwaadaardige of gemene kant. Als zij wist wat er in die brieven stond, zou ze ze domweg aan me geven.'

'Maar stel,' opperde Patrick langzaam, 'dat ze niets van die brieven wist. Stel dat ze in een oude kist lagen die ze na het overlijden van haar man mee naar Childress Hall heeft genomen? Ik neem aan dat ze daar na zijn dood in het Dower House is gaan wonen?'

'Ik heb geen idee,' gaf Alice toe. 'Zodra de affaire voorbij was heb ik niet bijgehouden wat er met zijn leven gebeurde – ik wilde het allemaal vergeten, net doen of ik nooit zo losbandig en dwaas was geweest. De enige reden waarom ik me Levina herinner is dat ik haar kende en medelijden met haar had. Ze had een klein fortuin, was niet erg aantrekkelijk, en haar familie behandelde haar als een werkezel. Ze komt uit een grote familie, maar haar zussen en broers heb ik altijd als een stelletje aasgieren beschouwd – hun behoeften kwamen eerst. Wat ik me vooral van Levina herinner is haar lieve karakter. Toen ik de aankondiging van haar huwelijk met Embry las, was ik blij dat ze op haar leeftijd nog zo'n goede partner had gevonden.' Ze keek peinzend. 'Ze zijn vast goed voor elkaar geweest.'

'Denk je dat ze nog leeft?'

'Het zou kunnen – ze was ongeveer tien jaar ouder dan ik, dus is het niet uitgesloten.'

'Ik denk dat ik moet beginnen erachter te komen waar Levina verblijft,' zei Patrick, waarbij hij opstond. 'We zullen aannemen dat Levina niet wist dat ze de brieven had en dat ze ze overal mee naartoe nam. En daar bleven ze tot iemand, om wat voor reden dan ook, ze ontdekte. Met een beetje geluk heeft ze ze meegenomen naar het Dower House op Childress – ik kan Nigel gemakkelijk een bezoekje brengen.'

'En deze laatste eis? Wat moet ik ermee doen?' vroeg zijn moeder.

Patricks gezicht vertrok. 'We zullen moeten betalen, maar ik denk dat ik degene zal zijn die de betaling aflevert.'

'Is dat verstandig? Zou het de chanteur niet kwaad maken?'

Patrick glimlachte als een tijger. 'O, geloof me, ik wil onze chanteur juist heel graag kwaad maken!'

Hij keek naar het adres waar zijn moeder vanavond het geld moest achterlaten. 'Jij bent daar vanavond dus om tien uur? Curzon Street – een nogal fraaie buurt voor een chanteur, denk je niet?'

Zijn moeder haalde haar schouders op. 'Ik geloof van wel – als er iemand op het adres woont.'

Patrick knikte en stond op. 'Tenzij je chanteur erg dom of erg brutaal is. Het zou dwaasheid zijn als hij je naar zijn huis zou laten komen – dan zou hij je net zo goed kunnen vertellen wie hij is.'

Hij liep naar haar toe en kuste haar op de wang. 'Ik neem aan dat het geen zin heeft je te zeggen dat je je geen zorgen moet maken? Dat ik dit voor je zal afhandelen?'

'Het zal me alleen maar nog een reden geven om me zorgen te maken,' zei Alice triest. Opkijkend naar haar grote zoon, voegde ze er bezorgd aan toe: 'Je zúlt toch wel voorzichtig zijn? We hebben er geen idee van hoe gevaarlijk deze persoon kan zijn. Ik zou het mezelf nooit vergeven als jou vanwege mijn dwaasheid iets zou overkomen.'

Patrick lachte. 'Gezien de risico's die ik puur voor de lol heb genomen, zal dit een peulenschil zijn.' Hij gaf haar nog een kus. 'Maak je geen zorgen, mama.'

Hierna verliet Patrick het huis van zijn moeder en reed rechtstreeks naar Curzon Street. Hij was niet verbaasd toen hij zag dat het huis dat de chanteur had genoemd leeg was. Het was een aantrekkelijk herenhuis in Georgiaanse stijl, dat veel gelijkenis vertoonde met verscheidene andere in hetzelfde blok, maar zijn klop op de deur veroorzaakte geen reactie of teken van een van de bewoners. Een kort gesprek met een welvarend uitziende heer die de stoep van het aangrenzende huis af kwam, leverde hem de informatie dat het in handen was van een advocaat die het al sinds een paar maanden probeerde te verhuren. De vorige bewoner was een jaar geleden gestorven en de erfgenaam, een ongetrouwde vrouw van middelbare leeftijd, voelde er niets voor om in Londen te wonen.

Nadat hij de naam van de advocaat, een zekere Beaton, had verkregen, alsmede diens adres, bedankte Patrick de ander en ging meteen op weg om de advocaat een bezoek te brengen. Hij deed zich voor als iemand die een huis wilde huren en kon zodoende in het gezelschap van Mr. Beatons assistent toegang tot het huis verkrijgen. Binnen, hoewel ruim en goed ingericht, hing de muffe geur van een huis dat lang afgesloten is geweest, en de met lakens bedekte meubels zagen er in het gedimde licht dat door de luiken voor de ramen naar binnen viel spookachtig uit. Een korte inspectie van de drie verdiepingen leverde niets op wat Patrick enig idee gaf van de verblijfplaats of de identiteit van de chanteur. Na Mr. Beatons assistent te hebben beloofd dat hij hem zijn beslissing over het huis zou laten weten, ging hij naar huis om na te denken.

In zijn werkkamer, met zijn gelaarsde voeten op het mahoniehouten bureau gesteund, dacht hij geruime tijd na over de situatie. Er kwam geen enkele oplossing bij hem op en hij was zich ervan bewust dat hij die avond niets kon doen. Ondertussen kon hij echter wel zijn vriend, Nigel Embry, ontmoeten. Aangezien Levina zijn aangetrouwde tante was, zou Lord Embry waarschijnlijk een bron van informatie over haar zijn.

Hij zei tegen zijn butler dat hij niet wist wanneer hij weer thuis zou komen, zette zijn hoed op en verliet Hamilton Place opnieuw. Hij had geluk en vond Lord Embry waar hij het eerst ging kijken; Embry House aan Albemarle Street. Lord Embry wilde net in zijn rijtuig stappen op het moment dat Patrick eraan kwam. Nigel, hartelijk en beminnelijk als altijd, stond erop dat Patrick zijn eigen rijtuig parkeerde en bij hem zou instappen om een ritje in Hyde Park te maken.

Het nieuws dat hij van Lord Embry verkreeg bevestigde zijn eigen vermoedens: Levina was in januari overleden. Haar landgoed was naar haar nichten en neven gegaan – een groep op geld beluste aasgieren zoals Nigel nog nooit had gezien.

Nadat Patrick alles had gehoord wat hij op dat moment aan de weet kon komen, leunde hij achterover en genoot van het ritje, en luisterde met een half oor naar het opgewekte gebabbel van Lord Embry. Op dit uur was het park drukbevolkt met verscheidene leden van de bon ton, gekleed in hun mooiste kleding en rijdend in hun elegantste rijtuigen. Aangezien Embry iedereen kende, en Patrick ook vele leden van de society erg goed kende, kwamen ze maar langzaam vooruit doordat ze telkens stopten om een praatje met de een of ander te maken, en naar anderen te knikken.

Op dit moment stonden ze stil, en wisselden nieuwtjes uit met verscheidene kennissen, toen het geluid van een snel naderend rijtuig Patrick in die richting deed kijken. Een seconde later kwamen er een paar langbenige volbloeds in zicht.

De berijder keek nauwelijks op of om en stuurde de paarden vakkundig door het drukke park. Toen het rijtuigje en de paarden voorbij draafden, keek Patrick naar de berijder om te zien of hij de verdomde dwaas herkende die met zo'n gevaarlijke snelheid over de paden reed. Hij was verbaasd te zien dat het een vrouw was. Haar gelaatstrekken waren door de snelheid waarmee ze reed niet goed te onderscheiden, en hij kreeg slechts een vage indruk van een bos zwarte krullen en een kittig rood hoedje, grote donkere ogen en een rode lachende mond.

'Wie is die wildebras in vredesnaam?' vroeg hij.

'Ah,' zei Nigel, 'ik zie dat je het genoegen nog niet hebt gehad aan de beruchte Miss Thea Garrett te zijn voorgesteld.'

'Heb je Thea nog niet ontmoet?' riep een van de heren uit, die zich aan Lord Embry's kant van het rijtuig bevond. 'Allemachtig, man, ze is het gesprek van Engeland. Al tien jaar, trouwens – al sinds die akelige kwestie met Randall en haar broer, Lord Garrett. Vertel me niet dat je je dat niet herinnert.'

Patrick knikte traag. 'Natuurlijk. Ik herinner het me nu. Het meisje was geruïneerd, en toen haar broer haar vond, hebben hij en Hawley gevochten. Beide mannen zijn daarbij omgekomen, is het niet?'

'Dat klopt. Verschrikkelijk schandaal. De familie heeft geprobeerd het stil te houden, maar dat lukte niet. Ik bedoel, twee kerels die in een duel om het leven komen? Natuurlijk werd de reden voor het duel ook bekend. Wekenlang werd erover gepraat.'

'Ik kan niet geloven dat je haar nog niet eerder hebt ontmoet,' merkte Nigel op. 'Jouw reisjes naar Engeland vallen denk ik niet samen met haar verblijf in Londen. Maar na het schandaal heeft het ook jaren geduurd voor ze weer in Londen kwam – ze verbleef ondertussen met haar moeder en halfzus, Edwina, op het platteland.'

'Het is verdraaid jammer dat het schandaal er de oorzaak van was dat de kansen van haar halfzus op de huwelijksmarkt werden verkleind. Wat ik me ervan herinner was ze een lieftallig meisje. Is het kind niet vier of vijf jaar geleden in een huwelijk met een of andere parvenu geëindigd?' zei een van de heren.

'Alfred Hirst,' antwoordde Nigel. 'Een nietsnut, maar met genoeg connecties in de bon ton om zich in bepaalde kringen te bewegen.'

Patrick had geen belangstelling voor Edwina Hirst. Het was de wildebras met de rode mond in het rijtuigje die zijn aandacht had getrokken, en hij bracht Nigel terug naar dat onderwerp door hem ongeduldig te vragen: 'Maar hoe komt het dat Thea Garrett als een wilde te midden van de bon ton door Hyde Park rijdt? Heeft ze geen schaamtegevoel?'

Nigel lachte. 'Dat is onze Thea! Ze heeft haar beruchtheid tot haar voordeel aangewend! Trots als de duivel in eigen persoon. Trekt zich er niets van aan of ze wordt geaccepteerd of niet – gaat haar eigen gang, en tegenwoordig weigeren alleen de grootste stijfhoofden haar toegang tot hun huis. Maar ze is aan zoveel leden van de bon ton verwant, met een eigen fortuin, dat ze schandaal of niet, overal wordt uitgenodigd.' Hij keek nadenkend. 'Natuurlijk zouden de deuren zich in een oogwenk sluiten als er enig teken was dat een van de heren zo ver zou gaan zijn hoofd te verliezen en een huwelijk met het wicht in overweging zou nemen.'

'Maar heb ik niet gehoord dat Lord Gale vorig jaar tedere gevoelens voor haar had opgevat?' vroeg een van de heren. 'Hij had toch gezworen dat hij met háár zou trouwen, of met niemand.'

Nigel knikte. 'Heeft heel wat stof doen opwaaien. De familie heeft het verduiveld lastig gehad om hem het land uit te werken.'

'Waarom,' vroeg Patrick, 'zou een heer van goede komaf met zo'n brutaaltje willen trouwen?'

'Wacht maar tot je Thea ontmoet,' zei Nigel traag, met een irritante zelfgenoegzame glimlach.

Patrick schudde zijn hoofd. 'Ik verlang er niet naar die jongedame te ontmoeten.'

Nigels blauwe ogen glommen. 'Een weddenschap?'

'Waarover?'

'Dat je voordat je Londen voor de winter verlaat je mening zult veranderen?'

'Geldverspilling. Dat zal niet gebeuren.'

'Nou, hebben we een weddenschap of niet?' drong Nigel aan.

Patrick grinnikte plotseling, zijn grijze ogen glansden geamuseerd. 'Heel goed, als jij je geld wilt verliezen, neem ik je verdraaide weddenschap aan. Maar nogmaals, ik wil Thea Garrett helemaal niet ontmoeten!'

☾

Hoofdstuk 2

Zich onbewust van het feit dat ze het onderwerp van gesprek was in de groep die ze net was gepasseerd, concentreerde Thea zich op haar rijden. Ze wist dat wegens haar snelheid verbaasde blikken zou trekken, maar net als met zoveel andere dingen, trok ze zich er absoluut niets van aan. Waarom zou ze? Ze was de beruchte Thea Garrett, en de mensen zouden hoe dan ook over haar praten – dus laat die vreemde met zijn grijze ogen maar lekker staren!

Met haar gedachten bij andere dingen, liet ze de paarden en het rijtuigje achter bij de stalknecht. Ze ging het huis op Grosvenor Square binnen dat ze vier jaar geleden, kort na haar moeders dood, had gekocht. Ze trok de zwartleren rijhandschoenen uit, knikte naar de butler, Tillman, en liep de gang door met de bedoeling naar boven te gaan om zich te verkleden. Toen Tillman beleefd kuchte en haar aandacht op een briefje vestigde dat was bezorgd, trok ze een gezicht en pakte het van het zilveren blad waarop het had gelegen.

Ze herkende het handschrift natuurlijk onmiddellijk en in haar doorgaans glimlachende ogen verscheen een harde glans. 'Heeft hij het zelf gebracht of laten bezorgen?' vroeg ze aan Tillman.

'Hij heeft het zelf gebracht, miss.' Met een ongemakkelijke uitdrukking op zijn gezicht voegde hij eraan toe: 'Ik heb uw bevelen opgevolgd en hem niet binnengelaten – hoewel het me moeite kostte een familielid op een dergelijke manier te behandelen.'

Aangezien Tillman sinds Thea's geboorte bij de familie Garrett had gediend, stond ze hem veel vrijheid toe – wat hij uit hoofde van zijn functie als zijn recht beschouwde.

Ze trok een smalle wenkbrauw op, en mompelde: 'Ik herinner me niet de naam "Hirst" op de familiestamboom van de Garretts te hebben gezien. Vergis ik me misschien?'

Tillman rechtte zijn lange gestalte nog iets meer, en zei zuinig: 'Een aangetrouwd familielid, miss – zoals u heel goed weet.'

Thea snoof. 'Nou, jij kunt hem als je wilt als familielid beschouwen, maar ik niet.' Ze liep snel naar de trap. 'En je laat dat onmens onder geen voorwaarde in mijn huis – zelfs niet als Edwina bij hem is!'

'Miss! U wilt toch niet beweren dat u uw eigen zus de toegang tot uw huis ontzegt?' vroeg hij happend naar adem.

'Halfzus,' zei Thea terwijl ze de trap op liep. 'En ik zei niet dat de deur voor haar gesloten blijft – alleen voor haar echtgenoot.'

Eenmaal in haar kamer gooide Thea de handschoenen op haar toilettafel, en wierp haar kittige rode hoedje door de kamer waar het op haar bed belandde. Haastig greep ze een stoel en ging zitten, waarna ze de envelop openscheurde en de inhoud las.

Het was weer hetzelfde liedje – een verzoek, een eis eigenlijk, om geld. De onbeschaamdheid van de man van haar zus verbaasde haar. Nadat hij zijn eigen fortuin in vier jaar huwelijk had uitgeput, was hij erin geslaagd ook Edwina's fortuin flink aan te spreken.

Het schonk Thea geen voldoening dat ze Alfred Hirst vanaf de eerste dag, nu zes jaar geleden, als fortuinjager had herkend. Haar waarschuwingen om niet met Hirst te trouwen, te wachten tot ze ouder was, hadden Edwina die toen achttien jaar was echter niet kunnen overtuigen. Tot over haar oren verliefd op de knappe, gedistingeerde Hirst had ze geweigerd naar goede raad te luisteren. Thea zag boze geesten waar ze niet waren, had Edwina luchtig geantwoord. Niet alle knappe, oudere mannen waren uit hetzelfde hout gesneden als Lord Randall. Thea was gewoon jaloers! En dat was ze altijd geweest, had Edwina eraan toegevoegd, omdat mama met papa was getrouwd en haar en Tom bij de Garretts had achtergelaten om door hen te worden grootgebracht.

Thea was drie jaar toen haar vader kwam te overlijden. Ze was te jong geweest om veel herinneringen aan hem te hebben. Het meeste wat ze van hem wist hadden anderen haar verteld. Toen haar moeder een jaar later met Mr. Northrop trouwde, en Edwina een jaar daarna werd geboren, was Thea vijf jaar. De Northrops hadden misschien bij iemand enige wrok kunnen wekken door het feit dat ze een gelukkig gezin vormden, maar niet bij Thea. Ze was een beminnelijk kind geweest en geneigd dingen te accepteren, zonder de daden van volwassenen in twijfel te trekken. Bovendien was ze gefascineerd door haar nieuwe zusje, en bijna vanaf het moment dat ze voor het eerst naar het engelachtige kind met haar blauwe ogen had gekeken, was ze vervuld geweest met een beschermend gevoel. Haar moeder had dat gevoel aangemoedigd, wilde dat haar twee dochters een sterke band kregen, en Thea's verknochtheid aan Edwina was in de jaren daarna alleen maar gegroeid. Ze was nooit één keer jaloers op haar jongere halfzusje geweest, en ook het feit dat haar moeder ervoor had gekozen haar en Tom bij hun tante en oom achter te laten had ze niet erg gevonden. Ze aanbad haar tante en oom en voelde slechts weinig genegenheid voor de tweede man van haar moeder.

Northrop was lang vrijgezel geweest, en hij had vanaf het begin duidelijk gemaakt dat hij andermans kinderen niet voortdurend voor zijn voeten wilde hebben. Tom en Thea, inmiddels bij hun tante en oom ingetrokken, hadden een afkeer van Mr. Northrop gehad – een zelfde afkeer die hij jegens hen koesterde. Zelfs een onnozele hals zag dat de situatie onhoudbaar werd. De nieuwe Mrs. Northrop had na rijp beraad en onder veel tranen toegestemd dat Tom en Thea op Garrett Manor zouden verblijven, waar ze door de jongere broer van hun vader en zijn vrouw zouden worden grootgebracht. Mrs. Northrop was geen harteloze vrouw, maar wel praktisch.

Tom en Thea hadden niet veel contact met Edwina, dat gebeurde pas nadat Northrop was gestorven en er werd ontdekt dat hij diep in de schulden zat. Wanhopig en arm had Mrs. Northrop, samen met de elfjarige Edwina, geen andere keus gehad dan het edelmoedige aanbod van haar voormalige schoonfamilie te accepteren en terug te keren naar Garrett Manor. Mrs. Northrop had geluk dat de Garretts zo vriendelijk waren – het enige dat over was, was een klein legaat voor Edwina, te ontvangen wanneer ze zou trouwen of eenentwintig jaar werd.

Het was een moeizame vereniging van families geworden, en daardoor had Thea zich nog verantwoordelijker voor haar jongere zusje gevoeld.

Na de dood van Tom en het daarop volgende schandaal, waren de twee zusjes erg aan elkaar gehecht geraakt. Pas toen Edwina ouder werd en het verschil tussen haar geluk en dat van Thea besefte, waren haar gevoelens veranderd. Het was tijdens Edwina's Londense seizoen, het jaar nadat Mr. Northrop was overleden, dat ze oprecht wrok voor haar oudere halfzus begon op te vatten. Haar dromen om Londen als een wervelwind te veroveren, bleven onvervuld. Edwina was ervan overtuigd dat het oude schandaal, Thea's reputatie, er de oorzaak van was dat zij niet uit meerdere minnaars kon kiezen en de belle van het bal werd. Toen Hirst Edwina het hof begon te maken, hadden Thea's oprechte maar dwaze pogingen hem zwart te maken, haar alleen maar meer vastberaden gemaakt om met hem te trouwen, waarna een groeiende kloof tussen de halfzussen was ontstaan. Thea had naar haar moeders kalme manier van omgang met Edwina verlangd, en haar heengaan betreurd.

Na Mr. Northrops dood hadden Edwina, Thea en hun moeder in het Dower House op het landgoed van de Garretts gewoond. Thea was daar gelukkig geweest, en als haar moeder niet was overleden, had ze daar misschien nu nog gewoond. Maar toen Mrs. Northrop was overleden, was de familie onvermurwbaar geweest en ze hadden het ondenkbaar gevonden dat zij en Edwina, toen nog maar zeventien jaar, alleen woonden, zonder een oudere persoon om hen te begeleiden. Thea had geprotesteerd, erop gewezen dat ze met tweeëntwintig jaar volkomen in staat was haar eigen huishouding te bestieren, maar Lord Garrett was niet op andere gedachten te brengen. Een verre nicht was gedwongen in dienst genomen om bij de twee jonge vrouwen te wonen.

Miss Modesty Bradford woonde, met zelf een klein eigen fortuin, heel gelukkig in Londen toen Lord Garrett haar benaderde. En hoewel ze Thea en Edwina intens benijdde, en probeerde zich te schikken in het rustiger leven dat ze leidden, had ze het platteland verafschuwd. Modesty was een kwieke, grote, slanke vrouw van tweeënveertig jaar, en nadat ze de landelijke saaiheid bijna negen maanden had verdragen, wachtte ze niet veel langer met Thea ervan te overtuigen dat ze zich niet eeuwig op het platteland kon, en niet móest begraven. Er was nog een hele wereld te ontdekken, en Londen was nog maar het begin. Thea weersprak haar, maar Modesty bracht handig een argument naar voren waar ze niets tegenin kon brengen: ze moest aan Edwina denken – voor haar moeders dood was een Londens seizoen gepland wanneer ze achttien zou worden. Wilde Thea haar zus het glorieuze moment ontzeggen? Edwina de kans onthouden een goede, zo niet spectaculaire verbintenis aan te gaan?

Thea gaf zich gewonnen. Ze moesten naar Londen verhuizen. Hoewel Lord Garrett hen met alle plezier in zijn huis in Londen wilde laten wonen, wilde Thea een eigen huis hebben. En aangezien ze een fortuin had waarmee ze kon doen wat ze wilde, was er niets op tegen. Een jaar na de dood van Mrs. Northrop had Thea, met Lord Garretts goedkeuring, een huis aan Grosvenor Square gekocht, waar Modesty, Edwina en zij introkken. Zodra hun jaar van rouw voorbij was, begonnen Modesty en Thea dat voorjaar plannen te maken voor Edwina's debuut in de society.

Ze legde de brief van Hirst terzijde en dacht terug aan Edwina's eerste schreden in de society, nu vier jaar geleden. Het was heftig, pijnlijk, opwindend, ergerlijk en vernederend geweest – voor Thea. Het hele schandaal werd opgerakeld, en overal waar ze verscheen werd er over haar gefluisterd. Het was Modesty geweest die Thea, met een felle blik in haar donkere ogen, had geholpen haar kin omhoog te houden en haar rug recht. Kijkend naar haar nichtje na een bijzonder ellendig uitje, had ze scherp gevraagd: 'Laat je je door een groep mensen die je kent, een groep mensen die jou niet kent, met je staart tussen je benen uit de stad verdrijven? Ik dacht dat je meer geestkracht had, kind! Ze hebben geen macht over je – alleen jij kunt ze de kans geven jou een ongemakkelijk gevoel te bezorgen. Wat maakt het uit dat Lady Bowden haar neus voor je optrok? Of dat Mrs. Rowland die afschuwelijke dochter van haar op dat feest bij je wegtrok alsof je een besmettelijke ziekte had? Ga je je leven door hen laten regeren?' Ze had haar vinger opgestoken en was streng verder gegaan: 'Je hebt vrienden, vrienden met een titel, en een wijdvertakte familie die je zal bijstaan. Waarom zou je je iets aantrekken van wat kleinzielige mensen denken? Het enige verkeerde dat je hebt gedaan was jong en dwaas zijn en verliefd worden op de verkeerde man, een schurk. Jou werd kwaad gedaan, niet andersom.'

Met betraande ogen had Thea naar Modesty's alledaagse gezicht gekeken. 'Ik heb Tom vermoord,' had ze gemompeld.

'Nee! Je hebt Tom niet vermoord, dat heeft Randall gedaan.' Modesty had haar zachtzinnig door elkaar geschud. 'En juist vanwege Tom moet je je niet door al die oude spoken onder de voet laten lopen. Voor Tom moet je je overeind houden en ze onder ogen zien.' Modesty had gegrinnikt. 'Zoals mijn vader altijd zei: "Geef ze van katoen, meid!"'

Met steun van Modesty had Thea dat gedaan, en na verloop van tijd had ze de oude matrones en hun afschuwelijke dochters vol trots en vreugde recht in de ogen gekeken. Het was niet makkelijk geweest, maar gedurende de afgelopen paar jaar had ze geleerd haar hoofd rechtop te houden en roddels te negeren die nog steeds de ronde deden.

Hoewel Thea voor het grootste deel in staat was geweest de fluisteringen en heimelijke blikken te negeren, was het Edwina niet gelukt. Ze was jong en verwend en vertroeteld geweest, waardoor ze ervan overtuigd was dat ze met haar engelachtige uiterlijk, goudgele krullen en saffierblauwe ogen erg gewild was, en dat het niet al te lang zou duren voor ze verloofd zou zijn met een rijke man van adel. Maar ze had een schok te verwerken gekregen toen het duidelijk werd dat, hoewel ze graag met haar wilden dansen en flirten, geen enkele heer van hoge komaf, of met een groot fortuin, zich met de zus van Thea Garrett wilde verbinden – ook al was ze slechts een halfzus. En daar was natuurlijk ook de kwestie van Edwina's fortuin – het was niet groot. Het was waar dat een fortuin en familiebetrekkingen, zoals Thea had gehad, een armlastig heer misschien een oogje had doen dichtknijpen, maar Edwina's deel was niet zo indrukwekkend, en ze had geen machtige connecties – behalve Thea.

Toen Alfred Hirst, zo gedistingeerd en een lid van de kring rond de prins van Wales, op het toneel was verschenen en duidelijk interesse in haar had getoond, was Edwina dolblij geweest. Hirst had goede connecties en een aardig fortuin, en volgens zijn zeggen was hij een grote vriend van Prinny. Met beelden in haar hoofd van haarzelf in koninklijke kringen, was Edwina ervan overtuigd geweest dat hij de man was op wie ze haar hele leven had gewacht.

Thea was er minder van overtuigd. Het feit dat Hirst vijfendertig jaar was, en een lid van de luidruchtige entourage van de prins van Wales, was voor haar geen doorslaggevende aanbeveling. Prinny's vrienden waren niet allemaal even respectabel, en er werd veel geroddeld over zijn wilde en losbandige vriendjes. Discreet onderzoek onthulde Thea het feit dat Hirst diep in de schulden zat en erom bekendstond dat hij een rijke vrouw zocht.

Edwina wilde er niets van horen, en zij en Hirst waren weggelopen en stiekem getrouwd. Nu het huwelijk een voldongen feit was en haar eigen pijnlijke herinneringen bovenkwamen, probeerde Thea er goed zicht op te houden. Maar in haar wanhopige poging om Edwina te behoeden voor een huwelijk met Hirst had ze te veel gezegd om de sfeer tussen hen ontspannen te houden.

Thea pakte de brief van Hirst en herlas hem met een zucht. Ze veronderstelde dat ze hem vanavond moest ontmoeten en zien wat hij nu weer voor een plannetje had bekokstoofd om geld van haar los te peuteren. Alsof ze Edwina en Hirst al niet eerder voor een financiële ramp had behoed, dacht ze, terwijl ze zich begon uit te kleden. Nog geen zes maanden geleden had ze hun schulden voor de derde keer binnen achttien maanden betaald. Bij die gelegenheid had ze weer aangeboden hen in een leuk huisje op het platteland te settelen, met een klein inkomen, maar haar edelmoedigheid had tegen haar gewerkt.

'Heel goed,' had ze tegen Edwina gezegd, 'aangezien jullie Londen niet willen verlaten, ben ik bang dat ik hard moet zijn.' Ze had haar zus met pijn in haar hart aangekeken. 'Dit is de derde keer dat ik jullie schulden heb betaald, voornamelijk speelschulden van je man, en een aanzienlijke som geld op jullie bank gezet. Ik kan daar niet mee door blijven gaan – vooral niet als jullie geen moeite doen om jullie manier van doen te veranderen.'

'*Wil* niet, zul je bedoelen!' had Edwina gezegd, haar

blauwe ogen flitsend van woede. 'Ik begrijp niet waarom je zo zelfzuchtig moet zijn – je hebt geld genoeg; je hebt het niet allemaal nodig. Alfred kan het niet helpen dat het hem de laatste tijd tegen zit. Het zou je absoluut geen kwaad doen om je fortuin met mij te delen. Moeder zou het willen – dat weet je best.'

'Edwina heeft gelijk,' had Alfred zich ermee bemoeid, zijn knappe gezicht vol spot. 'Ik weet zeker dat Mrs. Northrop verbijsterd zou zijn bij de ontdekking dat je niet bereid bent je zus in tijden van nood te helpen.'

Thea had liefjes naar hem geglimlacht. 'Ik ben volkomen bereid Edwina te helpen... maar ik weiger jóu te helpen. En aangezien jij haar man bent en haar financiën beheerst, en doorgaat met het geld te vergokken dat ik haar geef, heb ik geen andere keus dan het haar te weigeren.' Ze had naar Edwina gekeken. 'En dat zal ik doen. Geloof me. Dit is de laatste keer. Ik zal zijn gokschulden niet meer betalen.'

Die onplezierige gebeurtenis had dit voorjaar plaatsgevonden, vlak voordat Thea het land voor de zomer had verlaten. Ze was nog maar enkele weken geleden in Londen teruggekomen voor het 'Kleine' Seizoen, en ze had tot nu nog geen rechtstreeks contact met een van beiden gehad. Ze keek weer naar het briefje. Was ze een dwaas? Moest ze het gewoon verscheuren en Edwina voor de gevolgen laten opdraaien? Ze beet op haar lip. Dat kon ze niet doen. Als haar familie tien jaar geleden, toen ze hen zo wanhopig nodig had gehad, haar de rug had toegekeerd hoe zou het dan met haar zijn afgelopen? Nee. Ze kon Edwina niet in de steek laten. Ze trok een gezicht. Dat betekende tevens dat ze Edwina's verachtelijke echtgenoot niet in de steek kon laten.

Zoals altijd wanneer ze aan de man dacht met wie Edwina was getrouwd, werd ze overspoeld door schuldgevoelens. Ze was er zeker van dat Edwina, behoudens haar beschamende reputatie, de geweldige partij zou hebben gevonden op wie ze haar zinnen had gezet. Het was, gaf ze triest toe, haar schuld dat Edwina met een man van Hirsts kaliber was getrouwd. Ze had geen andere keus dan hem te ontmoeten en te proberen Edwina's bestaan veilig te stellen – het was wat haar moeder zou hebben gewild.

Thea was die avond tijdens het eten verstrooid, en Modesty merkte het. Ze wachtte tot ze in de salon waren gezeten en Thea afwezig in een boek zat te lezen voor ze iets zei.

Modesty legde haar borduurwerk terzijde. 'Wat is er, liefje? Je was zo stilletjes tijdens het eten en nu zit je alleen maar naar het boek te staren. Is het zo erg?'

Thea keek haar liefdevol aan. Ze wilde er niet aan denken hoe haar leven er wellicht uit had gezien als haar oom er niet op had gestaan dat Modesty bij haar en Edwina introk. Modesty had haar niet laten broeden, en Modesty had ook niet gewild dat ze zich verstopte. Ze was deze grote, tanige, grijsharige vrouw heel wat verschuldigd.

'Nee,' zei Thea hoofdschuddend, 'er is niets mis met het boek – het is Alfred. Hij heeft vanmiddag een briefje voor me achtergelaten. Hij wil me vanavond ontmoeten.'

Modesty perste haar lippen opeen. 'Ik neem aan dat hij geld wil?'

'Dat schrijft hij niet, maar ik kan niets anders bedenken!'

'Ga je hem ontmoeten?'

Thea zuchtte. 'Ik heb geloof ik geen keus. Als ik niet ga zal Edwina eronder te lijden hebben.'

Modesty snoof. 'Ik vind dat je je te veel zorgen om dat madammetje maakt. Ze weet vanaf de dag dat ze werd geboren precies wat ze wil. Edwina zal altijd op haar pootjes terechtkomen – wees daar maar niet bang voor!'

'Ik weet dat jij haar altijd verwend hebt gevonden...' Thea trok een gezicht. 'En ik moet toegeven dat dat zo is, maar ik kan haar niet zomaar in de steek laten – het is mijn schuld dat ze met die ellendeling is getrouwd.' Thea's hand balde zich tot een vuist. 'Was ik maar nooit zo'n domme dwaas geweest om verliefd te worden op een fortuinjager als Hawley Randall.'

'En als je nu niet ophoudt met zelfmedelijden te hebben over iets dat tien jaar geleden is gebeurd, geef je hem de kans het laatst te lachen,' zei Modesty bot, hoewel haar blauwe ogen vriendelijk stonden.

'Ik heb geen medelijden met mezelf,' zei Thea woedend. 'Waarom zou ik? Ik heb alles wat ik wil: mijn eigen huis, mijn eigen fortuin, een kring dierbare vrienden en een familie die van me houdt – wat kan ik nog meer wensen? Maar het is míjn schuld dat het zo is gelopen. Als ik er niet was geweest –'

'Zo is het genoeg!' zei Modesty. 'Ik weet dat je je schuldig voelt over dat wat is gebeurd, maar het was niet helemaal jouw schuld. Jij had geen schulden. Randall maakte misbruik van je jeugd en onschuld, en het was gewoon een tragische gebeurtenis dat je broer om het leven kwam – maar het was niet jouw schuld! Hij verkoos een duel met Randall aan te gaan. Jij had hem op geen enkele manier kunnen tegenhouden.' Haar gezicht verzachtte. 'Vind je niet dat je nu genoeg hebt geleden omdat je jong en dwaas bent geweest?'

Thea glimlachte. 'En koppig. En stijfhoofdig. En roekeloos.'

Modesty glimlachte naar haar. 'Ja, dat is allemaal waar, maar zoveel mensen zijn net zo. Daarin ben je niet uniek.'

'Nou, dat zet me op mijn plaats, nietwaar?' antwoordde Thea lachend, haar donkere ogen dansten.

'Ik hoop het, maar ik betwijfel of het lang zal duren – je bent nog steeds zo roekeloos en stijfhoofdig.'

Thea lachte weer en stond op. Ze liep naar Modesty toe, ging naast haar op de sofa zitten en sloeg een arm om haar heen. 'Dank je. Dat had ik nodig,' mompelde ze.

'Zeker weten,' antwoordde Modesty, terwijl ze kalm een nieuwe draad in de naald deed. 'Wat ga je nou met Hirst doen?' vroeg ze vervolgens.

'Ik weet het niet. Het hangt ervan af wat hij wil.' Haar lippen vertrokken. 'Of liever gezegd, hoeveel hij wil hebben.'

Thea keek naar de klok op de schoorsteenmantel. 'En ik moet het rijtuig maar eens laten voorkomen als ik op tijd voor de afspraak wil zijn.'

'Ga je alleen?' vroeg Modesty met een lichte frons op haar voorhoofd.

Thea knikte. 'Je vergeet dat ik zevenentwintig ben en niet langer als onschuldig word beschouwd – ik ben trouwens nooit onschuldig geweest, dankzij Randall. Iedereen in Londen weet al dat ik excentriek en berucht ben – waarom zou iemand dus raar opkijken wanneer ik mijn zwager ga ontmoeten? Het is een keurig adres, en ik zal er niet lang zijn.' Ze grinnikte naar Modesty. 'Ik neem het rijtuig en ik zal de koetsier en de stalknecht bij me hebben. Ik beloof je dat ik geen schandaal zal veroorzaken.'

Eenmaal in het rijtuig was Thea echter niet zo zelfverzekerd als ze Modesty had doen geloven. Ze had haar koetsier het huisnummer uit het briefje opgegeven en stak haar hoofd uit het raam om links en rechts de straat in te kijken. Het zag er bepaald keurig uit, maar ze vroeg zich af waarom Hirst haar dit adres had opgegeven. Hij en Edwina woonden in een heel aardig huis aan Bolton Street. Waarom had ze hem daar niet kunnen ontmoeten? Omdat hij niet wilde dat Edwina van hun ontmoeting wist? Maar waarom niet?

Ongemakkelijk, zonder precies te weten waarom, zei Thea tegen de koetsier dat hij door moest rijden. Genesteld tegen de blauwfluwelen kussens overdacht ze de situatie. Ze was toch niet bang om Hirst te ontmoeten? Natuurlijk niet! Waarom was ze dan niet uitgestapt om op de deur van het huis te kloppen? Omdat ze Alfred Hirst voor geen meter vertrouwde!

Ze wilde dat ze het briefje had meegenomen om het nog eens te herlezen, peinsde ze, en terwijl het rijtuig kalmpjes door de straat hobbelde bedacht ze wat ze zou gaan doen. Met haar staart tussen haar benen naar huis gaan? Echt niet! Haar volle mond vertrok. Nou, dat liet maar één mogelijkheid over.

Ze klopte op de wand tussen haar en de koetsier, beval hem het rijtuig te keren en aan de andere kant van de straat te parkeren, een paar deuren verwijderd vanwaar ze naartoe ging. Nadat de stalknecht haar had helpen uitstappen, bleef ze een ogenblik staan, sloeg haar paarsfluwelen mantel om en zorgde ervoor dat de kap haar hele hoofd bedekte. Ze probeerde zich natuurlijk niet te vermommen, maar het was niet nodig haar aanwezigheid duidelijk kenbaar te maken.

Thea stak de straat over en stopte onder aan de stoep die naar het grote Georgiaanse huis leidde. Afgezien van een paar flakkerende kaarsen in de blakers aan weerszijden van de brede deur, zag het huis er verlaten uit, er scheen geen licht uit een van de grote ramen. Toch was dit het goede adres; het huisnummer klopte.

Ze trok haar mantel dichter om zich heen en beklom de stoep. Na te hebben aangeklopt bleef ze met kloppend hart staan wachten. Toen er verscheidene seconden voorbijgingen en er niets gebeurde, klopte ze weer. Niets. Ze wilde net weggaan, ervan overtuigd dat Hirst een grap met haar had uitgehaald, toen de deur plotseling openzwaaide.

'Ah, Thea, ik hoopte dat jij het was,' zei Alfred Hirst opgewekt. 'Kom binnen, alsjeblieft. Het spijt me dat ik je zo lang heb laten wachten, maar ik was aan de achterkant van het huis bezig.'

Thea keek haar zwager onderzoekend aan. Hij glimlachte breed, zijn brutale blauwe ogen rimpelden aantrekkelijk, zijn smalle lippen roze en vochtig, zijn volle gezicht drukte alleen maar beleefde vreugde over haar komst uit.

Onwillig liet Thea zich door hem naar binnen leiden. Toen de deur achter haar dichtviel, en hij haar naar de achterkant van het huis wilde voeren, bleef ze staan. 'Wat heeft dit te betekenen?' vroeg ze. 'Waarom is het zo donker? Waarom zijn er geen kaarsen, geen bedienden in de buurt?'

Alfred grinnikte. 'Wat ben je toch achterdochtig, lieve schoonzus. Je hebt van mij niets te vrezen. Dit huis is van een vriend van me, en toen ik zei dat ik eh, heimelijk een dame wilde ontmoeten, stelde hij me zijn huis ter beschikking. Het staat leeg omdat het van een familielid van hem is dat op het platteland woont, en niets voor de stad voelt.'

Thea bleef aan de grond genageld staan, haar hart bonkte in haar borst, zich maar al te bewust van Alfreds grote, breedgeschouderde gestalte achter zich. Ze draaide zich om. 'Wat heb je me te zeggen wat je me niet in je eigen huis kunt zeggen? Of op een meer openbare plek?'

Hij grinnikte weer, het geluid maakte dat Thea haar kiezen op elkaar klemde. Uit angst, of afkeer? Ze wist het niet.

'Vertel me niet dat je bang voor me bent,' zei hij. 'Kom op, Thea, je hebt niets van me te vrezen. We zijn bondgenoten. We hebben hetzelfde doel – ervoor zorgen dat Edwina gelukkig blijft. Ja?'

'Dat is maar al te waar,' gaf ze toe. 'Het probleem is dat we heel verschillende ideeën hebben over wat haar gelukkig zal maken.'

Hij lachte weer en leidde haar voor zich uit. 'Niet zo heel anders, zoals je zult zien. Kom nu maar mee. Ik wil dat je naar de werkkamer gaat – een vuur is aangestoken; kaarsen branden – kijk maar, het licht komt onder de deur van de kamer door. Het zal veel comfortabeler zijn dan hier in het donker te blijven staan.'

Zonder een woord te zeggen beende Thea naar het licht dat ze onder de deur zag schijnen, duwde de deur open en liep een plezierig vertrek binnen. Een paar zilveren kandelaars verlichtten de ruimte; de muren waren bedekt met rood, blauw en groen ingebonden boeken; comfortabel meubilair was met gele chintz overtrokken. Een mahoniehouten bureau, het enorme blad onderbroken door een krant, een ganzenpen en inktpot, stond aan de andere kant van de kamer. In de haard brandde een aangenaam vuurtje, en de vlammen verspreidden een gouden glans over een schaar bij de rand van het bureaublad.

Enigszins gerustgesteld bleef Thea midden in de kamer staan en sloeg Alfred gade die een glas cognac voor zichzelf inschonk, van een blad met dranken en glazen op een brede kast tegen een muur. Kijkend over zijn schouder trok hij vragend een wenkbrauw op, maar Thea schudde haar hoofd.

Met het glas cognac in de hand liep hij naar haar toe, en mompelde: 'Wil je niet gaan zitten?'

'Ik blijf liever staan. Waarover wilde je me spreken. Geld?'

Hij glimlachte, totaal niet in verlegenheid gebracht. 'Ach ja, liefje. Inderdaad.'

'Ik heb je gezegd hoe ik erover denk. Ik ben niet van gedachten veranderd.'

Hij knikte. 'O, dat weet ik. Ik heb een voorstel voor je – als je wilt luisteren?'

Haar gelaatstrekken waren overschaduwd door de paarsfluwelen kap, haar ogen leken donkere poelen in haar bleke gezicht. 'Ik kan me niet voorstellen dat een voorstel van jou gunstig voor mij zou zijn, maar wat is het?' vroeg ze.

'Wat zou je ervan denken als ik je, voor een bepaald bedrag, beloof weg te gaan en jou – of Edwina – nooit meer lastig zou vallen?'

Thea fronste haar wenkbrauwen. 'Je bedoelt dat je wilt dat ik je betaal om uit haar buurt te blijven?' Toen hij knikte, krulde haar lip. 'Ik dacht dat je van haar hield – is dat niet wat je beweerde? Dat ze je grote liefde was? Dat je haar aanbad?'

Hij haalde zijn schouders op. 'Misschien in het begin, maar passie heeft de neiging te verflauwen, en nu geloof ik dat het voor haar misschien het beste is om uit elkaar te gaan.'

'Je wilt haar hart breken?' vroeg Thea met een ongelovig gezicht. 'Haar verlaten en blootstellen aan allerlei roddels en geruchten?'

'Nou, wat wil je dan dat ik doe?' vroeg hij, zijn wangen plotseling rood van woede. 'Wil je liever dat ik bij haar blijf en dat we beiden in de gevangenis van de schuldenaar eindigen? Want dat zal gebeuren als jij de touwtjes van de portemonnee niet wat losser maakt.'

'O, je bent verachtelijk!' riep Thea verhit, haar ogen vurig en boos. 'Ik weet niet waarom ik zelfs maar hierheen ben gekomen!'

Ze draaide zich om, van plan de afstand tussen zichzelf en Hirst zo groot mogelijk te maken. Hij haalde haar bij de deur in, zijn hand sloot rond haar arm.

'Je moet naar me luisteren,' gromde hij. 'Ik heb geld nodig. Ik ben veel geld schuldig aan mensen die geen nee als antwoord accepteren. Ik móet het hebben – en als het betekent dat ik mijn vrouw moet verlaten teneinde jou zover te krijgen dat je over de brug komt, bij God, dan doe ik dat!'

Thea wrong haar arm los, haar kap zakte tot over haar schouders en haar zwarte haar viel in verwarde strengen rond haar woedende gezicht. 'Jij hebt lef! Blijf met je handen van me af!'

Alfred deed een stap achteruit en hief zijn handen. 'Het spijt me – ik vergat mezelf. Maar je moet naar me luisteren. Ik moet aan het eind van de week zeventiendúizend pond hebben of –' Hij glimlachte vreugdeloos. 'Of Edwina zal weduwe zijn. Wil je mijn dood ook op je geweten hebben? Zijn twee mannen niet genoeg voor je?'

Thea negeerde de steek onder water. 'Zeventien*duizend* pond?' barstte ze uit, haar gezicht vol ongeloof. 'Dat is een fortuin op zich.' En dat was het, want een heer kon van minder dan vierhonderd pond per jaar leven.

'Ik weet het. De eigenlijke som kwam niet eens in de buurt, maar de gigantische rente die deze bloedzuigers eisen heeft het bedrag omhoog gejaagd.' Hij ging op een van de comfortabele stoelen zitten en verborg zijn hoofd in zijn handen. 'Ik ben ten einde raad. Ik weet niet wat ik moet doen.' Hij hief zijn hoofd en keek haar aan. 'Je moet helpen! Als het niet voor mij is, dan voor Edwina.'

'Toen ik je schulden de laatste keer betaalde, heb je het hier niet over gehad. Waarom niet?' vroeg Thea met gefronst voorhoofd. 'Je kunt in zes maanden tijd onmogelijk zó veel schuld hebben gemaakt.'

'Ik dacht dat ik het zou redden, maar die verdraaide kaarten –'

'Heb je weer gegokt? Geprobeerd je verliezen terug te winnen?'

'Wat verwachtte je verdomme dán van me?' vroeg hij. 'Jij had je teruggetrokken. Ik moest een manier bedenken om eruit te komen.'

'Is het nooit bij je opgekomen om te stoppen met gokken? Een beetje economisch te worden?' Haar stem klonk duidelijk geschokt.

'Nee. Waarom zou ik?' zei hij. 'Een van de redenen waarom ik met Edwina trouwde was dat ik wist dat ze jouw zus was – haar fortuin alleen had me niet kunnen verleiden, maar het fortuin van de Garretts...' Hij glimlachte flauwtjes. 'Dat was onweerstaanbaar voor me.'

Thea bekeek hem vol walging, zichtbaar op haar gezicht, onzeker over wat ze nu moest doen. Ze kon niet, dacht ze vermoeid, de oorzaak zijn van de dood van haar zwager – ook al zou Edwina zonder hem beter af zijn. Maar Edwina hield van hem, en Thea wilde, als zij er iets aan kon doen, dat Edwina gelukkig was.

Ze stond daar en probeerde een oplossing te bedenken. Zijn aanbod om Edwina in ruil voor geld te verlaten was erg verleidelijk, maar Thea wist dat ze een dergelijke twijfelachtige stap nooit zou kunnen nemen – ook al zou Edwina achteraf veel gelukkiger zijn. Het was niet aan haar die beslissing te nemen.

'Als,' zei ze traag, 'en ik zeg alleen "als", maar als ik die zeventienduizend pond zou betalen, welke garantie heb ik dan dat je niet na een paar maanden weer komt bedelen?'

Hij glimlachte met alle charme waartoe hij in staat

was. 'Ik wist dat je ons niet in de steek zou laten! Edwina mag van geluk spreken dat ze zo'n zus als jij heeft.' Een blik die Thea op haar hoede deed zijn trok over zijn gezicht. 'Weet je, ik had met jou moeten trouwen. Ik heb jou altijd veel interessanter gevonden dan je zus. Denk je dat we er een verbintenis van hadden kunnen maken?'

Thea was er maar half met haar aandacht bij. Gedurende de laatste paar minuten was ze zich ongemakkelijk gaan voelen. Het was niet alleen het ongemakkelijke van de situatie waarin ze zich bevond, maar iets anders. Haar nekhaartjes stonden overeind en ze had het gevoel dat ze heimelijk werd gadegeslagen.

Ze keek om zich heen maar zag niets dat haar alarmeerde. De kamer was nog steeds plezierig en gezellig; de deur waardoor ze was binnengekomen stond nog halfopen, de gang daarachter was een zwart gat. Ze keek nog eens discreet om zich heen, maar haar blik keerde terug naar de halfopen deur, en het gevoel dat ze werd bekeken verdween niet. Er ging een koude rilling door haar heen bij de gedachte dat er misschien iemand in de gang naar hen stond te kijken.

Het was dwaas, ze wist het, en hoewel ze naar de deur bleef staren, zag ze niets wat haar vermoedens bevestigde. Omdat ze zich had geconcentreerd op het gevoel dat ze niet alleen waren, schrok ze hevig toen Hirst opstond, voor haar knielde en haar handen in de zijne nam.

Hij kuste haar hand. 'Je hebt mijn vraag niet beantwoord,' zei hij hees. 'Denk je dat ik mijn blik op jou had moeten laten vallen, in plaats van op dat kind, Edwina? Als dat zo is, weet ik zeker dat we er samen wel uitkomen.'

Het belang van zijn woorden drong ineens tot haar door. In haar haast om bij hem vandaan te komen duwde ze hem bijna omver toen ze naar de deur liep. 'Ben je gek?' riep ze, hoogst geagiteerd, zowel geschrokken als afgestoten door zijn woorden en manier van doen. 'Je bent walgelijk! Ik zou nog liever een lepralijder omhelzen dan me door jou laten aanraken.'

Er vloog een akelige uitdrukking over zijn gezicht. 'Misschien moet ik je van gedachten laten veranderen,' zei hij, terwijl hij naderbij kwam.

Zo angstig als ze in geen tien jaar was geweest, rende Thea naar de deur, maar hij haalde haar in, omvatte haar brutaal met zijn handen. Hij draaide haar om, rukte haar tegen zich aan en boog zijn hoofd om haar te kussen.

Herinneringen aan de nacht met Hawley Randall kwamen bij haar op, en Thea vocht als een bezetene, kronkelde en klauwde naar hem. Net als Hawley was Hirst groter en sterker, maar Thea was nu geen angstige maagd meer – ze was bang, maar ze was ook heel erg kwaad. Ze negeerde de afkeer toen zijn mond de hare bedekte en zijn tong zich tussen haar lippen wrong, haar vingers klauwden in zijn armen, haar tanden beten zich vast in zijn binnendringende tong.

Met een grauw liet hij haar los en ze sprong naar een tafeltje bij de deuropening. Ze greep zich vast om zich overeind te houden, en haar uitgestrekte hand stootte tegen een zwaar marmeren beeld dat midden op het tafeltje stond. Ze hervond haar evenwicht, vermande zich instinctief tegen zijn aanval, haar vingers omklemden het beeld.

Toen hij haar deze keer greep, sloeg ze het beeld uit alle macht tegen zijn slaap. Hij gaf een raar geluid en stortte voor haar voeten neer.

Haar ademhaling kwam zwoegend, haar hart bonkte toen ze naar hem keek zoals hij daar lag, het bloed stroomde uit een gat in zijn hoofd. Hij bewoog zich niet. Hij lag daar gewoon, en Thea staarde naar zijn bewegingloze gestalte. Doodsbang in het verschrikkelijke besef dat ze hem had willen doden en dat ze het ook nog had gedaan, voelde ze haar bloed als ijs door haar lichaam stromen. Met stomheid geslagen staarde ze op hem neer, niet in staat te geloven wat ze had gedaan. Ze had hem gedood. Lieve God! Ze had de man van haar zus vermoord.

❨

Hoofdstuk 3

Thea had er geen idee van hoelang ze naar Hirst stond te staren, die uitgestrekt op de vloer lag, maar uiteindelijk deed haar overlevingsinstinct haar in beweging komen. Ze was verbijsterd over wat er was gebeurd, maar de sterkste emotie op dat moment was paniek en de noodzaak te vluchten.

Met het marmeren beeld nog steeds in haar hand draaide ze zich om, niet wetend wat ze moest doen, toen ze een geluid hoorde. Angst welde in haar op, en volkomen uit haar doen door de situatie wist ze niet waar het geluid vandaan kwam – uit de gang of ergens achter haar in de kamer. Ze wist alleen dat ze iets had gehoord: een bonk, een geschuifel, misschien ademhalen. Ze wist het niet. Wat haar betrof hadden het alle drie de geluiden kunnen zijn, maar het zette haar meteen in beweging en ze rende de donkere gang in.

Met de bedoeling te ontsnappen, vluchtte ze door het duistere huis en gaf bijna een kreet van verlichting toen haar hand de kristallen knop van de voordeur omsloot. Ze gooide de deur wagenwijd open, sprong het bordes op en viel regelrecht in de armen van een heer die net de stoep op kwam.

Sterke handen grepen haar schouders, en Thea keek,

een schreeuw onderdrukkend, in het gezicht van een vreemde. Maar niet helemaal een vreemde. Ze had hem eerder gezien, en zelfs in haar opgewonden toestand herkende ze hem – de vreemdeling met de grijze ogen uit het park.

Gedurende een ogenblik staarde ze hem aan, haar ravenzwarte haar zwaaide wild rond haar schouders, haar ogen donker van emotie, haar gezicht lijkbleek. Ze snakte naar adem, mompelde iets onsamenhangends en rukte zich los uit zijn greep. Het beeld viel uit haar hand en kletterde op de grond voor zijn voeten, waarna ze struikelend via de stoep naar beneden ging, haar mantel wapperend achter haar aan.

Ze hoorde hem iets roepen, maar zonder op de koets met vurige paarden ervoor te letten, rende ze de weg op. Zich nauwelijks bewust van de paarden die haar gevaarlijk dicht naderden, rende ze naar de veiligheid van haar eigen rijtuig.

Ze negeerde de verbaasde blik van haar bediende, klom in het voertuig en riep: 'Naar huis. Nú.'

Gehoorzaam deed de koetsier wat hem was opgedragen. Zodra ze het troostrijke deinen en hobbelen van het rijtuig voelde, leunde Thea onbeheerst bevend tegen de fluwelen rugleuning van de bank.

Ze verborg haar gezicht achter haar handen. *Ik heb hem vermoord*, dacht ze half hysterisch. *Ik heb hem vermoord – de man van mijn zus – ik heb hem geslagen en hem vermoord!*

Patrick stond boven aan de stoep op het bordes en staarde verbaasd naar de plek waar Thea op de straat was beland, en vroeg zich af of hij zich het incident had verbeeld. Hij schudde zijn hoofd in het besef dat dat niet het geval was. Haar schouders hadden warm meegegeven onder zijn handen en hij zou nooit het verbazingwekkende effect vergeten dat haar bleke gezicht met de grote zwarte ogen en rode mond op hem had gemaakt.

Zelfs nu hij nog buiten adem was, herinnerde hij zich de warmte die haar lichaam had uitgestraald... en de intense angst in haar ogen. Peinzend keek hij naar het rijtuig dat aan de overkant geparkeerd had gestaan en nu uit het zicht verdween.

Natuurlijk had hij haar herkend: Thea Garrett. En hij vroeg zich af wat zij in het huis had gedaan waar hij werd verondersteld de chanteur van zijn moeder te ontmoeten. Even kwam het bij hem op dat Thea de chanteur zou kunnen zijn, maar die gedachte verdween net zo snel als hij was gekomen. Hij zag geen verband tussen Thea en de overleden minnaar van zijn moeder; bovendien wist hij geen reden te bedenken waarom iemand als Thea Garrett tot chantage zou overgaan... behalve misschien om de sensatie?

Haar rijtuig was nu niet meer te zien, en Patrick zette het mysterie van Thea Garrett uit zijn gedachten. Hij draaide zich om naar het huis, staarde naar het donkere gat dat voor hem lag en dacht een ogenblik na. Iets had ervoor gezorgd dat Thea Garrett als een verschrikt hert op de vlucht was geslagen, maar wat? En wachtte dat wat haar angst had aangejaagd nu op hem? Of liever gezegd op zijn moeder?

Zijn mond verstrakte. Iemand, bedacht hij, stond een verrassing te wachten. Een grijns vloog over zijn gezicht. En bepaald geen plezierige verrassing! Hij stapte doelbewust naar voren, en bleef staan toen zijn voet iets raakte. Hij bukte zich, pakte het beeld op dat Thea had laten vallen. Het werd steeds raadselachtiger.

Met het beeld in zijn hand stapte hij door de open deur en zag dat er licht door de duisternis drong. Hij sloot de deur achter zich en liep langzaam naar het licht.

Vlak voor de verlichte deuropening bleef hij staan en luisterde. Hij hoorde noch zag iets alarmerends en keek vervolgens de kamer in.

Het zag er gezellig genoeg uit, met een knappend haardvuur, maar zijn blik werd onmiddellijk naar de man op de vloer getrokken, bloed druppelde uit een lelijke wond aan zijn hoofd. Patrick keek naar het beeld en het verbaasde hem niet toen hij aan de voet ervan een veeg bloed ontdekte.

Hij bestudeerde het gezicht van de gestalte op de vloer. Hij wist dat hij de man ergens in de stad had gezien en hem waarschijnlijk kende, maar op het moment wilde zijn naam hem niet te binnen schieten. Was dit de chanteur van zijn moeder? En chanteerde de kerel Thea Garrett? Hij betwijfelde het. Van wat hij over Thea Garrett had gehoord, was er maar weinig wat de mensen niet over haar wisten. En aangezien ze zich weinig aantrok van wat de mensen over haar dachten, zou hij haar niet als een goede gegadigde voor chantage hebben beschouwd.

Hij keek het vertrek nogmaals rond. Een aantrekkelijke kamer. Was het een liefdesnestje? Was Thea Garrett hierheen gekomen om haar minnaar te ontmoeten en hadden ze ruzie gekregen? Hij glimlachte wrang. De dame moest een vurige minnares zijn, te oordelen naar de toestand van de man. Nadat hij zich een redelijk idee had gevormd van wat er was gebeurd, zette hij het beeld neer en wilde net controleren hoe erg de man op de vloer eraan toe was, toen hij de trap achter zich hoorde kraken.

Patrick bevroor. Hij luisterde aandachtig en kwam tot de conclusie dat iemand heimelijk gebruik had gemaakt van de trap. Maar was de persoon naar boven of naar beneden gegaan?

Patrick hoorde weer iets op de trap, stapte de gang op en riep: 'Halt! Wie is daar?'

Wie het ook was, hij deed geen poging zijn aanwezigheid te verbergen en bonkte de laatste paar treden omhoog naar de bovenste verdieping. Patrick vloekte binnensmonds, nam alleen de tijd om een van de kaarsen te pakken en sprong de bezoeker achterna.

Eenmaal boven aangekomen, bleef Patrick staan, besefte plotseling dat hij geen wapen bij zich had. Desondanks had hij geen andere keus dan degene te gaan zoeken die naar boven was gegaan. Als de man beneden niet de chanteur was, dan was het misschien de man die zo heimelijk naar boven was gegaan.

Hij keek links en rechts de overloop af. Hij zag de duistere vormen van meubilair en de contouren van verscheidene deuren.

Aangezien hij niemand zag, naderde hij voorzichtig de eerste deur, hield de kaars omhoog en opende langzaam de deur. Behoedzaam keek hij de kamer in, het flakkerende licht onthulde een vertrek vol opgeslagen meubels die slordig met stoflakens waren bedekt. Hij bestudeerde het interieur geruime tijd, vroeg zich af of het verstandig was om tegen de afgedekte meubels te porren. Als de andere vertrekken zich in dezelfde toestand bevonden, had hij nog een lange zoektocht voor de boeg.

Patrick besloot eerst een kijkje in de andere kamers te nemen voordat hij nauwkeuriger zou gaan zoeken. Hij stond op het punt de deur achter zich te sluiten toen zijn blik op een grote, mahoniehouten kleerkast viel. Het was het enige meubelstuk dat niet met een stoflaken was afgedekt. Nu hij beter keek zag hij op de vloer ervoor een groot verkreukeld stoflaken liggen.

Patrick bestudeerde de kleerkast. Die was zeker groot genoeg voor een man om zich in te verbergen, en het laken op de grond wekte zijn achterdocht. Hij keek om zich heen naar iets dat hij als wapen zou kunnen gebruiken, maar hij zag niets.

Met een grimmig gezicht naderde hij de gigantische kast. Hij bereidde zich voor op moeilijkheden, hield de kaars omhoog en zwaaide de rechterdeur van de kast open. Er klonk een kreet en een gestalte sprong naar buiten, een zware koperen kandelaar in de hand.

Hoewel hij had verwacht iemand in de kast te zullen ontdekken, wankelde Patrick achteruit, omdat de kracht waarmee de persoon naar buiten was gekomen hem bijna omver had geworpen. Voordat hij zijn evenwicht kon herstellen, vloog de persoon hem aan en hij kreeg een harde klap met de kandelaar. Hij viel geluidloos in een hoop op de vloer, de kaars glipte uit zijn vingers en rolde bij hem vandaan.

Patrick had er geen idee van hoelang hij bewusteloos had gelegen. Uiteindelijk bewoog hij zich en kwam bij zijn positieven en zijn pijnlijke hoofd herinnerde hem meteen aan wat er was gebeurd.

Vermoeid opende hij zijn ogen. De kamer was donker, de deur naar de gang werd omgeven door licht van beneden. Hij ging rechtop zitten, onderdrukte een kreun toen er een scheut van pijn door zijn hoofd stak. Hij hief zijn hand, raakte de plek aan die het meeste pijn deed en vloekte binnensmonds toen hij bloed aan zijn vingers voelde. Hij glimlachte vreugdeloos. Het scheen de nacht te zijn voor zorgeloze heren om een klap op het hoofd te krijgen. Hij gunde zich een moment om te herstellen en stond toen op.

Hij voelde zich een dwaas toen hij naar de deur en vervolgens naar beneden liep. Hij bewoog zich behoedzaam, alert op een volgende aanval, maar hij had het gevoel dat degene die hem had geslagen allang weg was. Onder aan de trap stopte hij, luisterde en keek om zich heen. Alles leek hetzelfde.

Hij keek de verlichte kamer bij de trap in, en zijn adem stokte in zijn keel bij het zien van de uitgestrekte man die half over de drempel in de gang lag. Hij liep naderbij om hem beter te kunnen bekijken. Zijn mond verstrakte. Het was duidelijk dat de man dood was.

Patrick stapte voorzichtig over de dode man heen en doorzocht de kamer vluchtig op zoek naar een of andere aanwijzing. Hij vond niets. Niets om het lichaam op de vloer mee te identificeren, en wat belangrijker was, niets wat naar zijn moeder verwees.

Na nog een blik om zich heen, verliet hij het huis via de achterkant. Het had geen zin nu het risico te lopen dat iemand hem het huis zag verlaten, en hij hoopte bij God dat Thea Garrett de enige was die hem op het bordes voor het huis had gezien.

Thea had andere zorgen aan haar hoofd dan zich druk te maken over de vreemde met de grijze ogen die ze op het bordes van het huis tegen het lijf was gelopen. Eenmaal thuis stuurde ze de bedienden weg en haastte zich naar boven naar haar kamer. Ze wierp haar mantel af en ijsbeerde geagiteerd door het vertrek, haar gedachten dwarrelden door elkaar.

Met een trillende hand duwde ze haar krullen naar achteren, ijsbeerde verder, angstig en verbijsterd door wat er was gebeurd.

Wat moest ze in hemelsnaam doen? Bekennen dat ze de man van haar zus had vermoord? Ze huiverde. Ze was dapper, maar niet zó dapper, en haar overlevingsinstinct was sterk.

Ze deed haar ogen dicht, tranen drupten onder haar

oogleden vandaan. Ze was niet van plan geweest hem te doden. Ze verachtte hem, maar ze had hem nooit dood gewenst. Weg, ja. Weg uit Edwina's leven, ja. Maar niet dood. En ze was zeker nooit van plan geweest hem te vermoorden. Maar zou iemand haar geloven? Als ze het de autoriteiten zou vertellen, zouden ze dan begrip voor haar hebben? Of zou ze, na een afschuwelijke openbare rechtszitting, schuldig worden bevonden en worden opgehangen?

Er trok weer een huivering door haar heen. Durfde ze het risico te lopen? Zou de waarheid haar niet redden?

Een zachte klop op de deur onderbrak haar gedachten, maar voor ze iemands binnenkomst kon weigeren, opende Modesty de deur en liep de kamer binnen.

Modesty wierp een blik op Thea's gezicht en liep onmiddellijk naar haar toe. Ze nam een van Thea's ijskoude handen in de hare. 'Wat is er? Wat is er gebeurd?'

Het zou nooit bij Thea opkomen het Modesty niet te vertellen. Haar nicht luisterde aandachtig, zei niets, en toen ze dacht dat Thea alles had verteld, dwong ze haar op het bed te gaan zitten.

'Ik denk dat een kop hete thee met een scheutje cognac nu wonderen voor je kan doen,' zei ze, en gaf een klopje op Thea's hand.

Nadat ze een bediende had gebeld, liep Modesty terug naar het bed en ging naast Thea zitten. 'Het was niet jouw schuld, dat weet je. Hij viel je aan – jij had geen keus.' Modesty slaakte een zucht. 'Het is echt ongelukkig dat hij is gestorven – ik heb altijd gezegd dat hij een onbedachtzaam man was. En dat heeft hij nu weer eens bewezen. Stel je voor, hij is gedood door een klap op zijn hoofd! Net iets voor hem. Onbedachtzaam tot het laatst aan toe.'

'Ik weet heel zeker dat hij niet van plan was onbedachtzaam te zijn,' antwoordde Thea droog.

Modesty glimlachte, blij te zien dat de fletse blik weer uit Thea's ogen verdween. 'O, je hebt het mis. Als hij het had gepland, had hij niet onbedachtzamer kunnen zijn.'

Toen er werd geklopt liep Modesty naar de deur, en nadat ze bevelen voor thee en cognac had gegeven, keerde ze terug naar Thea op het bed. Ze klopte weer op haar hand. 'Ik zou je willen zeggen dat je het uit je hoofd moet zetten, maar ik weet dat je dat niet zult doen. Je moet je er alleen niet door laten achtervolgen.' Ze keek Thea recht aan. 'Je wilde hem niet doden. Het was een ongeluk. Een verschrikkelijk ongeluk, natuurlijk, maar desondanks een ongeluk.' Toen Thea iets wilde zeggen, hief ze een vinger. 'Belangrijker is dat je er niets mee wint door het een ander te vertellen. Wanneer zijn lichaam wordt ontdekt, doe jij, als je verstandig bent, net zo verrast en verbaasd als ieder ander.'

Modesty boog zich naar voren. 'Thea, bekennen wat er is gebeurd zal er niets aan veranderen. Het zal hem niet tot leven wekken en het zal jouw leven ruïneren. Hoewel ik hoop dat als de waarheid aan het licht komt, jij niet zult worden opgehangen, moet je beseffen dat de ter dood veroordeling een heel grote mogelijkheid is. Je afkeer van hem is algemeen bekend, en er zullen mensen zijn die geloven dat je hem opzettelijk hebt gedood – ook al weten wij dat het anders is gegaan.' Modesty's mond verstrakte. 'Alfred Hirst is het niet waard dat je jezelf weer ruïneert... of om voor te sterven. Dat moet je begrijpen.' Toen Thea's gezicht niet veranderde, voegde ze eraan toe: 'Denk aan Edwina! Ze heeft net haar man verloren. Moet ze nu ook haar zus verliezen? Moet zij weten, ongeacht de omstandigheden, dat jij haar man hebt gedood? Ze zal je nu meer dan ooit nodig hebben. Denk daaraan wanneer je je gedwongen voelt de waarheid te bekennen. In dit geval zou de waarheid veel meer schade aanrichten dan gewoon je mond dichthouden.'

'Maar ik vind het verkeerd – zo laf,' mompelde Thea. 'O, God! Ik weet niet wat ik moet doen. Ik heb hem gedood. Ik kan het niet ontkennen.' Ze sloot haar ogen, haar hand balde zich tot een vuist. 'Maar lieve hemel, dat was niet mijn bedoeling!'

'Natuurlijk niet! Je bent geen moordenares! Je bent evenmin een dwaas, en op dit moment dring ik er ten zeerste op aan je mond dicht te houden – wacht in ieder geval tot zijn lichaam wordt ontdekt. Als je geweten je dwars blijft zitten, kun je altijd op een later tijdstip met de waarheid naar buiten komen. Maar nu, vanavond, wil ik dat je over het schandaal nadenkt en over de schande die zo'n drastische stap niet alleen over jou zou afroepen, maar over de hele familie.'

Thea knikte triest. 'Daar heb ik aan gedacht. Ik heb aan niets anders gedacht. Ik heb in mijn leven al een schandaal veroorzaakt en het heeft mijn broer zijn leven gekost. Geloof me, ik zou het liefst doen of vanavond niet had plaatsgevonden.' Ze keek naar Modesty's bezorgde gezicht. 'Maar het heeft plaatsgevonden. Ik heb hem gedood.'

Weer een klop op de deur stuurde Modesty erheen. Ze nam het blad van de bediende aan, deed de deur achter zich dicht, liep door de kamer en zette het blad op een tafeltje.

Ze schonk een kop thee in uit de porseleinen pot en goot er een fikse scheut cognac uit de kristallen karaf bij. 'Zo, drink dit maar eens op. Je zult je beter voelen – althans voor het moment.'

Modesty had gelijk. Na verscheidene teugjes van de hete vloeistof voelde Thea de angst en de ijzige kilte, die zich in haar maag had genesteld, verminderen.

Thea beet op haar lip en keek Modesty aan, die zich

ook te goed deed aan dezelfde drank, met zelfs een nog grotere scheut cognac in haar kopje. Thea glimlachte flauwtjes. Als de hoeveelheid cognac die Modesty dronk een aanwijzing was, dan maakte ze zich meer zorgen dan ze wilde toegeven. Een golf van liefde voor haar soms zo strenge nicht sloeg door haar heen. Modesty zou haar bijstaan... en ongeacht hetgeen ze had gedaan begrip voor haar hebben en van haar houden.

Er viel een stilte terwijl de vrouwen van hun drankje dronken en beiden aan de dood van Alfred Hirst dachten. Geen van hen kwam tot een definitieve oplossing.

Thea stond op en bracht haar kopje naar het blad. Ze keerde zich weer om naar Modesty. 'Ik geloof dat ik op dit moment zal doen wat jij voorstelt, en niets zeggen. Zoals je hebt gezegd, ik kan altijd nog bekennen.'

Modesty slaakte een zucht van verlichting. 'Goddank! Ik wist wel dat je een verstandige meid was.'

Thea trok een gezicht. 'Waarom voel ik me dan desondanks een lafaard?'

'Omdat je geen dwaas bent – je weet dat je hem hebt gedood, maar je weet ook dat het een tragisch ongeluk was – niet iets dat je had gepland of zelfs in overweging had genomen. Vergeet ook niet dat je jezelf verdedigde. Het was niet jouw schuld – de schuld ligt bij Alfred. Wat ook de reden is waarom je de verstandigste weg volgt.' Met bezorgdheid in haar warme, blauwe ogen, voegde Modesty eraan toe: 'Thea, je doet het juiste. Dat móet je geloven! Je wint niets met een bekentenis. Het zal hem niet terugbrengen, noch iets veranderen. Het zou jou en de familie alleen maar meer schaamte en schande opleveren – en uiteindelijk misschien tot je executie leiden. Edwina krijgt al genoeg te verduren; ze hoeft niet te weten dat jij haar man hebt gedood. Niemand hoeft het te weten.' Ze aarzelde, vroeg toen zacht: 'Ik neem aan dat niemand anders wist dat jij daar was?'

De gespannen, verkrampte blik keerde weer terug op Thea's gezicht. 'Jammer genoeg,' zei ze moeizaam, 'weet iemand anders het wel – ik vertelde je toch over de man die ik tegen het lijf liep toen ik het huis verliet?'

Modesty uitte een ondamesachtige vloek. 'Ik was hem vergeten. Weet je zeker dat hij je heeft herkend?'

'Ik weet zeker dat hij mijn gezicht heel goed heeft gezien – en als hij nu niet weet wie ik ben, zal hij daar binnenkort achter komen – vooral omdat hij een lid van de bon ton is. Hij was met Lord Embry en zijn groep toen ik hem in het park zag.'

'Hmm. Als we de stad nou eens vroeg verlaten en tot het voorjaar op het platteland verblijven, herkent hij je later misschien niet wanneer je hem zou ontmoeten.'

Thea haalde haar schouders op. 'Dat is mogelijk. Maar ik vermoed dat Nigel hem heeft verteld wie ik was – je weet wat een roddelaar hij is.' Ze vervolgde zuur: 'We hebben natuurlijk een volkomen legitiem excuus om naar het platteland te gaan – de dood van Hirst. Ik verwacht dat Edwina niet in Londen wil blijven – ze zal verscheidene maanden geen enkel bal willen bezoeken.'

'Nou, daar heb je het! Ik zal de bedienden morgenochtend vroeg vertellen dat we gaan pakken en voor de wintermaanden naar Halsted House vertrekken.'

Halsted House was het landhuis dat Thea twee jaar geleden had gekocht. Hoewel Modesty de voorkeur aan Londen gaf, waren er tijden dat Thea de drukte en het lawaai geen minuut langer kon verdragen, en naar Halsted House vluchtte. Er was nog een reden waarom ze van Halsted House hield: het lag op nog geen acht kilometer afstand van Garrett Manor, en daar wonen, over het gigantische landgoed struinen, bracht alle gelukkige momenten uit haar jeugd terug. Modesty's voorstel was verleidelijk, maar er schoot haar iets te binnen.

'Moeten we niet wachten tot we op de hoogte zijn gebracht van Alfreds dood voor we gaan pakken?' vroeg ze.

Modesty keek gekweld. 'Natuurlijk. Soms kan ik zo'n dwaas zijn.' Ze stond op, en zei vastberaden: 'Zo, we kunnen vanavond niets meer regelen, en we zullen gewoon moeten wachten tot we het nieuws over zijn dood krijgen voordat we onze plannen in werking zullen stellen.'

Een plotselinge klop op de deur deed de vrouwen een angstige blik wisselen. Diep ademhalend zei Thea: 'Ja, wat is er?'

De deur ging open en het kale hoofd van Tillman verscheen om de hoek. 'Miss, ik weet dat het erg laat is, maar er is beneden een heer die erop staat u te spreken. Ik heb hem gezegd dat u geen bezoekers zou ontvangen,' klaagde hij, 'maar hij bleef aandringen.' Hij liep de kamer binnen en overhandigde haar een opgevouwen stuk papier. 'Hij zei dat u dit zou willen hebben en dat hij op uw antwoord zou wachten.'

Hoe ze haar gezicht in bedwang hield, wist Thea later niet te vertellen. Ze nam het papier aan, vouwde het open en las het met evenveel enthousiasme als ze bij het zien van een levende cobra zou hebben gehad. De angst negerend die door haar heen gierde, verfrommelde ze het briefje en zei beheerst: 'Zeg tegen de heer dat ik dadelijk naar beneden zal komen. Breng hem naar de blauwe salon – bied hem iets te drinken aan.'

Tillman keek beledigd. 'Heel goed, miss, als u het zegt, maar als u mijn mening wilt –'

'Die wil ik niet!' zei Thea scherp. 'Doe nu wat je is opgedragen.'

Tillman vertrok mopperend.

Thea keek Modesty aan. 'Het is de man met wie ik

voor het huis in botsing kwam. Hij wil met me praten.'

'Ga je hem alleen ontmoeten of wil je dat ik meega?'

Thea dacht een ogenblik na, schudde haar hoofd. 'Nee, ik kan hem beter alleen spreken.' Ze glimlachte bitter. 'Als het uitkomt en ik word ter dood veroordeeld, wil ik niet dat jij erbij betrokken bent. Laat hem voorlopig maar in de waan dat alleen hij en ik op de hoogte zijn van wat er is gebeurd.'

Met een hooghartige uitdrukking op haar gezicht ging Thea enkele minuten later de blauwe salon binnen. Ze hield zichzelf voor dat hij niet kon bewijzen dat ze vanavond uit het huis was geweest – haar bedienden waren loyaal en zouden haar nooit verraden – en daarom had ze besloten dat het op dit moment het beste was alles te ontkennen.

Ze deed de kamerdeur achter zich dicht en was alleen met de grote vreemdeling met de grijze ogen. Ze ging meteen in de aanval: 'Wat is de betekenis van deze ongeoorloofde binnenkomst? Ik weet niet wie u wel denkt te zijn of wat u hoopt te bereiken, maar ik wil niet hebben dat u mijn bedienden afblaft en u op die manier toegang tot mijn huis te verschaffen. Ik voel er veel voor de wacht te laten halen.'

'Misschien moet u… eraan denken wat er vanavond in Curzon Street is gebeurd,' zei Patrick lijzig.

Thea adem stokte in haar keel. 'En wat bedoelt u daarmee?'

Patrick had bewondering voor haar houding, en onder andere omstandigheden was hij graag een woordenwisseling met haar aangegaan. Maar niet vanavond. En niet op dit moment.

'Ik denk dat u heel goed weet wat ik bedoel,' zei hij, met zijn grijze ogen op haar gericht.

Thea beet op haar lip. Hij leek niet iemand die zich

makkelijk liet afbluffen, maar ze had geen andere keus dan doorgaan op het pad dat ze had gekozen. Ze hief haar kin en bitste: 'Het is erg laat. Zelfs op de daarvoor bestemde tijden hou ik niet van spelletjes, en ik ben bang dat u mijn geduld op de proef stelt. Ik verzoek u te vertrekken.'

Vanaf de andere kant van de fraaie kamer bestudeerde Patrick haar. Ze was groot, maar niet zo groot als hij eerst had gedacht, en voor een jonge vrouw met een duister verleden en haar reputatie, leek ze vreemd onschuldig en kwetsbaar. De twee keer dat hij haar eerder had gezien waren zo kort geweest, dat hij slechts een vluchtige indruk van flitsende donkere ogen en een zachte rode mond had gekregen. De werkelijkheid veranderde niet veel aan die indruk, haar ogen waren nog net zo donker en die rode mond nog net zo verleidelijk… Hij fronste zijn voorhoofd. Een beetje flirten was niet de reden van zijn bezoek, maar hij kon niet voorwenden dat zijn enige belangstelling in haar iets te maken had met de dode man in Curzon Street.

Vanaf zijn eerste blik op haar in het park, hoewel hij het zou ontkennen, had hij belangstelling voor haar gehad. Hij had het niet begrepen en nu wilde hij het liever niet begrijpen. Te oordelen naar wat hij van haar had gezien, had Patrick gedacht met een berekenende harpij te maken te krijgen – een harpij die, na nadere kennismaking, elke interesse die ze in hem had gewekt, de grond in zou boren. In plaats daarvan was hij geconfronteerd met een engelachtig wezen dat eruitzag alsof ze de schoolbanken nog maar een paar jaar geleden had verlaten. Ze was ook, erkende hij ongemakkelijk, de aantrekkelijkste vrouw die hij in lange tijd had gezien – ooit had gezien. Tot zijn schrik vond hij die grote, welsprekende ogen en intrigerende gelaatstrekken veel te aantrekkelijk.

Zijn wenkbrauwen fronsend zei hij: 'En dat is uw laatste woord?' Toen ze bleef zwijgen voegde hij eraan toe: 'Als u bij deze mening blijft, laat u mij geen andere keus dan getuigenis af te leggen bij de magistraat.'

Haar gezicht vertrok slechts een beetje. Thea vermeed het hem aan te kijken en bestudeerde het lichtblauw met roomkleurige kleed op de vloer.

Ze stond in grote tweestrijd. Ze durfde hem geen getuigenis te laten afleggen en toch was ze doodsbang om toe te geven dat ze een reden had om een dergelijke actie van hem te vrezen.

Patrick sloeg haar gade, vroeg zich af of ze wist hoe aantrekkelijk ze was zoals ze daar stond in haar eenvoudige japon van roze zijde, haar gezicht verborgen door de weelderige donkere krullen die tot op haar schouders hingen. Hij was gekomen met het idee dat hij zo nodig de waarheid uit haar zou wringen – ongeacht hoe hardhandig hij daarbij zou moeten zijn. Maar de waarheid was dat zijn tegenstandster helemaal niet paste bij het beeld dat hij zich van een harde straatmeid had gevormd.

Patrick slaakte een zucht. 'Ik betwijfel dat u me zult geloven, maar ik wil u echt geen moeilijkheden bezorgen. Ik wil alleen weten waarom u daar was, wat er is gebeurd en de identiteit van de dode man.' Zijn stem klonk dringend toen hij eraan toevoegde: 'Ik zweer u dat alles wat u me vertelt tussen ons zal blijven. Misschien kunnen we elkaar zelfs helpen.'

'Waarom zou ik u vertrouwen? Waarom zou u me helpen? U bent een vreemde – ik weet niet eens uw naam.'

Patrick glimlachte, een heel aantrekkelijke glimlach die lijntjes naast zijn grijze ogen deed ontstaan. Hij maakt een elegante buiging en mompelde: 'Sta me toe mezelf voor te stellen. Ik ben Patrick Blackburne, de laatste tijd woonachtig in het Mississippi Territory in Amerika.'

'Dat zegt me niets,' mompelde Thea, niet bereid op zijn onmiskenbare charme te reageren. Volgens haar waren charmante mannen bijzonder gemeen en gevaarlijk – Hawley Randall had haar dat tien jaar geleden geleerd!

Patrick ging rechtop staan, zijn glimlach vervaagde slechts een beetje. 'Misschien komt de naam van Lady Caldecott u iets bekender voor? Zij is mijn moeder. De baron is haar tweede echtgenoot.'

'Natuurlijk ken ik Lady Caldecott – iedereen kent haar,' gaf ze slapjes, met zinkend hart toe. Goeie God! Lady Caldecott – een van de meest heerszuchtige society matrones van heel Engeland, en hij was haar zoon. Waarom had ze vanavond nou uitgerekend hem in Curzon Street moeten treffen, vroeg Thea zich af. Als hij zelfs maar een enkel woord over haar aanwezigheid in dat huis aan zijn moeder zou vertellen, zou het binnen een paar uur in heel Londen bekend zijn: Ruïnering en schandaal, mogelijk executie stonden haar te wachten.

Patrick trok een wenkbrauw op. 'En? maakt me dat iets betrouwbaarder?'

'Niet erg,' gaf ze toe. 'Ik heb u vandaag met Lord Embry gezien, wat neem ik aan betekent dat u een kennis van hem bent.' Haar stem werd harder. 'En Lord Embry en zijn maten zijn zo wild en onbezonnen als een groep jonge kerels maar kan zijn. Door bevriend met hem te zijn rijst u niet in mijn achting.'

'En ik neem aan dat uw reputatie vlekkeloos is?' bitste Patrick. Het was een oneerlijke steek en hij wist het zodra de woorden uit zijn mond waren.

Hij liep naar haar toe, pakte haar hand en zei: 'Vergeef het me! Dat was ongehoord en erg onbeschoft.'

Ze trok haar hand terug en lachte bitter. 'U hebt geen

reden om u te verontschuldigen – ik ken mijn reputatie.'

Hij keek haar sluw aan. 'En is het allemaal verdiend?' vroeg hij zacht.

'Het doet er niet toe,' zei ze, en stapte bij hem vandaan, zich plotseling erg bewust van zijn aantrekkelijkheid, met zijn zwarte haar en donkere gelaatstrekken. Het was lang geleden, in feite niet sinds Hawley Randall, dat ze een man had ontmoet die iets anders dan behoedzaamheid en onverschilligheid in haar wekte. Maar er was iets in deze grote Amerikaan dat haar onmiskenbaar aantrok, iets dat maakte dat ze zich bewust van hem was, en dan op een manier waarvan ze niet had gedacht dat ooit nog eens te zullen meemaken, en ze was meteen gespannen en wantrouwend.

Zodra ze op veilige afstand van hem was keek ze hem met een bezorgd gezicht aan. 'Dit gesprek brengt ons nergens. U zult het waarschijnlijk goed bedoelen, maar ik heb u niets te zeggen. Ik stel voor dat u vertrekt.'

Patrick staarde haar aan, verontrust door de teleurstelling over het feit dat ze hem niet vertrouwde, maar niet verbaasd. Uiteindelijk kende ze hem niet, en onder de gegeven omstandigheden nam hij het haar niet kwalijk. Maar hij had haar hulp nodig. Degene die zijn moeder chanteerde had hetzelfde huis aan Curzon Street gebruikt waar Thea was geweest en er was een man vermoord. Hij wist niet of de dode man iets met zijn moeders positie te maken had, maar op dit moment bood Thea Garrett hem de grootste kans om achter de naam van de chanteur van zijn moeder te komen.

Patrick trok aan zijn oor, zijn gezicht was een grimas. Hij wilde haar helpen, maar er was slechts één manier waarop hij dat kon doen, en hij had liever niet de ene kaart onthuld die hij in handen had. Vooral niet omdat hij niet wist hoe ze daarop zou reageren. Het zou in zijn voordeel kunnen uitpakken, en het zou haar misschien een kans tot ontsnappen bieden. Hij bestudeerde Thea een ogenblik langer. Te oordelen naar dat koppige kinnetje en de stand van haar mond was het duidelijk dat ze niet van plan was een centimeter van haar mening af te wijken. Verdomme!

Ongemakkelijk onder zijn doordringende blik zei ze: 'Meneer Blackburne, ik wil niet grof zijn, maar ik heb u verscheidene keren gevraagd te vertrekken. Zou u dat alstublieft willen doen en ons beiden een vervelende scène besparen?'

Patrick zuchtte. 'Ik leef mee met uw situatie – echt waar, maar ik ben zelf nogal in moeilijkheden – u zou me kunnen helpen.' Hij keek haar aan. 'We kunnen elkaar helpen.'

'Het spijt me, maar ik heb niets met uw problemen te maken,' zei Thea stijfjes. Ze wilde wanhopig dat hij wegging, maar vreesde wat hij daarna misschien zou gaan doen. Ontkennen, ontkennen, en blijven ontkennen, hield ze zichzelf voor, maar de hemel wist dat het steeds moeilijker werd. Haar zenuwen vertelden haar dat ze met vuur had gespeeld, en de spanningen van de avond begonnen hun tol te eisen. Hoeveel langer ze haar kalmte nog kon bewaren, wist ze niet – de Amerikaan was erg aantrekkelijk. Toen hij hulp aanbood, was ze bijna bang om het aan te nemen – wat haar nog meer beangstigde. Haar toekomst in handen van een man leggen was echter iets dat ze een keer eerder had gedaan, tien jaar geleden – en Hawley had haar een lesje geleerd. Maar de Amerikaan raakte iets in haar... hij wekte een schokkend verlangen in haar om hem te vertrouwen. Ze voelde zich kwetsbaar op een manier die ze niet voor mogelijk had gehouden, en ze aarzelde. Zou ze het risico nemen? Kon ze op haar eigen instincten vertrouwen? Ze werd heen en weer geslingerd tussen hem al of niet in vertrouwen nemen. Ten slotte won het wantrouwen. Ze wilde dat hij wegging – zich ervan bewust dat iedere seconde dat hij langer bleef de kans vergrootte dat ze haar voorzichtigheid zou laten varen en hem alles zou vertellen – en dat schokte haar nog het meest. Het zou fataal zijn hem een wapen te geven, hem de waarheid toe te vertrouwen. O, maar het was zo verleidelijk juist dat te doen – vooral nu zijn grijze ogen haar zo warm aanmoedigden het te doen.

Zonder hem aan te kijken, zei ze: 'Vertrek, alstublieft.'

Patrick liep door de salon naar haar toe. 'U hebt geen reden om me te vertrouwen, maar ik dring erop aan dat wel te doen.'

Haar donkere ogen keken hem onderzoekend aan. Zelfs op dit moment, nu ze haar besluit had genomen, was ze verbaasd over het feit dat ze hem zo graag wilde geloven, hem vertellen wat hij wilde weten, maar ze schudde haar hoofd. 'Het spijt me,' mompelde ze, 'maar u vraagt te veel.'

'Zou het helpen,' vervolgde hij zacht, 'als ik u vertelde dat u hem niet hebt vermoord?'

Hoofdstuk 4

Thea staarde hem aan. 'Maar dat is niet waar,' flapte ze eruit. 'Hij was dood, echt! Dood toen ik hem achterliet.' Plotseling beseffend wat ze had gezegd, sloeg ze een hand voor haar mond en keek hem verschrikt aan.

Hij pakte haar bij de schouders en schudde zijn hoofd. 'Nee. U heeft hem niet gedood.' Hij glimlachte wrang. 'U heeft hem hard genoeg geslagen om hem een flinke hoofdpijn te bezorgen, maar u heeft hem niet gedood.'

'Weet u het zeker?' vroeg ze fluisterend, verscheurd tussen angst omdat ze er zo dwaas een bekentenis had uitgeflapt en de intense hoop dat hij de waarheid vertelde, dat ze Alfred niet had vermoord.

Hij draaide haar zachtjes om naar een blauw fluwelen bank. 'Kunnen we even gaan zitten?' vroeg hij vriendelijk. 'Dit zal enige tijd in beslag nemen.'

Ze knikte en liet zich er door hem naartoe leiden. Naast hem gezeten, met haar handen in gebalde vuisten op haar schoot, vroeg ze: 'Vertel het me! Vertel me wat u weet.'

'Vindt u het niet eerlijk mij eerst iets te vertellen?' vroeg Patrick rustig. 'Zoals de naam van de heer die ik bewusteloos op de vloer aantrof?'

Opluchting stroomde door haar heen. Ze had Alfred

niet gedood! Ze had hem alleen bewusteloos geslagen – goddank! Maar ze kon het niet echt geloven, en na de verschrikkingen van vanavond had ze de bevestiging van de Amerikaan nodig. 'Wilt u me zeggen dat hij in leven is?' vroeg ze dringend. 'Dat ik hem níet heb vermoord?'

Patrick trok een gezicht. 'Nee en ja.'

Thea week achteruit. 'Wat bedoelt u? Wat is dat voor een antwoord?' Haar ogen vernauwden zich. 'Speelt u een of ander spelletje met me?'

'Nee. Absoluut niet! Wat ik u probeer te vertellen is dat de man bewusteloos was toen ik hem voor het eerst zag.' Kwaad op zichzelf om de sullige rol die hij vanavond had gespeeld, vertelde hij haar snel over de persoon die zich op de trap verborgen had gehouden en over zijn eigen bewusteloosheid. 'Toen ik ten slotte weer bij mijn positieven kwam,' eindige hij triest, 'en weer naar beneden wankelde lag de man die u bewusteloos had geslagen er nog steeds, maar nu was hij dood. Maar niet,' voegde hij er haastig aan toe, toen Thea haar adem hoorbaar inhield, 'door de klap op zijn hoofd. Iemand had een grote schaar in zijn keel gestoken.'

Thea verbleekte, de grote donkere poelen die haar ogen vormden en de smalle wenkbrauwen erboven waren de enige kleur in haar gezicht. Ze herinnerde zich die schaar; hij had op het bureau gelegen. En iemand – de persoon wiens aanwezigheid ze had gevoeld? – had hem gebruikt om Alfred te vermoorden. Bij die gedachte verbleekten zelfs haar lippen.

'Iemand anders heeft hem vermoord?' vroeg ze beverig. 'Maar waarom? En wie?'

Patrick zag het moment dat de mogelijke identiteit van de moordenaar tot haar doordrong. Ze schoof bij hem vandaan en keek vol afgrijzen en dagende achterdocht naar hem.

Patrick schudde zijn hoofd. 'Nee, ik heb hem niet vermoord – ik weet niet eens zijn naam, dus is het hoogst onwaarschijnlijk dat ik een reden had om hem te vermoorden. En als ik het wel had gedaan, waarom zou ik dan naar u toe komen? U was er kennelijk van overtuigd dat u hem had vermoord – wat mij een perfect alibi zou bezorgen. Waarom zou ik hierheen komen en u op andere gedachten brengen?' Hij keek haar aan en vervolgde zacht: 'U heeft hem niet vermoord – ik kan dat indien noodzakelijk onder ede verklaren. En ik heb hem ook niet vermoord – ik zweer het. Nu ik u op deze manier heb gerustgesteld, kunt u me zijn naam misschien wel vertellen?'

Thea boog haar hoofd, beet op haar lip. Durfde ze hem te vertrouwen? Hij vroeg uiteindelijk niet veel, alleen Alfreds naam. Hij wist al heel veel – het ergste van al dat ze in het huis aan Curzon Street was geweest, en dankzij haar loslippigheid dat zij had gedacht dat ze hem voor dood had achtergelaten. Wat hij zei klopte wel. Als hij Alfred had vermoord, had hij geen reden haar te ondervragen. Zich bewust van dit alles leek het dwaas om Alfreds identiteit achter te houden.

Ze zuchtte. 'Zijn naam is Alfred Hirst. Hij was de man van mijn zus.'

'Aha, uw zwager,' zei hij, zijn zeer mannelijke mond vertrok in afkeer. 'U wilde het in de familie houden?'

Ze wierp hem een verachtelijke blik toe. 'U, sir, heeft een gemeen brein. Ik heb hem niet ontmoet voor een of andere heimelijke afspraak! Dergelijk walgelijk gedrag laat ik over aan heren van uw soort!'

'Touché,' mompelde Patrick met een wrange glimlach.

Zijn commentaar negerend en verbaasd door de neiging zijn glimlach te beantwoorden, zei ze stijfjes: 'Ik had een grote hekel aan Alfred – hij was een doodgewone fortuinjager – maar ik wilde hem niet dood.' Ze stond op. 'Het is erg laat. Ik waardeer uw vriendelijkheid voor het verlichten van mijn angsten dat ik hem per ongeluk had gedood, maar ik geloof niet dat we elkaar nog meer te zeggen hebben.'

Patrick leunde tegen dikke fluwelen kussens alsof hij van plan was daar de hele nacht te blijven zitten. 'Zo eenvoudig is het niet,' zei hij. 'Iemand heeft uw zwager vermoord – zit u dat niet dwars? Wilt u niet weten wie het was? Of waarom?'

Haar lip krulde op. 'U heeft niet goed naar me geluisterd – ik verachtte hem – ik wilde hem niet dood hebben, maar ik kan niet zeggen dat het me spijt dat hij dood is.'

'Nou, ik ben bang dat het voor mij niet zo eenvoudig is.' Hij keek haar doordringend aan. 'Verwacht u nou echt van me dat ik beleefd afscheid neem en door de avond wegslenter terwijl we beiden weten dat er een man is vermoord?'

'Ik kan deze dode niet goed gaan aangeven zonder dat er bijzonder lastige vragen gesteld zullen worden,' zei ze gespannen.

'Dat ben ik met u eens en ik voel met u mee. Jezelf blootstellen aan openbaar onderzoek kan hoogst onplezierig zijn. En tenzij u bereid bent eerlijk tegen me te zijn en mij helpt ontdekken wat er vanavond is gebeurd, is dat precies wat er zal gebeuren.'

'Wat bedoelt u?' vroeg ze scherp.

'U weet heel goed wat ik bedoel,' zei Patrick. 'Ik had mijn eigen redenen om daar vanavond te zijn. Over een dode struikelen hoorde daar niet bij. Aangezien hij echter werd vermoord terwijl ik boven bewusteloos lag, heb ik enige gewetenswroeging over zijn dood.'

'Dat zou u niet hebben als u hem had gekend,' mompelde Thea.

'Dat mag misschien waar zijn – ik heb hem niet herkend, maar zijn naam komt me niet onbekend voor – ik herinner me hem van vorige bezoeken aan Engeland. Zijn reputatie, zelfs onder de grootste rakkers en losbollen, was niet goed.'

'En u heeft nog steeds gewetenswroeging?'

'Misschien is dat een wat groot woord,' gaf Patrick toe, 'maar ik vind het eigenlijk een regelrechte belediging dat hij bijna onder mijn ogen werd vermoord.' Hij leunde naar voren, zijn gezicht plotseling gespannen. 'Ik wil heel graag weten wie hem heeft vermoord en waarom. U niet?'

Thea keek weg van zijn doordringende grijze ogen. Ze wilde het weten, maar ze wilde de kwestie ook achter zich laten. Ze had Alfred niet vermoord. En nu zou ze eigenlijk het liefste doen alsof ze er niets mee te maken had. Maar dat kon ze niet. De vraag wie Alfred had vermoord zou haar altijd blijven achtervolgen, en ze was nieuwsgierig genoeg om te willen weten waarom hij was vermoord, al was het alleen maar vanwege haar zus.

Nog niet geheel bereid om met de Amerikaan samen te werken, staarde ze hem aan en vroeg: 'Waarom was *u* daar? Hoe moet ik weten dat u me de waarheid heeft verteld? Hoe moet ik weten dat u me niet bij een of anders duivels plan betrekt?'

Patrick trok een gezicht. 'Ah, nu heeft u mij te pakken. Ik ben bang dat ik dat niet kan vertellen. Het is niet mijn geheim om te onthullen.'

'Maar ik moet u wel vertellen waarom ik daar was?' vroeg Thea kwaad.

'Nou, ik zou het waarderen als u het zou doen,' zei hij, met een plotseling plagende glans in zijn ogen.

'Vast wel,' zei ze preuts, terwijl er nu in haar ogen ook iets van vermaak kroop, haar gulle mond krulde bijna in een lach.

De verandering op haar gezicht was opmerkelijk, en Patrick kreeg het gevoel alsof hij een stomp in zijn maag had gekregen. Ze was niet mooi op de conventionele manier – haar mond te breed, haar neus een fractie te lang, en die kaak en kin waren hoewel goed gevormd veel te vastberaden voor het smakeloze ideaalbeeld dat in Engeland momenteel de rage was. Patrick was er echter van overtuigd dat hij nog nooit zo'n fascinerende vrouw had gezien, en dat hij zich ook nog nooit zo tot een vrouw aangetrokken had gevoeld als tot deze vrouw met haar hertenogen en beruchte reputatie. Hij schudde zijn hoofd om de gedachten kwijt te raken, vroeg zich af hoe hevig de klap zijn hersenen had beschadigd.

'Is er iets?' vroeg Thea, enigszins nerveus onder zijn starende blik.

'Eh, nee hoor,' mompelde hij, boos op zichzelf dat hij zo van het huidige onderwerp was afgedwaald. 'Ik weet dat u me niet vertrouwt – u hebt geen reden om me te vertrouwen, maar of u het leuk vindt of niet, we zitten hier samen in. Iemand anders weet dat wij vanavond alle twee in dat huis zijn geweest. Ik weet natuurlijk niet of de moordenaar met Hirst samenwerkte en ze wellicht ruzie kregen. Maar ik weet wel dat ik uw hulp echt nodig heb. Kunnen we hier alstublieft samen aan werken?'

Plotseling drong het tot Thea door dat hij werkelijk een heel aantrekkelijke man was, zijn kin zoveel krachtiger dan de gemiddelde Londenaar, zijn dikke ravenzwarte haar met een zwartzijden lint in de nek bijeengebonden. Zijn gelaatstrekken waren fijngevormd, alsof iemand een brok graniet had genomen en alle lijnen van de arrogante neus en de brede spottende mond zorgvuldig had uitgehakt. Hij was gewoon erg knap, erkende ze zichzelf met een steek in haar borst. Te knap met dat ondeugende engelengezicht en brede schouders, slanke heupen en krachtige lichaam – o, ze had het wel gezien, ze had alleen geprobeerd er niet aan te denken. Hij was veel te knap, met te veel zelfvertrouwen en charme. En waarschijnlijk onbetrouwbaar, dacht ze bitter, hoewel haar wil verslapte. Niet vanwege zijn mannelijke uiterlijkheden, dacht ze, maar omdat ze bang was, vermoeid, en ze wilde niet in deze afhankelijke positie blijven verkeren. Maar veel van wat hij had gezegd was waar. Het was verstandig om samen te werken – ook al vertrouwde ze hem niet.

Ze zonk op de sofa naast hem neer. 'Wat wilt u weten?' vroeg ze vermoeid.

'Waarom u daar vanavond was.'

Ze zuchtte. 'Hij had me een briefje gestuurd met het verzoek hem daar alleen te ontmoeten.' Ze keek Patrick treurig aan. 'Hij had geld nodig – zoals altijd. Hij had het fortuin van mijn zus behoorlijk aangesproken en wilde dat ik het weer eens voor hem aanvulde.' Ze trok een gezicht. 'Ik wist vanaf het begin dat hij een fortuinjager was, maar Edwina, mijn zus, wilde geen slecht woord over hem horen. Ze was ervan overtuigd dat ze hevig verliefd op hem was en ze wilde niets liever dan met hem trouwen.'

'Te oordelen naar uw toon gelooft u niet zo erg in de huwelijkse staat of liefde.'

Ze keek hem sardonisch aan. 'Meneer Blackburne, als u mijn reputatie kent dan weet u dat ik een goede reden heb om betuigingen van liefde te wantrouwen.' Er trok een trieste uitdrukking over haar gezicht. 'Omdat ik eens de mooie woorden van een charmante losbol geloofde heb ik mezelf geruïneerd en mijn broer gedood. En wat het huwelijk betreft – ik weet zeker dat het mogelijk is een "goed" huwelijk te hebben, maar ik heb er nog slechts weinig gezien. Edwina en Hirst hadden beslist geen goed huwelijk. Zíj heeft dat misschien eens gedacht, maar ik heb te veel avonden met haar doorgebracht waarbij zij haar hart uit haar lijf huilde omdat hij haar wéér ontrouw was geweest, om te geloven dat ze er nog steeds hetzelfde over denkt. Net zo onvergeeflijk weet ik bovendien zeker dat hij gokt en zijn spilziekte heeft haar op de rand van de afgrond gebracht. Haar fortuin was niet zo vorstelijk, maar het was zeker voldoende voor iemand die er verstandig mee om zou weten te gaan, en meer dan voldoende voor hen beiden om er een plezierig leventje zonder al te veel zorgen van te leiden.'

Hij knikte, verbaasd hoe diep haar woorden hem hadden geraakt, en hoe graag hij met haar over liefde en huwelijk zou willen argumenteren. Nog niet zoveel maanden geleden zou hij haar negatieve houding hebben toegejuicht. Maar nu hij de liefde tussen zijn vriend Tony Daggett en diens vrouw, Arabella, had gezien, hun huwelijksgeluk met eigen ogen had gadegeslagen, was hij gaan twijfelen over zijn reeds lang bestaande aversie tegen liefde en huwelijk.

'Ik begrijp het,' zei hij, en duwde geërgerd zijn dwarrelende gedachten weg. 'Als hij geld wilde hebben, waarom kwam hij dan niet gewoon naar uw huis om het te vragen? Dat zou logisch zijn.'

Ze glimlachte dunnetjes. 'Enkele maanden geleden, toen ik hem voor de laatste keer uit zijn netelige positie heb gered, ontstond er ruzie. Sinds die keer had ik hen beiden niet meer gesproken. Ik had Hirst ook de toegang tot mijn huis geweigerd – hij wist dat hij me niet te zien zou krijgen.'

'U wilde hem niet in uw huis en toch was u bereid hem onder dergelijke heimelijke omstandigheden te ontmoeten?'

Thea keek weg en bedacht hoeveel eenvoudiger alles

was geweest, als ze gehoor had gegeven aan haar eerste opwelling en het briefje had weggegooid. 'Ik weet dat het nobel klinkt, maar op dat moment leek het me het beste hem te ontmoeten en erachter te komen wat hij wilde.' Op wrange toon vervolgde ze: 'Het leek een makkelijke oplossing – ik wist dat hij me, als ik hem niet zou ontmoeten, voortdurend zou blijven lastigvallen. Het komt u wellicht onverstandig voor, maar ik wilde hem gewoon ontmoeten en de zaak afsluiten.'

'En dat was het enige dat hij wilde? Alleen geld? Zou hij niet meer kans hebben gehad als hij uw zus had gestuurd om het te vragen? Ik begrijp dat u dol op haar bent.'

'O, ja. Hij weet heel goed dat ik Edwina zelden iets weiger. In feite bekende hij vanavond dat een van de redenen waarom hij met haar was getrouwd, was dat hij niet alleen de beschikking over haar fortuin had, maar dat het mijne er altijd als reserve zou zijn.' Ze glimlachte verbitterd. 'En tot op zekere hoogte had hij gelijk – ik heb de afgelopen paar jaar grote sommen geld aan hen besteed. En natuurlijk bezwoeren ze me telkens weer dat het de laatste keer zou zijn. Maar mijn geduld was op en ik wist, hoe pijnlijk het ook zou zijn, dat ik Edwina alleen maar kon helpen inzien wat voor man hij was door haar de gevolgen van haar eigen daden te laten dragen. Ik weet dat het hoogdravend en harteloos klinkt, maar ik had er genoeg van. Ik kon hem ook niet toestaan aanspraken op mijn fortuin te blijven doen.' Haar gezicht vertrok. 'En dat zou hij hebben gedaan, als ik dwaas genoeg was geweest hem die kans te geven.'

Patrick fronste zijn voorhoofd. 'Zei hij niets anders? Vroeg hij alleen om geld? Niets als aanwijzing dat hij in gevaar verkeerde?'

Thea schrok, haar blik vloog naar hem. 'O, wacht. Hij

zei iets over in gevaar zijn, dat Edwina een weduwe zou zijn als hij iemand niet zeventienduizend pond zou betalen.' Haar voorhoofd rimpelde toen ze zich het gesprek probeerde te herinneren. 'Het was geloof ik een reeds lang bestaande schuld. Hij had het oorspronkelijke bedrag van geldschieters geleend, en hun rente en honorarium had de schuld tot astronomische hoogte opgevoerd.' Haar stem daalde. 'Denkt u dat zij hem hebben vermoord?'

'Ik weet het niet,' bekende Patrick. 'En ik ben geneigd te denken van niet – geldschieters willen geld verdienen, en Hirst vermoorden zou niet goed voor hun zaak zijn. Hem een pak rammel verkopen of een been breken zou meer hun tactiek zijn om iemand tot betalen te dwingen, maar hem vermoorden... ik denk het niet.' Hij haalde zijn schouders op. 'Maar alles is mogelijk. Misschien wilde iemand anderen, die net als Hirst een achterstand met terugbetalen hadden, een lesje leren. Ik weet het niet.'

Het drong tot Patrick door dat de dood van Hirst misschien niets te maken had met degene die zijn moeder chanteerde. Het kon een grimmig toeval zijn geweest dat Hirst dezelfde plek als de chanteur had gekozen om Thea te ontmoeten. Van de assistent had hij begrepen dat het huis aan Curzon Street al maanden op de markt stond; het was mogelijk dat half Londen wist dat het onbewoond was. Aan een sleutel komen was eenvoudig. Het kon gewoon toeval zijn geweest dat Thea en hij vanavond op hetzelfde adres waren geweest. Maar dat dacht hij niet. Het was gewoon te toevallig. Betekende dat misschien dat Hirst bij die chantagekwestie betrokken was? Dat hij een partner had en dat de partner van Hirst hem had vermoord? Maar waarom? Een ruzie? Misschien.

Hij keek naar Thea, weer getroffen doordat ze er zo

kwetsbaar uitzag. Niet als een vrouw die 'berucht' aan haar naam had toegevoegd. Hij kon veel betere woorden bedenken om haar te beschrijven, dacht hij, woorden als aantrekkelijk, verrukkelijk en begerenswaardig. O ja, bekende hij, terwijl zijn blik op haar gulle mond bleef rusten, begerenswaardig zou bovenaan zijn lijstje staan, erg, érg begerenswaardig.

Thea voelde dat hij naar haar keek, en toen ze haar hoofd hief ontmoetten hun ogen elkaar. Ze kon gewoon niet wegkijken van zijn doordringende blik; haar hart begon pijnlijk hard te bonken.

Seksuele aantrekkingskracht zinderde door de lucht, beiden waren zich lichamelijk bewust van de ander op een manier die er enkele seconden geleden nog niet was geweest. Thea was verbijsterd door de krachtige emoties die door haar heen joegen, doodsbang voor hun kracht en uitwerking. Ze kon zich niet tot deze man aangetrokken voelen, dacht ze angstig. Na Hawley had ze gezworen dat ze zichzelf nooit meer zou toestaan de betoverende opwinding te ervaren die ze voor liefde had aangezien. En toch was er iets aan Patrick Blackburne...

Thea sprong overeind. 'Eh, zoals ik al z-zei, het is e-erg l-laat,' stamelde ze. 'Ik stel voor dat we verder over deze kwestie praten nadat we beiden de kans hebben gehad erover na te denken.'

Patrick herkende een schichtig veulen als hij er een zag, en het was duidelijk dat de jongedame de situatie met net zoveel enthousiasme bekeek als een naderende horde wilde indianen. Hij glimlachte wrang en stond eveneens op.

'Natuurlijk, u heeft gelijk. Aangezien dat wat vanavond gebeurd is een geheim tussen ons zal blijven, zal ik maar een openbare ontmoeting voor ons regelen?'

'J-j-ja, dat lijkt me beter,' zei Thea opgelucht. Hij leek

zo erg groot en intimiderend nu hij voor haar stond. Ze was zich levendig bewust van zijn buitengewone viriele, dierlijke aantrekkingskracht, en wilde dat hij wegging. Ergens ver weg van haar, zodat ze haar onrustige gedachten op een rijtje kon zetten.

Hij maakte een elegante buiging. 'Heel goed. Ik ga ervandoor.'

Patrick reikte naar haar hand met de bedoeling er een kus op te drukken, maar in plaats daarvan sloten zijn vingers zich om de hare, en terwijl hij dat deed voelde hij een elektrische schok. Zijn huid leek te tintelen, en toen hij zijn lippen over haar huid streek was hij ervan overtuigd dat hij zijn lippen zou verbranden.

Thea rukte haar hand terug, en te oordelen naar haar wijd opengesperde ogen wist hij dat zij hetzelfde had ervaren. Geschokt staarden ze elkaar sprakeloos aan en toen, alsof hij wakker werd uit een trance, knipperde Patrick met zijn ogen, en mompelde: 'Goedenavond. Ik verheug me erop u weer te ontmoeten.'

Thea knikte, ervan overtuigd dat ze, als ze zou proberen iets te zeggen, onzin zou uitkramen. Zodra de deur achter hem was gesloten, zonk ze op de sofa neer, staarde niets ziend voor zich uit.

Wat was er als laatste nou tussen hen gebeurd? Het leek wel, dacht ze duizelig, alsof ze in een onweersstorm was opgezwiept en betoverd door de wilde kracht van het weerlicht. Ze huiverde, haar huid tintelde nog waar zijn lippen haar hand hadden gekust. Het was, dacht ze, een uiterst opwindend en plezierig gevoel. En ze was heel bang dat het gevoel verslavend zou kunnen worden.

Het geluid van de opengaande deur bracht haar blik in die richting, en ze glimlachte toen Modesty de kamer binnenkwam.

'Ik ben zo lang mogelijk weggebleven,' zei Modesty. Een vage blos kleurde haar wangen. 'En net als een dwaze bediende heb ik over de leuning staan kijken toen hij vertrok.' Ze trok een wenkbrauw op. 'Hij is een erg knappe man, nietwaar? Wie was hij? En wat wilde hij?'

Thea bracht Modesty snel op de hoogte van de situatie. Met ogen vol ongeloof zat Modesty naast Thea en kneep in haar hand. 'O, goddank! Ik had al het gevoel dat je Hirst niet had vermoord, maar jij leek zo overtuigd dat ik me door jou liet meeslepen.' Ze keek Thea stralend aan. 'Is het niet fantastisch? Jíj hebt hem niet vermoord.'

'Iemand anders wel,' zei Thea droogjes.

'Nou, ja, en dat is natuurlijk jammer, maar niet onze zorg, toch?'

Thea trok een gezicht. 'Dat was de houding die ik aanvankelijk ook had, maar meneer Blackburne heeft me ervan overtuigd dat het verkeerd is zo te denken.' Ze keek haar nicht aan. 'Wil je niet weten wie Hirst heeft vermoord en waarom?'

Modesty slaakte een zucht. 'Ik geloof het wel. En ik geloof dat we voor Edwina's bestwil de waarheid moeten weten. Zijn dood zal hard aankomen – vooral door de manier waarop, en tenzij de moordenaar wordt ontmaskerd, zal zij zich altijd afvragen wie hem heeft vermoord en waarom. En ik vermoed dat die vragen ons ook altijd zullen blijven achtervolgen.'

'Dus je vindt het niet verkeerd van me dat ik erin heb toegestemd meneer Blackburne te helpen?'

'Nee, hoewel ik moet bekennen dat ik niet zie hoe jij hem zou kunnen helpen. Je hebt hem alles verteld wat je weet – wat ik van hem niet kan zeggen.' Modesty fronste haar wenkbrauwen. 'Heeft hij helemaal niet verteld waarom hij vanavond in dat huis moest zijn?'

Thea schudde haar hoofd. 'Nee.'

'Nou, dat lijkt me dan geen eerlijke samenwerking, wel? Maar wanneer je hem de volgende keer ontmoet, zal hij misschien openhartiger zijn.'

Thea haalde haar schouders op. 'Misschien.' Ze geeuwde hartgrondig.

Modesty stond op. 'Vooruit – naar bed jij. Je hebt een bijzonder inspannende avond achter de rug, en morgen zal nog erger worden wanneer Edwina op de hoogte is gebracht van de dood van Hirst.'

'Ik vraag me af of ze naar ons toe zal komen,' peinsde Thea hardop. 'Misschien staat ze nu nog vijandiger tegenover ons dan toen Hirst nog leefde.' Thea beet op haar lip. 'Misschien geeft ze mij de schuld van zijn dood. Zonder te weten welke rol ik vanavond heb gespeeld, ben ik bang dat ze het gevoel zal hebben dat hij niet in het huis aan Curzon Street zou zijn geweest als ik hen financieel had geholpen.' Ze liep langzaam de trap op. 'En dus niet zou zijn vermoord,' voegde ze eraan toe. 'En daarin heeft ze gelijk. Als ik hun niet had gezegd dat ik me terugtrok, zouden ze naar me toe zijn gekomen en uiteindelijk zou ik ze het geld weer hebben gegeven, en dan zou Alfred vanavond niet in dat huis zijn geweest.'

'Dat weet je niet,' zei Modesty ferm. Haar blauwe ogen glinsterden. 'Alfred Hirst was een hebzuchtig man. Hij had je desondanks misschien om geld gevraagd. En hoe weet je,' vroeg ze verder, terwijl ze de overloop bereikten, 'dat jij de enige was aan wie hij geld vroeg? Hij had misschien meerdere mensen bij wie hij aanklopte.'

Thea keek geschrokken. 'O! Daar had ik niet aan gedacht.'

'Nou, dat had je wel moeten doen! Maar nu ga je naar bed en hou je op met piekeren over iets dat niet jouw schuld was,' zei Modesty met klem. 'Hirst was een schurk, en ik betreur het niet in het minst dat hij dood is.'

Patrick betreurde het ook niet, maar hij was er ook niet blij mee. De dood van Hirst compliceerde de kwestie voor hem alleen maar. Compliceerde het op manieren die hij niet had voorzien. En Thea Garrett was absoluut een complicatie.

Eenmaal thuisgekomen ging Patrick naar zijn vertrekken boven. Nadat hij zijn donkergrijze mantel had uitgetrokken, schonk hij een glas cognac in van het dienblad dat zijn butler voor hem had klaargezet en liep ermee naar zijn slaapkamer. Een frons rimpelde op zijn voorhoofd toen hij aan Thea dacht.

Het was erg lang geleden sinds de laatste keer dat een vrouw dergelijke emoties in hem had gewekt. Hij vroeg zich zelfs af of hij dit, wat hij vanavond had ervaren, wel ooit had meegemaakt. Sommige emoties waren meer dan bekend – bijvoorbeeld verlangen. Ze was uiteindelijk een zeer aantrekkelijke jonge vrouw, maar het was niet alleen verlangen dat ze in hem had gewekt, en dat baarde hem zorgen. Hij was zich bewust van een gevoel van bescherming en een zekere kwaadheid op de man die haar zo bang voor de liefde had gemaakt. Die emoties waren erg genoeg, maar wat hem werkelijk zijn wenkbrauwen deed ophalen was het feit dat ze midden in een moordzaak was beland die misschien verband hield met degene die zijn moeder chanteerde.

Patrick nam een fikse teug cognac, en bedacht wat hij zijn moeder morgen moest vertellen. Waarschijnlijk, dacht hij met een vage glimlach, zo weinig mogelijk. Zeker niets over zijn eigen oneervolle rol in de gebeurtenissen van vanavond. En zeker niets over de moord op Hirst – het was niet nodig haar te alarmeren. En hij zou zeker niets zeggen over Thea Garretts aanwezigheid. Zijn mond vertrok. Nogmaals, het was nergens voor nodig zijn moeder te alarmeren, en dat zou ze zijn, zelfs hevig gealarmeerd, als ze hoorde dat haar enige kind zich aangetrokken voelde tot een jonge vrouw met een bezoedelde reputatie.

Patrick peinsde over die reputatie. Nadat hij Thea in Hyde Park had gezien had hij van Nigel, zodra ze alleen waren, alle afschuwelijke details over haar verleden te horen gekregen. En enkele roddels over haar heden, zoals het feit dat het haar niets kon schelen wat de mensen over haar zeiden, en bepaald geen moeite deed om geen roddels te veroorzaken.

'Herinner je je die oude Rivers?' had Nigel gevraagd, doelend op de rijke, beruchte losbol die erom bekendstond onschuldige meisjes te verleiden. 'Ze heeft hem een keer zo het hoofd op hol gebracht dat hij haar ten huwelijk vroeg. Ze lachte hem in zijn gezicht uit en heeft hem aan zijn oor buiten de deur gezet.' Nigel keek peinzend. 'Gek eigenlijk – Lord Gale was niet van dat soort – hij was een aardige jongeman, rijk, knap, geschikt, en ik kan niet zeggen dat ik ooit heb gehoord dat ze hem in de verleiding heeft gebracht. Probeerde hem zelfs te ontmoedigen, zou ik eerder zeggen, maar hij was volkomen betoverd – wou geen nee als antwoord aanvaarden. Ik geloof dat er een roddel was dat zij degene was die zijn familie zover kreeg hem ervan te overtuigen dat hij Londen moest verlaten – en haar. Ik weet niet of ik het geloof of niet, maar het is mogelijk. Ik weet wel dat ze ervan geniet om schaamteloze losbollen met hun staart tussen de benen op de vlucht te jagen.'

'Nou, ik moet bekennen dat ik wel wat bewondering voor haar tactiek kan hebben,' had Patrick met een bedroefd lachje gezegd. 'Er zijn maar weinig mensen die het wagen hun gezicht in de gemeenschap te vertonen na het schandaal dat zij heeft doorstaan – en ze toont het niet alleen, maar ze lapt het aan haar laars wat mensen van haar denken. En dat ze ervan geniet losbollen de laan uit te sturen – wie kan haar dat kwalijk nemen na wat er is gebeurd? Ik zeker niet.'

'Je kunt het best voorzichtig zijn,' had Nigel hem toegevoegd. 'Ze heeft verscheidene trouwgrage kerels de bons gegeven. Zorg ervoor dat jij daar niet bij hoort.'

'Hou op zeg, je denkt toch niet dat ik onder haar bekoring val?' had Patrick verbaasd gevraagd.

'Je weet maar nooit, mijn vriend, je weet maar nooit.'

Patrick dacht aan Nigels laatste woorden, en de frons op zijn voorhoofd werd dieper. Hij zette zijn gedachten aan Thea Garrett opzij en concentreerde zich weer op wat hij zijn moeder de volgende ochtend moest vertellen. Het onderwerp bleef hem bezighouden tot hij in bed lag. Toen, alsof het de rest van de korte nacht wilde bederven, verscheen Thea's schitterende gelaat voor zijn geestesoog. Tot zijn ongenoegen ontdekte hij dat hij haar verontschuldigde en graag wilde geloven dat ze precies was wat ze leek te zijn; een charmant dametje dat hij dolgraag beter wilde leren kennen. Heel intiem wilde leren kennen.

De ontmoeting met Lady Caldecott verliep de volgende ochtend heel goed. Ze was teleurgesteld dat hij weinig te melden had en vond het vreemd dat de chanteur niet was komen opdagen.

Tegenover haar gezeten, gekleed in een donkerblauwe mantel en een geelkatoenen broek, mompelde Patrick: 'Zoals ik al zei, het kan van zijn kant een manoeuvre zijn geweest om te zien wat jij zou doen. Hoewel ik hem niet heb gezien, weet ik zeker dat hij weet dat ik in jouw plaats was gekomen. Dat heeft hem ongetwijfeld tot nadenken gestemd.'

'Tja, vast,' zei zijn moeder onzeker, met een bezorgd gezicht. 'Denk je niet dat jouw aanwezigheid hem kwaad heeft gemaakt?'

Patrick haalde zijn schouders op. 'Alles is mogelijk. Ik weet alleen dat er behalve mijzelf niemand in het huis was – en ik heb bijna een uur tot na de afgesproken tijd gewacht, en er is niemand gekomen.' Innerlijk knipperde Patrick met zijn ogen; liegen tegen je moeder, zelfs als volwassene en voor haar eigen bestwil, was niet gemakkelijk. Hij suste zijn geweten door zich voor te houden dat hoewel het een pertinente leugen was dat er niemand anders in het huis was geweest, hij inderdaad ruim een uur had gewacht. Wat hij niet had verteld was het feit dat hij gedurende die tijd bewusteloos was geweest. Hij stond op. 'Tot je weer van hem hoort, is er weinig wat ik aan je chanteur kan doen, behalve de informatie uitzoeken die ik van Nigel heb gekregen. Hij zei dat zijn tante Levina in januari is overleden, en dat haar familie, de Ellsworths, het grootste deel van haar persoonlijke papieren en bezittingen in handen heeft. Ik zal met hen beginnen.'

'Ellsworth?' mompelde een nieuwe stem. 'Kennen we dan iemand met die naam, lieveling?'

Alice verstijfde. Ze wierp een blik op haar zoon, draaide zich om en glimlachte warm naar de grote, slanke man die zachtjes de kamer was binnengekomen. Lord Caldecott glimlachte welwillend naar zijn stiefzoon en nam rustig plaats naast zijn vrouw op de sofa. 'Ik dacht dat ik al je vrienden kende, liefje, maar hun naam herinner ik me niet,' merkte hij op. 'Het is toch zeker niet die aanmatigende familie waarin die arme Lord Talbot is getrouwd? Met de oudste dochter, als ik het me goed herinner.' Hij fronste licht zijn voorhoofd. 'Als het dezelfde familie is, geloof ik dat een van de zoons getrouwd is met de dochter van Lord Bettison – gokschulden, weet je.'

Lord Caldecott was in zijn jeugd de onbetwiste aanvoerder van de modieuze kringen geweest, en tekenen daarvan waren nog steeds zichtbaar aan het Brusselse kant tegen zijn hals en rond zijn polsen en de onberispelijke snit van zijn lichtblauwe jas en elegante duifgrijze broek. In tegenstelling tot velen van zijn vrienden had hij op zijn tweeënzestigste nog steeds zonder kunstmiddelen een volle, grijze haardos – elk haartje op zijn hoofd was van hemzelf. Hij was, zelfs op zijn leeftijd, een knappe man. Onder smalle wenkbrauwen waren zijn ogen ijsblauw en zijn gelaatstrekken patricisch. Lord Caldecott had de naam een hersenloze sukkel te zijn, maar degenen die hem kenden wisten dat hij precies het tegenovergestelde was.

Patrick wist dat hij een scherp intellect bezat, en hij voelde zich ongemakkelijk nu Lord Caldecott op dit moment was binnengekomen. 'Goedemorgen, my lord,' zei hij met een buiging. 'Het doet me genoegen u te zien.'

Lord Caldecott keek afwezig. 'Ja, maar hebben we je niet net begin deze week gezien, beste jongen?'

'Je hebt er toch zeker geen bezwaar tegen dat mijn zoon me regelmatig komt bezoeken?' vroeg Alice.

Lord Caldecott glimlachte liefjes en klopte op haar hand. 'Maar natuurlijk niet, mijn lief – je weet dat ik je niets zal ontzeggen wat jou gelukkig maakt. Ik probeerde me alleen te herinneren of het begin deze week was geweest dat ik je zoon had gezien.'

Lord Caldecott hief de monocle die aan een zijden lint om zijn nek hing. Hij keek slaperig naar Patrick. 'Je ging geloof ik net weg, beste jongen? Op zoek naar die eh, Ellsworth-mensen? Of misschien naar vrienden?'

'Niet precies,' zei Alice haastig, en vervolgens babbelde ze verder over Levina Ellsworth, die in de Embry-familie was getrouwd, en een kennis van haar was geweest. 'Ik weet nog maar sinds kort dat ze is overleden, en Patrick vertelde me dat haar nichten en neven, de Ellsworths, haar erfgenamen waren.' Ze keek Patrick hulpeloos aan. 'Dat zei je toch, lieverd?'

'Ja, precies,' zei Patrick lijzig, terwijl hij probeerde in te schatten wat zijn stiefvader mogelijk van hun gesprek over de chanteur had opgevangen. Hij ontmoette Lord Caldecotts heldere blik en voelde zijn ongemak groeien. Ondanks zijn luchtige manier van doen ontging de man niets. Was hij dus op de hoogte van de chantage? En als dat zo was, waarom had hij dan niets tegen zijn vrouw gezegd? Had hij zelf geheimen? Geheimen die betrekking hadden op de chantage van zijn vrouw? Patricks ogen verhardden zich. Was het mogelijk dat Caldecott onbeschaamd en wanhopig genoeg was om zijn eigen vrouw te chanteren?

Toen hij een paar minuten later afscheid had genomen en vertrok, besloot Patrick dat hij, voordat hij andere stappen ondernam, discrete informatie over Caldecotts financiën zou inwinnen. Zijn gezicht werd grimmig. Het laatste dat hij wilde was het huwelijk van zijn moeder vernietigen. Dus wat zou hij moeten doen wanneer die informatie haar echtgenoot verdacht zou maken?

Hoofdstuk 5

Thea werd donderdag na een onrustige nacht wakker. Ze was moe en lusteloos. De gebeurtenissen van de vorige avond wekten geen enkel verlangen om haar bed uit te springen en de dag te begroeten. Maar uiteindelijk zette ze zich ertoe op te staan, en na een licht ontbijt van koffie en toast op haar kamer ging ze naar beneden. Op dat moment sloeg de grote klok in de hal halftwaalf.

Het kostte Thea slechts een paar minuten om Modesty te vinden. Ze stond voor een bloemstuk van late lelies en rozen toen Thea binnenkwam. 'Dit zijn denk ik de laatste bloemen van het jaar. Ik zal hun zoete geur in huis missen.'

Thea glimlachte en liep door het aangename vertrek naar een van de hoge, smalle ramen met uitzicht op de straat. Ze bleef er verscheidene minuten naar buiten staan kijken, zonder de rijtuigen en de paarden die langsreden echt te zien.

Daarna liep ze naar een van de sofa's die met ruwe zijde waren bekleed en ging zitten. Ze keek naar Modesty die eveneens op een sofa had plaatsgenomen.

'Wat gaan we doen?' vroeg Thea met een bezorgd gezicht.

'We kunnen op dit moment niets doen,' antwoordde

Modesty. 'Tot we het bericht over zijn dood krijgen kunnen we weinig anders doen dan wachten.'

Thea sprong op en ijsbeerde door het vertrek. 'Ik ben nooit zo goed in wachten geweest – vooral niet gedurende zoiets als dit! Het lijkt op wachten tot de hemel naar beneden valt.'

'Niet zo dramatisch, liefje.'

Thea zuchtte. 'Maar ik voel me zo hulpeloos. Ik kan niet eens naar Edwina gaan en haar troosten wanneer ze het nieuws krijgt.' Ze keek om naar Modesty. 'Ze zal toch wel naar ons toe komen? Je gelooft toch niet dat ze denkt dat ik haar nu in de steek laat? Zou ik haar misschien een briefje moeten sturen om aan te geven dat ik een einde aan deze dwaze situatie tussen ons wil maken?'

'Absoluut niet!' Toen Thea's gezicht een koppige uitdrukking kreeg, vervolgde ze: 'Begrijp je dan niet hoe verdacht dat zou overkomen? Na maanden van vervreemding schrijf je haar plotseling op de dag dat ze het nieuws krijgt dat haar man is vermoord. Dat lijkt me niet verstandig.'

'O, ik weet dat je gelijk hebt, maar ik kan het niet verdragen om niets te doen!'

'Als je om te beginnen niets had gedaan, zou je je nu niet in deze positie bevinden,' zei Modesty droog.

Thea trok een gezicht. 'Daar heb je absoluut gelijk in, en geloof me, dat had ik zelf ook al gedacht.'

'Zeg, waarom gaan we vanavond niet naar het bal van Lady Hilliard?' stelde Modesty voor. 'We hebben haar onze acceptatie gestuurd.'

Thea keek verbluft. 'Modesty! We kunnen niet naar een bal gaan nu Edwina's man net dood is.'

'Maar wij weten niet dat hij dood is, liefje,' zei Modesty vriendelijk. 'En tot we dat weten moeten we doen wat we normaal gesproken zouden doen. En dat betekent naar een bal gaan waarvoor we zijn uitgenodigd.'

'Moet je nou altijd gelijk hebben?' vroeg Thea, half geërgerd, half spottend.

Modesty glimlachte. 'Ik doe mijn best, liefje, echt.'

Thea lachte onwillekeurig en deed haar best een ander onderwerp te zoeken. Daar slaagde ze in en uiteindelijk zou niemand hebben vermoed dat ze niets anders aan haar hoofd had dan het bal bij Lady Hilliard. Maar innerlijk bereidde ze zich voor op een klap. Terwijl de dag vorderde, schrok ze op bij elk geluid, en wanneer Tillman de kamer binnenkwam, keek ze hem bezorgd aan, ervan overtuigd dat hij kwam melden dat Edwina met het rampzalige nieuws over haar man was gekomen. Tegen de tijd dat ze naar boven was gegaan om zich te kleden voor het bal, had ze hoofdpijn en haar maag was een bevroren knoop.

Waarom hadden ze niets gehoord? Het lichaam van Hirst was inmiddels toch wel gevonden? Edwina moest het afgrijselijke bericht nu toch wel hebben gekregen? Was de vervreemding tussen hen zo ernstig dat haar zus het gevoel had dat ze niet naar haar toe kon komen?

Bezorgd, onzeker en bevreesd voor de komende avond, liep Thea de trap af, zich nauwelijks bewust van de klokvormige, geelzijden japon die haar dienstmeisje, Maggie Brown, haar had helpen aantrekken. De japon had pofmouwtjes en het laag uitgesneden lijfje was afgezet met teer kant. Maggie had Thea's glanzende haar in een knot vol pikante krullen boven op haar hoofd gestoken, die erom smeekten door een mannenhand te worden bevrijd. Een paar losse krulletjes omlijstten haar blanke gezicht, en niemand die naar haar keek zou ooit vermoeden wat voor tumultueuze gedachten er achter dat charmante uiterlijk schuilgingen.

Modesty was eveneens schitterend gekleed. Haar jurk was minder gewaagd, maar duidelijk door een vakkundige hand vervaardigd van een dieppaarse zijde. Een zwart-zilveren sjaal was om haar schouders gedrapeerd, en om haar hals droeg ze een smalle parelketting. Haar dikke, grijs dooraderde haar was in haar nek tot een chignon gekapt, en ze zag eruit zoals ze was – een modieuze oudere, onafhankelijke vrouw.

Het bal was voor Thea net zo afschuwelijk als ze had gevreesd. Terwijl ze met vrienden en verwanten lachte en babbelde, probeerde ze niet aan het dode lichaam van Hirst te denken, dat ze in het huis aan Curzon Street op de vloer had zien liggen, noch aan het verdriet van haar zus wanneer ze het nieuws te horen zou krijgen. Wat Thea betrof was hij een ellendige man geweest en ze voelde geen spijt over zijn dood – alleen over de manier waarop het was gebeurd. Maar ze wist dat Edwina van hem had gehouden, en haar hart ging uit naar haar zus.

De Hilliards hadden erg hun best gedaan. De prachtige balzaal was met gele rozen en witte gardenia's versierd, die in de kassen op hun landgoed waren gekweekt. De geur van de gardenia's parfumeerde de hele ruimte. Het gezelschap was ook de moeite waard; de kleding die door de vrouwelijke gasten werd gedragen was een voortdurend veranderende zee van schitterende zijde en satijn in allerlei denkbare kleurschakeringen. De heren waren ook aantrekkelijk gekleed, met hun zorgvuldig geknoopte witte das, en een jas met borduursels in rode, donkerblauwe en donkergrijze tinten. Lichte, strak aansluitende broeken onthulden vele welgevormde mannenbenen – of juist niet, in bepaalde gevallen. De gehuurde muzikanten speelden prachtig en bedienden in livrei droegen volle bladen met verfrissingen rond, in de vorm van limonade, punch, port en allerlei wijnen, en er waren pasteitjes, gevulde garnalen, kip, kalfsvlees en kristallen schaaltjes met bonbons en citroen met amandeltaartjes om te eten.

Maar ondanks al die pracht en praal had Thea midden in een mestvaalt kunnen staan. Wat haar betrof moest ze de avond gewoon doorstaan; ze wachtte slechts op het moment dat Modesty en zij met goed fatsoen konden vertrekken.

Na hun aankomst had Modesty zich aangesloten bij verscheidene oudere matrones en weduwen die ze kende, en bevond zich nu vrolijk babbelend in hun midden. Thea twijfelde er niet aan dat ze de avond roddelend en glimlachend doorbracht en de andere gasten met haar vriendinnen gadesloeg. Thea had ook vriendinnen, en gewoonlijk amuseerde ze zich, praatte en lachte met verscheidene jonge, aantrekkelijke matrones en een paar vrouwen van haar eigen leeftijd, die al weduwe waren.

Ondanks het inmiddels tien jaar oude schandaal en de roddels en geruchten die nog steeds de ronde deden, werd ze tegenwoordig in de meeste huizen van de bon ton verwelkomd. Maar Thea vergat nooit helemaal dat ze haar terugkeer in de society aan haar familie te danken had – zij hadden niet aflatend hun best gedaan haar te helpen om weer te worden geaccepteerd. Ze had het geluk verwant te zijn door bloed of huwelijk aan twee baronnen, een gravin en een hertog, en zelf een fortuin te bezitten; en dat alles tezamen had haar gedeeltelijke terugkeer mogelijk gemaakt.

Ze was zich er natuurlijk van bewust dat ze niet geheel was vrijgesproken van haar misdaden, en dat er nog steeds mensen waren die o zo beleefd haar gezelschap vermeden. Onschuldige jongedames en vrijgezellen werden altijd, en nog steeds, zorgvuldig uit haar omgeving gehouden. Wanneer ze zich er vroeger bewust van werd wat er aan de hand was, hadden die acties haar gewoonlijk gekwetst, maar nu niet meer. De zorgvuldige pogingen van ouders om hun onschuldige duifjes en puppy's uit haar buurt te houden, brachten nu een wrange glimlach op haar gezicht. Af en toe, geleid door een ondeugende ingeving, en onder de neus van hun hulpeloze beschermers, charmeerde ze opzettelijk een jongeman van deze beschermde en vertroetelde groep. Maar haar geweten sprak haar algauw toe en dan stelde ze de ongeruste ouders gerust door het rendez-vous snel te eindigen voor er enige schade was aangericht.

Thea was erin geslaagd de avond redelijk goed te doorstaan. Ze had een paar keer met haar neef John gedanst, en met enkelen van zijn vrienden, en ze had met andere vrienden en bekenden staan praten en lachen. Het bal was al halverwege toen een vriendin van haar, Lady Elizabeth Roland naar haar toe kwam.

Lisbeth, zoals Lady Roland door Thea wilde worden genoemd nadat ze elkaar drie jaar geleden voor het eerst hadden ontmoet, zag er helemaal niet naar uit dat ze al enkele jaren weduwe was. Ze was een jaar ouder dan Thea. Ze was lang en statig, met lachende zeegroene ogen en een massa woeste zilverblonde krullen. Lady Roland was voor sommige oudere leden van de bon ton onweerstaanbaar, wat haar natuurlijk in Thea's ogen meteen sympathiek had gemaakt. Ze hadden menig plezierig uurtje doorgebracht door verschrikkelijke noodlottigheden voor de leden van de society te bedenken en te lachen om de zwakke punten van degenen die zichzelf als toonaangevend in de modewereld beschouwden. Beiden waren roekeloos en hadden weinig respect voor conventie. Ze hadden zich onmiddellijk tot elkaar aangetrokken gevoeld, en zichzelf als 'anders dan anderen' beschouwd, en beiden hadden genoeg familiebetrekkingen en kapitaal om hun neus op te halen voor iedereen die ze wantrouwden.

Thea had John en zijn vrienden net weggestuurd en dacht erover Modesty te zoeken om naar huis te gaan, toen Lisbeth naderbij kwam.

Lisbeth tartte de conventie in haar prachtige, smaragdgroene japon. De zijden rok was zó strak gemaakt dat hij tegen haar lange benen kleefde, en het lijfje was zó gewaagd laag uitgesneden dat het de aanzet van haar fraaie boezem onthulde. Lisbeth had er geen moeite mee de society te shockeren.

De zeegroene ogen sprankelden, het zilveren haar was kunstig in een waterval van krullen naar achteren gekapt, en haar mond vertoonde een brede glimlach toen ze naast Thea opdook. Ze wisselden begroetingen uit, en Lisbeth bekeek haar vriendin langdurig.

Ze kneep liefdevol in Thea's kin en vroeg: 'Wat is er aan de hand, liefje? Je ziet er vanavond absoluut gekweld uit. Vertel me niet dat je ellendige zwager je weer heeft lastiggevallen.'

Thea sprong bijna uit haar vel, en slechts door de grootste tegenwoordigheid van geest voorkwam ze dat ze alles eruit flapte. Ze forceerde een glimlachje en zei: 'Ik heb hoofdpijn. Ik stond net op het punt Modesty te zoeken toen jij verscheen. Heb je het naar je zin?'

'Hmmm. Ik geloof het wel. Ik weet bijna zeker dat ik met deze jurk twee oude taarten tegen me in het harnas heb gejaagd en ze voor weken genoeg te roddelen heb gegeven,' antwoordde Lisbeth, waarbij haar intelligente groene ogen niet van Thea's gezicht weken. Ze schudde even aan Thea's arm. 'En zo gemakkelijk kom je niet van me af. Ik ken je te goed. Er is iets mis. Wat is het?'

Thea glimlachte naar haar. 'Niets. Echt niet. Ik voel me vanavond alleen niet zo lekker. Niets om je zorgen over te maken.'

'En waarom geloof ik je niet?'

'Omdat je van nature een achterdochtige vrouw bent?' vroeg Thea liefjes, met van pret glinsterende ogen.

'Hmm, daar zit wat in,' beaamde Lisbeth, en er verscheen een charmant kuiltje in haar wang toen ze naar Thea glimlachte.

Hierna liet ze haar blik door de aantrekkelijke ruimte gaan. 'Gezien het feit dat er deze herfst minder families naar Londen zijn teruggekeerd, verdient Lady Hilliard een compliment over de grote opkomst.' Ze keek Thea aan. 'Blijven jij en Modesty in Londen? Of gaan jullie voor de winter naar Halsted House?'

Denkend aan Edwina en de rouwperiode die de dood van Hirst zou vereisen, zei ze: 'We gaan waarschijnlijk naar Halsted. Feitelijk denk ik dat we over niet al te lange tijd zullen vertrekken.'

'Zijn je plannen niet wat onverwacht? Ik dacht dat je van plan was tot begin november in de stad te blijven.'

Thea haalde haar schouders op. 'Londen gaat me een beetje tegenstaan. Ik verheug me erop om weer eens op het platteland te verblijven.'

Lisbeth reageerde vaag, haar rusteloze blik stopte plotseling. 'O, hemel, wie is die duivels knappe man daar?' lispelde ze. 'Ik geloof niet dat ik hem al eens eerder heb gezien.'

Thea volgde haar blik, en haar hart sloeg een slag over toen ze Patrick Blackburne in het oog kreeg. Zijn moeder, Lady Caldecott, liep naast hem, en het was duidelijk dat ze op weg waren naar haar en Lisbeth.

Lady Caldecott, die na de begroeting van de twee vrouwen niet al te vrolijk keek, zei stijfjes: 'Mag ik jullie voorstellen aan mijn zoon, Patrick Blackburne. Hij is op bezoek uit Amerika.'

Ze werden aan elkaar voorgesteld, en Thea bewonderde zijn keuze van deze openbare gelegenheid voor hun zogenaamde eerste ontmoeting. Ze moest ook onwillekeurig zijn schitterende avondkleding bewonderen. Zijn jas was van dieprode zijde, zijn gezicht erg donker en levendig boven zijn gestrikte helderwitte das. Zijn broek was van roomkleurige zijde en accentueerde zijn lange welgevormde benen. Maar hij had dan ook geweldige dijen en kuiten, erkende Thea met tegenzin.

Lisbeth dacht er kennelijk hetzelfde over, want haar bewonderende blikken lieten hem niet meer los. Ze kleedde hem met haar groene ogen bijna uit, en tot haar verbazing voelde Thea een steek van jaloezie.

Ongemakkelijk door haar gedachten, toverde Thea een glimlach om haar mond en vroeg opgewekt: 'En hoe bevalt uw bezoek aan Engeland tot dusver, meneer Blackburne?'

Met een spottende glans in zijn grijze ogen antwoordde hij ernstig: 'Het heeft zijn, eh, interessante momenten – helemaal niet wat ik had verwacht.'

'En wat had u verwacht?' kweelde Lisbeth.

Patrick keek haar aan, zijn lippen krulden geamuseerd. 'Bepaald niet wat ik heb gevonden.' Zijn blik gleed terug naar Thea's gezicht. 'Zeker niet wat ik had verwacht,' voegde hij er zacht aan toe.

Lady Caldecott snoof bijna, maar vervolgens kreeg ze een kennis in het oog. 'Als jullie me willen excuseren, ik zie Lady Blanchard en wil even een babbeltje met haar maken.'

Patrick was zich nauwelijks bewust van het feit dat zijn moeder wegliep, zijn grijze ogen genoten van het plaatje dat Thea vormde. Gisteravond had hij haar aantrekkelijk gevonden, maar nu… Vanavond was ze oogverblindend in haar geelzijden japon, en hij was zich plotseling bewust van een beweging die iets meer betekende dan vluchtige interesse.

Lisbeth keek van de een naar de ander en grinnikte vanbinnen. Zo, zo. Wie had dat gedacht? Ze wist niet precies wat er aan de hand was, maar het was duidelijk, voor haar althans, dat er tussen Thea en de intrigerende meneer Blackburne iets gaande was. Elke gedachte die ze mogelijk voor de knappe Amerikaan had gehad, verdween prompt. Lisbeth geloofde niet in mannen afpikken. En het was duidelijk, voor zover ze wist voor het eerst, dat Thea de man met iets meer dan haar gewoonlijke minachting bekeek.

Ze was hier duidelijk te veel, en dus mompelde ze een beleefd afscheid en glipte weg. Thea noch Patrick scheen te merken dat ze was verdwenen.

Patrick keek Thea doordringend aan. 'U ziet er vanavond schitterend uit.' Hij aarzelde. 'Heeft u nog niets gehoord? Door uw aanwezigheid hier neem ik tenminste aan dat er nog niets is ontdekt.'

Hij begon haar naar de zijkant van de menigte te voeren, en even later stapten ze het terras op. Daar was het koeler, de zwarte lucht vol twinkelende sterren. Een paar stelletjes wandelden over de paden die met lantaarns waren verlicht. Het terras was praktisch verlaten, op een paar heren na die verderop een sigaartje stonden te roken.

'Dat heeft u goed gezien,' zei Thea zacht, zich intens bewust van Patricks warme huid onder haar hand, die op zijn arm lag terwijl hij naast haar liep. 'Het is mogelijk dat mijn zus het weet en ervoor heeft gekozen het mij niet te vertellen, maar ik kan bijna niet geloven dat ze me een dergelijke tragedie niet persoonlijk zou komen vertellen.'

'Aangezien ik de jonge vrouw niet ken, kan ik daar niets op zeggen.' Hij zuchtte. 'Tot zijn dood openbaar bekend is gemaakt, kunnen we weinig anders doen dan wachten.'

Thea hief haar gezicht naar hem op. 'Denkt u dat we, zodra zijn dood bekend wordt, iets nieuws zullen horen?'

Ze stonden nu stil in de schaduwen aan het verste eind van het terras. De rokende heren waren weer naar binnen gegaan, en er was niemand anders te zien.

Hoewel het geroezemoes van de gasten en de geluiden van het bal door de openslaande deuren tot hier te horen waren, drong het ineens tot Thea door hoe afgezonderd ze hier stonden, en plotseling werd ze nerveus. Het feit dat ze Patrick aantrekkelijk vond maakte het er niet beter op.

Hij moest iets van haar nervositeit hebben gevoeld. Met enig vermaak in zijn stem vroeg hij: 'Ik beloof u dat ik u niet zal bespringen. En als u bang bent voor uw reputatie kan ik u verzekeren dat het volkomen is toegestaan om hier even rustig te praten – althans een paar minuutjes.'

Thea voelde dat ze bloosde. 'Misschien zou dat het geval zijn wanneer het een andere vrouw betrof, maar u schijnt te zijn vergeten dat ik de "beruchte" Thea Garrett ben.' Ze keek hem vanonder haar wimpers aan. 'U heeft uw moeder gevraagd ons aan elkaar voor te stellen, nietwaar? En dat wilde ze niet, toch?'

Patrick grinnikte, zijn witte tanden lichtten op in de duisternis. 'Nee, ze was niet blij met mijn verzoek. Maar ach, ze heeft de hoop mij ooit te zien trouwen al zo'n beetje opgegeven, en het feit dat ik mijn belangstelling uitdrukte voor een jonge vrouw, won het ten slotte.'

Thea bloosde weer. 'En heeft u haar verteld dat u belangstelling voor mij had?' vroeg ze stijfjes.

'Niet precies. Ik zei alleen dat ik wilde weten wie het oogverblindende wezentje in die geelzijden japon was. De rest was eenvoudig.'

Te weten dat hij zijn moeder een of andere reden had gegeven om aan elkaar te worden voorgesteld, deed Thea genoegen. Vond hij haar oogverblindend? Vervolgens hield ze zich voor dat ze niet zo'n domme gans moest zijn, en voerde haar gedachten weg van dat dwaze pad.

Patrick liet haar schrikken door haar kin met vastberaden hand te heffen. Starend naar haar bezorgde gezicht, vroeg hij zacht: 'En dat bent u, weet u. Oogverblindend. In feite oogverblindender dan goed voor u is.'

Ze keek naar hem op, haar ademhaling plotseling verstikt. 'W-wat bedoelt u?' hakkelde ze, haar ogen groot van verbazing.

Hij boog zijn hoofd. Tegen haar trillende lippen fluisterde hij: 'Nou, alleen maar dat een man met vurig bloed u bijna niet kan weerstaan.'

Hij kuste haar. Zijn mond was warm en zacht op de hare, de zachtheid verbaasde haar, maakte dat ze in die zachtheid wilde versmelten. Die spottende mond plaagde haar zachtaardig, wekte emoties en gevoelens die ze zich nauwelijks herinnerde. Verloren in het wonderlijke moment, zich alleen bewust van zijn verleidelijke lippen, merkte ze niet dat zijn armen haar omsloten. Pas toen ze tegen zijn gespierde gestalte werd gedrukt, drongen verscheidene verontrustende dingen plotseling tot haar door. Om te beginnen dat hij haar al heel lang stond te kussen; ten tweede dat ze er veel te veel van genoot; en ten derde, dat meneer Blackburne, als ze moest afgaan op de grote bobbel die zo stijf tegen haar dijbeen drukte, onmiskenbaar en meer dan een beetje opgewonden was.

Wat haar het meest van alles verbaasde was het feit dat zij ook opgewonden was, zich bewust van haar lichaam op een manier die ze lange tijd niet had ervaren – als ze het al ooit had ervaren.

Aangespoord door de wetenschap waartoe dergelijk onbezonnen gedrag kon leiden, worstelde Thea zich van hem los. Vernederd door haar eigen zwakheid, boos op zichzelf, bitste ze: 'Ik waardeer uw poging mij te verleiden niet. Heeft Nigel u daartoe aangezet? Was het een weddenschap tussen u beiden?'

Aangezien zijn eigen ademhaling enigszins haperde, en zijn onderlichaam pijn deed op een manier die hij niet voor mogelijk had gehouden, moest Patrick moeite doen om weer bij zinnen te komen. Woedend op zichzelf omdat hij zijn beheersing had verloren, gestoken door haar woorden, snauwde Patrick: 'Noch Nigel, noch een stomme weddenschap had iets te maken met wat er zojuist tussen ons gebeurde – en ik voel me beledigd door uw beschuldiging dat ik me zo laag zou gedragen.'

Een cynisch lachje krulde rond haar lippen. 'Nou, u zou niet de eerste heer zijn die dacht me te kunnen verleiden – of een weddenschap over de uitkomst had lopen.'

Waarschijnlijk voor het eerst van zijn leven onschuldig aan een dergelijke laakbare actie, was Patrick des duivels. 'Ik heb sinds mijn jonge jaren geen weddenschappen over jongedames afgesloten. En ik heb door schade en schande geleerd het te betreuren dat ik het ooit heb gedaan.'

'O, werkelijk?'

Herinneringen aan bepaalde tamelijk schandelijke weddenschappen die hij in het verleden had afgesloten schoten hem plotseling te binnen, inclusief de recentste om aan Thea te worden voorgesteld. Hij trok een gezicht. Hij kon niet eens zweren dat hij met betrekking tot haar nooit een weddenschap was aangegaan.

Hij onderdrukte een vloek. 'Een weddenschap heeft niets te maken met wat er net tussen ons is gebeurd. Ik waarschuwde u dat u te oogverblindend mooi bent, mooier dan goed voor u is.'

'O, het was dus míjn schuld?' vroeg Thea ongelovig.

'Nee, natuurlijk niet! Ik bedoelde alleen dat u voor mij te aantrekkelijk bent om te weerstaan.' Hij keek haar schuldbewust aan. 'Het zal nooit meer gebeuren.'

'Dat mag ik hopen – met het oog op onze samenwerking,' zei Thea kalm. Zijn bekentenis dat hij haar aantrekkelijk vond was ronduit vleiend – althans, tot het tot haar doordrong dat hij met holle complimenten had gestrooid. Ze had voor haar hele leven genoeg in haar oor gefluisterd gekregen door meedogenloze mannen die haar alleen maar wilden verleiden. Maar toch, ondanks alle redenen waarom ze niet geloofde dat hij het oprecht had gemeend, wilde ze geloven dat hij de waarheid had gesproken – een verlangen dat ze tot dusver nog niet had ervaren. Wat hem, besefte ze ongemakkelijk, erg gevaarlijk voor haar gemoedsrust maakte.

Thea besloot het voor gezien te houden en op te stappen, maar op het moment dat ze door de openslaande deur naar binnen stapte hoorde ze een vrouw lachen. Ze kende die lach, en ze bleef staan alsof ze ter plekke in steen was veranderd.

Edwina? Maar dat kon niet! Zelfs Edwina was niet brutaal genoeg om op dezelfde dag dat ze had gehoord dat haar man dood was naar een bal te gaan.

Ze versnelde haar pas en haastte zich naar binnen, bleef vol ongeloof staan toen ze de lachende vrouw in het oog kreeg. Het wás Edwina, die er in haar dunne blauwzijden japon, passend bij haar ogen, absoluut onweerstaanbaar uitzag. Haar schitterende gouden haar was in kunstige krullen gekapt die haar lieflijke gezicht omlijstten. Lachend en zedig verborgen achter haar beschilderde zijden waaier zag ze er verrukkelijk uit.

Aan de uitdrukking op het gezicht van de jongeman die naast haar stond was duidelijk te zien dat hij haar in ieder geval verrukkelijk vond. Terwijl ze naar Edwina keek die haar waaier vakkundig in beweging hield, versmalden Thea's lippen. De kleine dwaas! Wat voor spelletje dacht ze te spelen? Wilde ze volkomen door de bon ton verbannen worden?

Thea liep een paar stappen naar voren, van plan Edwina hier zo snel mogelijk vandaan te halen, toen ze een stalen greep om haar arm voelde.

'Niet doen,' zei Patrick.

'Wat bedoelt u?' siste Thea. 'Het is Edwina. De vrouw van Hirst – weduwe. Ze zou hier vanavond niet moeten zijn.'

Hij trok een wenkbrauw op. 'Weet u zeker dat ze op de hoogte is van de dood van haar echtgenoot? Het is mogelijk dat zijn lichaam nog niet is gevonden – heeft u daaraan gedacht? En als zijn lichaam nog niet is ontdekt, hoe wilt u dan uw kennis over hem verklaren, hmm?'

Thea bevroor. Aan die mogelijkheid had ze niet gedacht, en het was veel aannemelijker dan dat Edwina het wist en desondanks op het bal was verschenen. Er kwam nog een afschuwelijke gedachte bij haar op.

Ze keek Patrick aan. 'Denkt u dat hij daar nog steeds ligt? Dat wij de enigen zijn die weten dat hij dood is?'

'Iemand anders weet het ook – de moordenaar, of bent u dat vergeten?'

Thea haalde diep adem. 'Hoe zou ik dat kunnen vergeten? U schijnt er veel genoegen in te scheppen mij aan dat onplezierige feit te herinneren.'

Patrick glimlachte veroverend naar haar. 'Nee, liefje, ik schep genoegen in u – niet in uw zwager.'

Verward wendde Thea haar blik af, haar ogen ontmoetten onverwacht Edwina's blik. Gedurende een zenuwslopend ogenblik dacht ze dat Edwina haar zou negeren, maar deze wierp haar krullen naar achteren en kwam op haar toe.

De hemelsblauwe ogen stonden vol wrok toen Edwina zei: 'Goedenavond, lieve zus. Geniet je van het bal?'

Thea mompelde een antwoord, alle dingen die ze tegen Edwina had willen zeggen tuimelden als onsamenhangende gedachten door elkaar. Gelukkig moesten er mensen aan elkaar worden voorgesteld, en tegen de tijd dat dat achter de rug was, had Thea zich weer in de hand. Althans, dat hoopte ze. Iedere keer dat ze naar Edwina keek, moest ze onwillekeurig aan Alfreds lichaam op de vloer in het huis aan Curzon Street denken. Het kostte haar moeite het afschuwelijke nieuws er niet uit te flappen.

De heer aan Edwina's zijde was Lord Pennington, een verlegen jongeman die achttien maanden geleden de titel van zijn vader had geërfd. Thea had hem de afgelopen maanden in de Londense scene gezien, en hoewel ze hem van gezicht kende, was ze nooit aan hem voorgesteld. Sinds zijn bezoek aan Londen, in het afgelopen voorjaar, werd hij beschouwd als een huwelijkskandidaat van de hoogste orde. Hij was rijk, aantrekkelijk, goedgemanierd, met goede connecties en een charmante verlegenheid die elk moederhart meteen vertederde; het was geen wonder dat zijn duidelijke fascinatie voor Edwina Hirst er de oorzaak van was dat aller ogen op hen waren gevestigd.

Zich ongemakkelijk bewust van die blikken en zich er ook van bewust hoe makkelijk Edwina's reputatie aan de hare kon worden gekoppeld, had Thea slechts één gedachte – ontsnappen, en als het mogelijk was haar zus meenemen. Maar toen ze een opmerking maakte over het feit dat het al laat was en dat ze erover dacht op te stappen en Edwina vroeg met haar mee te gaan, maakte ze bezwaar.

'O, nee,' riep Edwina liefjes. 'Het is te vroeg om nu al te vertrekken.' Ze keek met knipperende oogleden naar Lord Pennington, die bloosde. 'Ik heb Lord Pennington de volgende dans beloofd. Je wilt toch niet dat ik hem grof behandel?'

Pennington stamelde dat hij haar niet aan haar belofte zou houden als ze met haar zus wilde vertrekken, maar Edwina gaf hem een tikje met haar waaier, en mompelde: 'Dwaze jongen. Alsof ik mezelf de vreugde van met jou dansen zou ontzeggen om me door mijn saaie zus de les te laten lezen.' Ze keek Thea aan. 'Want dát is wat je wilt doen, nietwaar?'

Nu was het Thea's beurt om te stamelen, en ze werd door Patricks tussenkomst gered. Na deze woorden van de verrukkelijke mevrouw Hirst, begreep hij dat Thea degene was die bescherming nodig had en niet de kleine kat met de blauwe ogen. 'Ik geloof niet dat ik het genoegen al heb gehad uw echtgenoot te ontmoeten, mevrouw Hirst. Is hij vanavond hier?'

Thea's mond vloog bijna open, maar ze slaagde erin hem dicht te houden. Ze staarde naar Patricks onbewogen gezicht, en wist niet wat ze eruit op moest maken.

'Nee, Alfred is hier vanavond niet. Hij is niet eens in de stad.' Ze glimlachte naar Lord Pennington. 'Ik verwacht hem de eerste paar dagen ook niet terug. Hij heeft me gisterochtend gezegd dat hij een paar weken weg zou blijven.' Zedig vervolgde ze: 'Ik weet alleen niet hoe ik me zonder mannelijke begeleiding door Londen moet begeven. Ik vind het echt niet prettig om uit te gaan, vooral 's avonds niet, zonder een heer aan mijn zij. Een arme vrouw alleen kunnen zo veel afschuwelijke dingen overkomen.'

Lord Pennington struikelde bijna over zijn eigen woorden toen hij stamelde: 'H-het is m-me een eer u te b-begeleiden, mevrouw, t-tot uw echtgenoot weer t-terug is.'

'O, zou u dat willen doen?' Kijkend naar Thea voegde ze eraan toe: 'Zie je, ik heb een keurige heer om op me te letten. Je hoeft je over mij geen zorgen te maken.'

Thea voelde de neiging opkomen Edwina een onzusterlijke klap in haar gezicht te geven, maar in plaats daarvan ging ze in op het deel van het gesprek dat haar het meest interesseerde. 'Heeft Hirst gezegd waar hij naartoe ging?'

Edwina leek na te denken. 'Devonshire? Wiltshire? Of was het Leicestershire? Weet je dat ik het me niet kan herinneren?' Ze fronste haar wenkbrauwen. 'Laat me even denken. Aha, ik heb het. Voordat hij gisteren vertrok heeft hij zijn bestemming en de naam van de mensen bij wie hij verblijft voor me opgeschreven, voor het geval ik hem nodig mocht hebben. Zal ik het opzoeken en je laten weten waar hij naartoe is gegaan?'

Thea had graag ja willen zeggen, maar voorzichtigheid gebood haar te zwijgen. Het laatste dat ze wilde was dat Edwina zich zou afvragen waarom zij zo nieuwsgierig was naar de bestemming van haar echtgenoot – vooral omdat Hirst en zij niet op vriendschappelijke voet stonden.

'Nee, nee, dat is niet nodig,' zei Thea zwakjes. 'Ik vroeg het me alleen af.'

Aangezien er niets anders te bepraten viel, en Edwina haar duidelijk liever kwijt wilde, drentelden Thea en Patrick weg. De berekenende blik in Edwina's ogen waarmee ze naar Patrick had gekeken zat Thea dwars. Edwina was een getrouwde vrouw. Het was al erg genoeg dat Edwina zo schaamteloos met die arme Lord Pennington flirtte, maar ze was toch niet ook van plan Blackburne in haar netten te verstrikken?

'Nou, dat beantwoordt de vraag, is het niet?' zei Patrick, terwijl hij naast haar liep.

Thea zuchtte. 'Inderdaad. Het geeft me een akelig gevoel dat terwijl zijn vrouw hier lacht en zich amuseert, in het besef dat haar man elders in het land is, hij een paar straten verderop dood in een leeg huis ligt.'

'Het is vreemd dat zijn lichaam nog niet is ontdekt,' mompelde Patrick, terwijl hij Thea naar de rand van de menigte leidde in de hoop enige privacy te vinden. 'Ik herinner me dat de huismeester zei dat er iedere dag iemand ging kijken of er niets aan de hand was – ratten, gebroken ramen, dieven, noem maar op. En hoewel het mogelijk is dat er zo nu en dan een dag wordt overgeslagen...' Hij keek peinzend. 'Ik vraag me af of...'

Toen hij niets meer zei, keek Thea hem scherp aan. 'Wat vraagt u zich af?'

'Of hij daar nog steeds ligt.'

Thea's ogen werden groot. Zich nauwelijks bewust van het gebabbel en geduw van de mensen om hen heen, wendde ze zich tot hem, en zei dringend: 'Hij moet er zijn! Hij kan toch niet zijn opgestaan en weggelopen?'

'Nee, maar iemand kan zijn lichaam hebben weggehaald.'

'Lieve hemel, waarom?'

Patrick keek haar aan. 'Om zijn dood stil te houden.'

Thea opende haar mond, en deed hem met een klap weer dicht. Met een vastberaden uitdrukking op haar gezicht begaf ze zich in de menigte.

'Waar gaat u heen?' vroeg Patrick nadat hij haar had ingehaald.

'Ik ga mijn nicht zoeken, en nadat we afscheid van Lord en Lady Hilliard hebben genomen, gaan we naar huis.' Ze wierp hem een tartende blik toe. 'Daarna ga ik naar het huis aan Curzon Street om met eigen ogen te zien wat daar aan de hand is.'

☾

Hoofdstuk 6

Zonder op hun omgeving te letten, greep Patrick haar bovenarm stevig vast. 'Bent u gek geworden?' vroeg hij.

'Ah, Patrick, goede vriend, daar ben je,' klonk een welbekende stem.

Patrick gromde. 'Zoals je ziet ben ik hier,' mompelde hij, en ontmoette Nigels twinkelende ogen.

Nigel verwijderde zijn monocle en bekeek Thea uitvoerig. 'En met Miss Garrett.'

Patrick vloekte binnensmonds. Van alle mensen die hij op dit moment nu juist niet wilde zien, stond zijn goede vriend Nigel Embry boven aan de lijst. Niet alleen dat Nigel hem genadeloos zou plagen, maar hij was een onverbeterlijke roddelaar. Voor middernacht zou half Londen op de hoogte zijn van zijn omgang met Thea.

'Ja, met Miss Garrett. Moeder heeft ons eerder vanavond aan elkaar voorgesteld,' zei Patrick koeltjes.

'Aha.'

'En wat bedoelt u daarmee?' vroeg Thea.

Patrick grinnikte naar haar. 'Dat is geloof ik de vraag die ik moet stellen,' zei hij, met een arrogant opgeheven wenkbrauw naar zijn vriend.

Nigel keek onschuldig terug. 'Ach, niets, mijn vriend, helemaal niets.' Kijkend over Patricks schouder, zei hij opgewekt: 'Daar komt Paxton.' Hij keek Thea aan. 'Ik geloof dat u Blackburnes vriend, Adam Paxton, al heeft ontmoet. Ik zal u met genoegen aan hem voorstellen.'

Als Adam verbaasd was om Thea in gezelschap van Patrick te zien, liet hij dat niet blijken. Het licht van de kristallen kroonluchters glom op zijn bruine haar toen hij beleefd boog en de gepaste opmerkingen maakte. Rechtop was hij even groot als zijn vriend; zijn goudbruine ogen glansden toen hij zijn vriend aankeek, en Patrick wist dat er zodra ze alleen waren grappen zouden worden gemaakt.

De vier stonden even met elkaar te praten, tot Thea opgewekt zei: 'Als de heren mij willen excuseren, ik moet ervandoor.' Ze keek naar Patrick en Paxton. 'Het was prettig u beiden vanavond te ontmoeten. Misschien zie ik u nog weleens in de stad.' Op het moment dat Patrick naar voren stapte, kennelijk van plan haar te begeleiden, glimlachte ze nog opgewekter. 'O, nee. Ik wil u niet bij uw vrienden vandaan halen.' De glimlach kreeg een ondeugend trekje. 'Ik weet zeker dat u allen nog veel te bepraten zult hebben. Goedenavond.'

Nu de grond onder zijn voeten effectief was weggehaald, kon Patrick niets anders doen dan haar machteloos nakijken. Hij zag dat ze een goedgeklede, oudere vrouw benaderde, en even later begaven de twee vrouwen zich naar hun gastheer en gastvrouw.

'Ik denk dat dat haar nicht, Modesty Bradford, is,' zei Nigel behulpzaam, toen hij de richting van Patricks blik zag. 'De familie heeft Miss Bradford laten komen om bij Miss Garrett en haar jongere halfzus, Edwina Northrop, te gaan wonen nadat hun moeder was overleden. Toen Edwina met Afred Hirst trouwde, is Miss Bradford bij Miss Garrett gebleven.'

'Ik weet het,' zei Patrick toonloos, en keek zijn vriend

bepaald onvriendelijk aan. Er kwam een gedachte bij hem op. 'Jij kent bijna iedereen in deze gemeenschap,' zei hij traag. 'Ken jij, eh, Hirst?'

Paxton snoof verontwaardigd. 'Natuurlijk kent hij hem. We kennen hem allemaal. Hirst beweegt zich aan de zijlijn van onze groep. Doet enorm zijn best om erbij te horen, maar mist het vermogen om sportief te zijn – of het nou om gokken of hoeren gaat. Hij is een luiaard.'

'Nadat hij met dat Northrop-meisje was getrouwd,' voegde Nigel eraan toe, 'strooide hij met geld om zich heen, gokte zwaar, maar heeft er noch de kop noch het fortuin voor.' Nigel fronste zijn voorhoofd. 'Volgens mij hebben de bloedzuigers hem in hun greep. Tragisch.' Nigel keek om zich heen. 'Ik heb hem hier vanavond nog niet gezien.' Hij hief zijn monocle. 'Zijn vrouw wel. Het vrouwtje flirt met Pennington. Slechte smaak.'

'En Pennington is nog zo'n groentje, hij wordt vast betoverd door haar onschuldige blauwe ogen,' zei Paxton wrang. 'Als jullie me willen excuseren, dan ga ik die jonge dwaas maar eens redden voor hij zichzelf te gronde richt.'

Patrick staarde Paxtons elegante gestalte na toen deze zich in de menigte begaf. 'Waarom voelt hij zich geroepen om Pennington te redden?' vroeg hij verwonderd. Paxton stond niet bekend om zijn onbaatzuchtige karakter.

'Hij is een verre neef van hem. Een oudtante of grootmoeder heeft hem gevraagd een oogje op de jongen te houden.' Nigel grinnikte. 'Het is af en toe hoogst amusant om een van beruchtste losbollen in Londen een onschuldige jongeling langs te valkuilen te zien leiden.'

'Tja, als iemand de valkuilen kent, is het Adam,' antwoordde Patrick droog, terwijl zijn achterdochtige blik Thea door de balzaal volgde. Zij en Miss Bradford hadden net afscheid genomen van Lord en Lady Hilliard en waren nu op weg naar de hal. Als hij Nigel van zich af kon schudden, zou hij hen kunnen inhalen voor hun rijtuig werd voorgereden.

'Ik geloof dat ik de weddenschap heb gewonnen,' zei Nigel met een glinstering in zijn blauwe ogen. 'Je bent me vijfhonderd pond schuldig, mijn beste kerel.'

'Vijfhonderd! Ik herinner me niet dat we een bedrag hebben genoemd.'

Nigel kuchte. 'Het klopt, beste kerel, dat we dat niet hebben gedaan, maar vijfhonderd is een mooi rond bedrag, vind je ook niet?' Toen Patrick hem aanstaarde, glimlachte Nigel liefjes, en mompelde: 'Maar als dat te veel voor je is...'

'Barst!' zei Patrick lachend. 'Morgenochtend krijg jij je vijfhonderd pond. En als je me nu wilt excuseren?'

Thea was tevreden over zichzelf toen haar rijtuig Modesty en haar uiteindelijk voor hun huis afzette. Ze was pal onder de hooghartige neus van meneer Patrick Blackburne weggeglipt, en over enkele minuten zou ze zelf gaan ontdekken wat er in dat huis aan Curzon Street aan de hand was. Met het oog daarop vroeg ze de koetsier op haar te wachten.

Modesty trok haar wenkbrauw op toen ze het verzoek hoorde, maar ze zei niets tot ze in het huis waren. Toen ze naar de wachtende koetsier vroeg, glimlachte Thea alleen maar, en Modesty moest zich tevredenstellen met vragen over de donkere heer die gedurende het laatste deel van de avond zo dicht bij Thea's zijde was gebleven. Toen ze de trap beklommen en Thea's slaapkamer binnengingen, bracht Thea haar op de hoogte van wat er was gebeurd, inclusief Edwina's aanwezigheid op het bal.

Modesty had totaal geen belangstelling voor Edwina.

'Dus dat is Patrick Blackburne, hmm?' mompelde ze, en keek Thea schalks aan. 'Mijn glimp over de leuning gisteravond leerde me dat hij aantrekkelijk was, maar tot ik hem vanavond zag, besefte ik niet hoe knap hij in feite is.'

'Alsof dat iets te maken heeft met de moord op Alfred!' zei Thea boos, waarbij ze Maggie belde. Terwijl ze op Maggies komst wachtte, rukte ze haar satijnen slippertjes uit, en zei: 'Ik ben van plan vanavond naar dat huis te gaan om Alfreds lichaam met eigen ogen te zien.' Haar lippen versmalden zich. 'Of niet.'

'Allemachtig! Ben je gek? Als je wordt gezien en herkend, zou het rampzalig zijn.'

'Ik ben van plan me te vermommen. Niemand zal weten dat ik het ben,' zei Thea snel. 'Maak je alsjeblieft geen zorgen. Ik heb een plan.'

Modesty keek sceptisch, maar voor ze iets kon zeggen, verscheen Maggie.

Maggie Brown was in de afgelopen tien jaar, sinds ze Thea met Lord Randall had helpen weglopen, weinig veranderd. Haar bruine ogen waren iets behoedzamer, sluwer, de stevige gestalte groter, maar nog net zo stevig, en haar vrij kleurloze lokken zwaaiden niet langer los om haar schouders, maar waren in een keurige knot op haar achterhoofd bijeengestoken.

Maggie was nog maar net binnen toen Thea zei: 'Vertelde jij me niet dat er, toen de zolders op Garrett Manor dit voorjaar werden schoongemaakt, een oude hutkoffer met kleren van Tom werd gevonden?'

De sprankeling in de donkere ogen van haar meesteres, en de opwinding die ze leek uit te stralen, bevielen haar niet. 'Ja, dat klopt,' zei Maggie daarom met tegenzin. Sprekend met de familiariteit van een bediende die haar waarde kent, voegde ze eraan toe: 'Zoals u zich misschien herinnert, weigerde u uw oom de inhoud te laten weggooien en u stond erop dat de hutkoffer meteen naar u in Londen werd gestuurd.'

Thea glimlachte. 'Ben ik zo'n laspost voor je, Maggie?'

Maggies gezicht verzachtte. 'Nee, u kent het antwoord daarop.' Haar ogen knepen samen. 'Er zijn echter tijden dat u zich iets in uw hoofd haalt en ons allemaal op ons kop zet. Ik hoop dat dit niet zo'n moment is.' Toen Thea alleen maar lachte, riep Maggie gealarmeerd: 'Wat voor ondeugends bent u nu weer van plan?'

Thea trok een gezicht. 'Niets om je zorgen over te maken. Vertel eens, waar is die hutkoffer op dit moment?'

In het besef dat het, wanneer Thea in zo'n bui was, geen zin had te proberen haar op andere gedachten te brengen, haalde Maggie haar schouders op. 'Boven, op zolder – u weigerde ernaar te kijken toen hij werd afgeleverd. Zal ik hem door een van de knechten laten halen?'

Thea knikte.

Een paar minuten later stonden de vrouwen voor de met leer overtrokken hutkoffer. Thea's luchtige stemming was verdwenen, en Modesty ontweek het naar Thea's gezicht te kijken toen ze naar de hutkoffer staarde.

Thea leek bevroren en er gingen enkele minuten voorbij, voordat Modesty vriendelijk zei: 'Misschien ben je van gedachten veranderd?'

Alsof ze uit een nachtmerrie ontwaakte, schudde Thea haar hoofd. 'Nee,' zei ze. 'Ik heb geen keus. Ik moet zelf zien wat er in dat huis gebeurt.' Nadat ze een keer diep adem had gehaald, knielde ze voor de hutkoffer neer en gespte de riemen los waarmee hij was afgesloten.

Ze had gedacht dat ze was voorbereid op wat erin zat, maar bij het zien van een jasje en een hoed, waarvan ze zich herinnerde dat Tom ze een week voor zijn dood vol trots had gedragen, vertroebelden haar ogen. Ze beet op haar lip om een snik te onderdrukken.

Ze knipperde heftig met haar ogen om de dreigende tranen tegen te houden, en begon bijna dromerig in de hutkoffer naar spullen te zoeken die ze nodig had. Het was een pijnlijke bezigheid, ieder kledingstuk bracht herinneringen aan haar broer boven, maar terwijl de minuten verstreken, kwam er een vreemde kalmte over haar heen. Ze kon het niet verklaren, maar het was bijna alsof Tom naast haar stond, bijna alsof ze zijn stem kon horen, die haar vertelde dat het goed was, dat ze zich de dingen uit zijn leven moest herinneren, niet de manier waarop hij was gestorven. Er was, besefte ze, geen noodzaak om zich vast te houden aan deze tastbare herinneringen aan zijn leven – de herinnering aan hem, aan hun jeugd en de eenvoudige vreugden en kinderruzietjes die ze hadden gedeeld, waren nog net zo duidelijk en dierbaar alsof het nog pas gisteren was geweest.

Het was desondanks moeilijk om Toms bezittingen te doorzoeken; de aanblik van elk kledingstuk en de herinneringen die ze opriepen waren bitterzoet. Uiteindelijk vond ze wat ze nodig had. Ze pakte de kledingstukken, sloot het deksel en liet haar vingers er een ogenblik op rusten.

Starend naar de hutkoffer, vroeg ze ten slotte: 'Wat zal ik ermee doen?'

Maggie antwoordde zacht: 'De jongste zoon van mijn broer zou zulke fijne kledingstukken maar al te graag willen bezitten – ondanks hun ouderdom. Hij is handig met zijn naald en hoopt een lijfknecht of een kleermaker te worden. Hij zou er erg blij mee zijn.'

Thea knikte. 'Zorg ervoor dat ze hem worden bezorgd.'

Zodra Maggie en de hutkoffer, op de schouder van

een sterke bediende, de kamer uit waren, begon Thea haar baljapon te vervangen door de mannenkleren. Modesty hielp haar, hoewel haar lippen afkeuring uitdrukten.

'Dit is gekkenwerk, weet je,' zei Modesty, terwijl ze de gekreukte zwarte das rond Thea's nek vastknoopte.

De kleren roken enigszins muf met een vage geur van lavendel. Hoewel de kleren keurig opgevouwen en opgeborgen waren geweest, vertoonden ze verscheidene vlekken en kreukels, maar aangezien ze door niemand zou worden gezien, besteedde Thea er geen aandacht aan.

Toen ze zich ten slotte in de spiegel bekeek was ze niet ontevreden. De kleding was minstens tien jaar oud, maar het kon ermee door. Tom was slank gebouwd geweest, en de leren rijbroek paste fraai om Thea's vrouwelijke benen, vooral rond haar achterste. Zijn witlinnen hemd was te groot voor Thea's slanke bouw, maar het jasje dat Modesty op de rug snel wat had ingenomen verborg dat feit. De minder goede pasvorm van het jasje kon echter niet worden verhuld, maar aangezien het een jasje was dat Tom in zijn jonge jaren had gedragen, viel het nog mee. Schoenen hadden een probleem gevormd, maar dat had Thea opgelost door haar eigen rijlaarzen aan te trekken.

Nu leek Thea een slanke jongeman, acceptabel gekleed, hoewel niet naar de laatste mode. Haar krullen waren strak naar achteren getrokken en onder een breedgerande hoed weggestopt, die boven op de kleren in de hutkoffer had gelegen, en ze was tevreden met het resultaat.

Ze trok een wenkbrauw vragend op naar Modesty. 'En?'

Modesty snoof. 'Het gaat – ervan uitgaande dat niemand je van dichtbij zal bekijken.'

'Ik ben niet van plan iemand die kans te geven, ik ga namelijk zo snel mogelijk dat huis binnen.'

Er was nog een laatste voorwerp dat ze mee wilde nemen. Met Modesty achter zich aan ging ze naar de bibliotheek beneden. Ze liep naar het mahoniehouten bureau, opende de onderste la en haalde er een oud duelleerpistool uit – het was eerst van haar vader, later van haar broer geweest.

Modesty's ogen werden groot, en bij het zien van het wapen en de vakkundigheid waarmee Thea het laadde, snakte ze naar adem. 'Thea!' riep ze uit. 'Wat haal je je in je hoofd? Als je taak zo gevaarlijk is dat je gewapend moet zijn, weiger ik pertinent iets met dit roekeloze plan te maken te hebben!'

Thea grinnikte naar haar, waarbij haar donkere ogen twinkelden. 'Het is niet zo gevaarlijk – ik volg alleen een van Toms grondregels: spelen of betalen.' Haar gezicht verhardde. 'En iemand zal vanavond betalen als ze proberen een spelletje met me te spelen.'

Modesty keek afkeurend naar het pistool. 'Hoe goed kun je ermee omgaan?' vroeg ze.

'Tom heeft het me jaren geleden geleerd – we hielden wel wedstrijdjes als we ons verveelden,' zei Thea. 'Het is inmiddels een tijdje geleden, maar ik denk dat ik me, als ik het moet gebruiken, niet hoef te schamen.'

Ze stak het pistool veilig weg in de zak van haar jasje, rechtte haar schouders en stond op het punt het huis te verlaten.

Duidelijk ongelukkig met de situatie, maar niet in staat te voorkomen dat haar jongere nicht niet haar plan ten uitvoer bracht, deed Modesty nog een laatste poging om haar over te halen. Ze volgde haar als een hondje op de hielen naar de hal, en mompelde: 'Vertel me niet dat je op dit uur van de avond alleen naar Curzon Street gaat lopen!'

Thea lachte. 'Lieve Modesty, ik zou je gevoelens nooit kwetsen door zoiets belachelijks te doen. Ik heb de koetsier toch laten wachten?'

'Ik zou nog liever zien dat je ging wandelen in plaats van dat plan uit te voeren,' zei Modesty gespannen.

Thea kuste haar nicht op de wang. 'Hou op met zeuren, lieverd. Ik zal alweer thuis zijn voordat je goed en wel beseft dat ik weg ben.'

Pas toen het rijtuig een paar huizen voor haar bestemming stopte, vroeg Thea zich af of het wel verstandig was om te doen wat ze zich had voorgenomen. Als ze op dit uur van de avond betrapt zou worden, alleen en gekleed in mannenkleren, zou niemand van de familie haar reputatie nog kunnen redden. De roddels en speculaties zouden niet van de lucht zijn. Haar ooms, tantes en enkele neven hadden erg hun best gedaan om haar te rehabiliteren, en zij wilde beslist hun vertrouwen niet beschamen. Een nieuw schandaal veroorzaken was een ellendige manier om hun eerdere vriendelijkheid terug te betalen.

Toch moest ze weten wat er in dat huis was. Lag het lichaam van Hirst er nog steeds? Of was het weggehaald? En als het was weggehaald, wie had dat dan gedaan, en wanneer, en vooral waarom?

Ze was maar al te blij, en misschien te onnozel geweest om Patrick Blackburnes verklaring over wat er die avond was gebeurd, te aanvaarden. Maar ze wilde met eigen ogen zien hoe de dingen er nu uitzagen – en hoe langer ze wachtte des te meer twijfels er bij haar zouden opkomen.

Ze gaf zichzelf geen kans om nog verder te piekeren, en sprong uit het rijtuig. Ze beval de koetsier te wachten en liep snel de korte afstand naar haar bestemming.

Vanavond geen flakkerend verwelkomend lichtje. Met

haar hand al op de klink besefte ze ineens dat de deur heel goed afgesloten kon zijn. Mopperend op zichzelf dat ze daar niet over had nagedacht, greep ze de klink en duwde.

De deur zwaaide open. In het vage licht van de lantaarns in de straat leek de deuropening een zwart gapend gat. Niet wetend of ze daar blij mee was, of bang door het gemak waarmee ze de deur had geopend, bleef Thea aarzelend staan. Ze wilde die ongastvrije zwartheid liever niet binnengaan.

De keus werd echter voor haar gemaakt toen een krachtige hand vanuit het donker de voorkant van haar jasje pakte en haar naar binnen trok. Een hand werd voor haar mond geslagen, en ze werd stevig tegen een gespierd lichaam gedrukt.

De deur werd met een achteloos gebaar van de schouder van haar overvaller dichtgeduwd, en Thea bevond zich in het donkere, verlaten huis, vastgehouden door een vreemde. Haar hart bonsde in haar borst, angst flitste door haar heen en ze vreesde dat ze zich te schande zou maken door flauw te vallen.

Een zacht gegrinnik bij haar oor deed haar verstijven, en terwijl hij zijn hand voor haar mond vandaan haalde, mompelde Patrick: 'Ik wilde u niet bang maken, liefje, maar ik moest u naar binnen krijgen – hoe langer u daar was blijven treuzelen, des te meer kans er was dat u door iemand werd gezien.'

'Treuzelen!' siste Thea, en plantte haar hak stevig op zijn voet. Zijn kreet negerend, vervolgde ze: 'Ik treuzelde niet!' Ze trok haar jasje recht. 'Ik nam de situatie alleen maar in ogenschouw.'

'Vergeef het me,' zei Patrick, en het lachje in zijn stem maakte Thea razend. 'Ik heb de situatie volkomen verkeerd ingeschat.'

'Ik ben blij dat u de situatie zo amusant vindt,' zei ze kil, zich ervan bewust dat haar hart nog steeds tekeerging, maar nu niet meer van angst. Integendeel: ze was opgewonden door Patricks aanwezigheid en erg boos op zichzelf omdat dat zo was. Binnen in het huis was het aardedonker, en het donker plus het feit dat ze alleen waren, veroorzaakte een gevoel van intimiteit dat Thea plezierig verontrustend vond – wat haar des te meer dwarszat.

'Wat doet u hier?' vroeg ze stijfjes. 'Ik dacht dat u op het bal was.'

'Natuurlijk dacht u dat,' antwoordde hij, en legde een hand tegen haar onderrug waarna hij haar door het donker leidde. 'Nadat ik mezelf van Nigel had ontdaan, heb ik het bal verlaten en ben zo snel mogelijk hierheen gegaan.' De lach klonk nog steeds door in zijn stem. 'U dacht toch niet dat ik u alle pret alleen zou laten hebben?'

Ze negeerde hem en alle verwarrende emoties die zijn aanraking haar bezorgden. 'Kunnen we een kaars aansteken? Ik kan geen hand voor ogen zien.'

'Zeker, als u onze aanwezigheid bekend wilt maken... en aangezien ik betwijfel dat dat uw bedoeling is, zullen we op de tast naar de achterkant van het huis moeten gaan.'

Zijn woorden waren verstandig. Mopperend, met Patrick achter zich aan, zocht Thea op de tast de weg naar de kamer waar ze Hirst voor het eerst had ontmoet. De gedachte dat ze in het donker over zijn lichaam zou kunnen struikelen, maakte dat haar maag zich samenbalde, en ze was buitengewoon dankbaar toen ze veilig in de kamer waren en Patrick de deur achter hen had gesloten.

Een ogenblik later had hij een kaars aangestoken. Hij hield hem omhoog en keek naar haar. Een geamuseerde glimlach speelde op zijn knappe gezicht toen hij haar mannenkleding zag. Zijn grijze ogen dwaalden langzaam over haar lange, welgevormde benen, en Thea wist niet zeker of ze zich beledigd of vereerd voelde door de glans die ze in hun diepte zag.

'U bent inventief, dat moet ik u nageven,' zei Patrick ten slotte, terwijl hij de kaars op de tafel zette.

'Dank u,' antwoordde ze, haar stem druipend van sarcasme. Ze keek om zich heen, fronste haar wenkbrauwen. Een ding was meteen duidelijk, er was geen teken van Hirst te bekennen – levend of dood.

'Er is niemand; leeft hij nog of heeft u zijn lichaam weggehaald?' vroeg ze, kijkend naar Patrick.

Patrick fronste zijn voorhoofd terwijl hij het vertrek rondkeek. 'Ik had geen reden om zijn lichaam weg te halen, en ja, hij was dood. Erg dood.' Toen Thea sceptisch keek, zei hij: 'Hij lag met zijn gezicht omhoog, daar pal voor het bureau; de schaar stak in zijn keel.'

Thea zag er een beetje ziek uit. Wegkijkend van de plek die Patrick had aangewezen, zei ze: 'Toen ik hem verliet, lag hij daar – bij de drempel.'

Patrick knikte. 'Ik weet het. Daar vond ik hem toen ik hier net binnen was. Pas toen ik later weer beneden kwam lag zijn lichaam voor het bureau. Het is duidelijk dat uw zwager bij bewustzijn moet zijn gekomen – ongetwijfeld terwijl ik boven bewusteloos was geslagen. En terwijl ik bewusteloos was, moet hij een gevecht hebben gehad met degene die hem heeft gedood. Dat is de enige verklaring die ik ervoor heb.'

Thea bekeek hem in het zwakke kaarslicht. 'Een nogal makkelijke verklaring, nietwaar?'

Patrick glimlachte, en er was iets in die glimlach dat Thea deed beseffen hoe groot en krachtig hij was... en hoe erg alleen en afgezonderd ze hier waren. Hij liep langzaam op haar toe, en slechts met de grootste moeite was ze in staat in de kamer te blijven in plaats van er met de staart tussen haar benen vandoor te gaan. Hij bleef vlak voor haar staan, hief haar kin met een vinger op.

Zijn ogen keken haar recht aan. 'U moet zich niet tegen me verzetten, liefje. Ik sta aan uw kant.'

Verward en zich hevig bewust van haar versnelde hartslag bij zijn aanraking, wendde ze met een ruk haar hoofd af en vroeg boos: 'Hoe weet ik dat? Waarom zou ik u moeten vertrouwen?'

Hij grinnikte, een grijns die zijn ogen deed twinkelen en die in strijd was met zijn eerdere gezichtsuitdrukking. 'Stel uzelf deze vraag: als u me zo hevig wantrouwt, waarom bent u hier dan alleen met me? Waarom schreeuwde u niet en rende voor uw leven op het moment dat ik u losliet? Het gaat niet beide op, liefje. U vertrouwt me of niet.' Zijn grijns verdween, en hij draaide haar hoofd zodat ze hem moest aankijken. 'Welke van de twee is het?'

'Allemachtig! Ik moet u wel vertrouwen – ik heb geen andere keus,' zei Thea, haar ogen donker en opstandig.

Tevreden met dit niet zo respectvolle antwoord, liet Patrick haar los, en mompelde: 'Dat klopt. En nu die vraag is beantwoord, zullen we ons concentreren op hetgeen hier gisteravond is gebeurd – vooral met het lichaam van Hirst.'

Verscheidene minuten doorzochten ze vruchteloos de kamer, maar ze ontdekten niets wat hen een aanwijzing of een pad gaf dat ze konden volgen. Zelfs een nauwkeurig onderzoek van de plek waar Hirst gisteravond had gelegen onthulde geen enkel teken van de verschrikkelijke misdaad die was gepleegd. Thea was er blij om. Een bloedvlek op een kleed vinden stond niet boven aan haar lijstje van plezierige ontdekkingen.

Ze plofte ondamesachtig op een van de stoelen bij het bureau. 'Ik begrijp maar niet waarom het lichaam is weggehaald. Met welk doel?'

Patrick, met zijn armen over elkaar geslagen en leunend tegen de rand van het bureau, bekeek haar met een vage glimlach. 'Nou, om te beginnen voorkomt het dat de moord door de autoriteiten wordt ontdekt. Het kan ook zijn dat de moordenaar het lichaam heeft weggehaald om iets af te maken dat door de dood van Hirst niet mogelijk zou zijn.'

Thea haalde haar schouders op. 'Mogelijk. Edwina zei dat Hirst haar had verteld, zelfs een briefje voor haar had achtergelaten, dat hij een paar weken op het platteland zou verblijven. Ze maakt zich absoluut geen zorgen over zijn verblijfplaats.'

'Wat misschien nog niet zo slecht is. Tot we meer weten is het waarschijnlijk het beste dat zo min mogelijk mensen vragen stellen over de verblijfplaats van Hirst.'

Thea rilde even. 'Ik weet niet of ik het prettig vind dat wij de enige twee zijn, afgezien van de moordenaar, die weten dat hij dood is.'

Patrick knikte, zijn ogen op haar levendige gezicht gericht.

Thea sprong op en begon nerveus door het vertrek te ijsberen. 'Het is allemaal nogal beestachtig, nietwaar?' Ze keek achterom over haar schouder. 'Gaat u me vertellen waarom u hier gisteravond was?'

'Waarschijnlijk wel,' antwoordde hij met een scheef lachje. 'Maar op dit moment is het niet mijn geheim dat ik u kan vertellen, dus u zult nog wat geduld moeten hebben.'

Thea snoof verontwaardigd. 'Nou, dit is allemaal tijdverspilling geweest. We zijn niets te weten gekomen – alleen dat iemand zijn lichaam heeft meegenomen.' Ze fronste haar wenkbrauwen. 'Waar zouden ze het hebben gelaten?' Ze kreeg een idee. 'Zouden we het huis eens moeten doorzoeken? Misschien is zijn lichaam nog steeds hier, ergens in een van de andere kamers.'

'Weet u zeker dat u het lichaam wilt vinden?

Thea trok een gezicht. 'Nee, maar ik kan die onwetendheid niet verdragen – zowel jegens Edwina als mezelf. Het is onmenselijk haar vrolijk haar gang te zien gaan, terwijl ik weet dat haar hele wereld is veranderd.' Thea beet op haar lip. 'Ze mag dan jong en dwaas zijn, maar ze hield van hem. Ze zal verdriet hebben wanneer ze weet dat hij dood is.'

Patrick kwam bij het bureau vandaan en liep naar haar toe. Hij legde een hand troostend op haar schouder. 'Is het niet beter haar voorlopig in haar droomwereld te laten leven? Het verdriet zal gauw genoeg komen.'

Thea knikte, en keek naar hem op. 'Wat gaan we nu doen?'

Patrick zuchtte. 'Uw voorstel het huis te doorzoeken was niet zo slecht. Ik denk dat we dan tenminste zeker weten dat zijn lichaam niet meer in dit huis is.' Hij keek haar aan. 'Ik stel voor dat u hier blijft, terwijl ik een snelle inspectietocht maak.'

Thea schudde haar hoofd. 'Nee, dank u. Ik wil liever het lichaam vinden met u naast me, dan helemaal alleen in deze kamer blijven.' Ze huiverde. 'Hij werd hier vermoord; ik blijf hier liever niet alleen.'

Patrick haalde zijn schouders op.

Hij beschermde de kaarsvlam met zijn hand, draaide zich om en leidde haar de kamer uit. Thea volgde hem op de hielen, erkende wrang dat ze zich veilig voelde in zijn aanwezigheid – en dat ze hem, onverklaarbaar, vertrouwde. Zoals je Hawley vertrouwde? vroeg een spottend stemmetje in haar hoofd. Ze haalde geërgerd haar schouders op. Natuurlijk vertrouwde ze hem niet zo blindelings, zo van ganser harte, zo onschuldig als ze Hawley had vertrouwd! Ze zou wel dwaas zijn om dat te doen. Door die ervaring had ze genoeg over mannen geleerd, en hoewel niet alle mannen slecht waren – de mannen in haar eigen familie waren daar het bewijs van – moesten de meeste mannen met een zekere waakzaamheid worden bekeken. Hoewel ze Blackburne dus vertrouwde, was het een waakzaam soort vertrouwen.

Verloren in haar gedachten, had ze niet gemerkt dat Patrick was blijven staan. Ze botste tegen hem op en moest hem toen vastpakken om niet te vallen.

Hij draaide zich om. 'Maar liefje, als u me wilt omhelzen zou het prettiger zijn als we elkaar aankeken.'

'Ik wil u bepaald niet omhelzen!' mopperde Thea, blozend door het incident en de spottende glimlach die rond zijn mondhoeken speelde.

'Hmm, jammer,' mompelde hij, en draaide zich weer om.

Gedurende de volgende paar minuten werd er weinig tussen hen gezegd. De ramen boven waren stevig met luiken afgesloten, dus konden ze de hele verdieping afzoeken zonder bang te zijn dat het kaarslicht vanbuiten zou worden opgemerkt. De zoektocht leverde niets op. Behalve de kamer waar Patrick was aangevallen en een andere kamer, waren de overige kamers volkomen leeg. Ze brachten de meeste tijd door in de kamer met de meubels onder de stoflakens, om zich ervan te overtuigen dat er geen lichaam onder een van de lakens was verborgen. Patrick merkte op dat de kamer waar hij was aangevallen er nu niet anders uitzag; de deuren van de kleerkast hingen nog steeds open, het stoflaken lag in dezelfde positie op de vloer als hij zich herinnerde.

Beiden waren ervan overtuigd dat het geen zin had ook de tweede verdieping van het huis te doorzoeken, maar aangezien ze grondig te werk wilden gaan, deden ze het toch. De kamers daar waren allemaal tamelijk klein – en leeg.

Hoewel ze zich er niet op verheugde een lichaam te vinden, bekende Thea terwijl ze weer naar beneden gingen, dat ze enigszins teleurgesteld was over de resultaten van hun zoektocht.

Patrick grinnikte naar haar toen hij naast haar liep. 'Nou, we hebben de begane grond nog niet bekeken. Misschien vinden we zijn lichaam wel in de keuken – languit in de voorraadkamer.'

Thea keek hem aan. 'Neemt u deze hele affaire niet een beetje te luchtig op?'

Patricks gezicht werd hard. 'Helemaal niet,' zei hij met een stem waardoor Thea blij was dat hij aan haar kant stond.

Ervoor zorgend dat hun kaarslicht buiten niet kon worden gezien, begaven ze zich behoedzaam naar de keuken op de begane grond, waar ook geen teken van Hirsts lichaam werd gevonden.

Ze doorzochten ook de andere vertrekken. Hoewel de bovenverdiepingen voornamelijk lege kamers omvatten, was dat beneden niet het geval. Ieder vertrek leek volgestouwd met meubilair. Terwijl ze het ene stoflaken na het andere verwijderde, angstig dat ze ieder moment het lichaam van Hirst zou vinden, zijn in ontbinding zijnde lichaam, dacht ze met een steek in haar maag, was ze buitengewoon verheugd toen hun zelfopgelegde taak was volbracht.

Ze keerden terug naar de kamer waar de moord was gepleegd. Eenmaal weer gezeten voor het bureau zei Thea half teleurgesteld, half opgelucht: 'Nou, we weten in ieder geval waar het lichaam niet is.'

Kijkend naar zijn laarzen, en weer tegen het bureau geleund, mompelde Patrick: 'Inderdaad – maar het helpt ons niet zoveel.' Hij fronste zijn voorhoofd. 'Het lichaam verwijderen was gevaarlijk om te doen. Het zou mij het verstandigst hebben geleken om het hier te laten om toevallig te worden ontdekt.'

'Behalve, zoals u eerder zei, wanneer er een absolute noodzaak was om het hier weg te halen en te verbergen.' Een verschrikkelijke gedachte kwam bij haar op. 'Wat als we zijn lichaam nooit vinden?'

Patrick trok een gezicht. 'Dat is jammer genoeg beslist een mogelijkheid. Ik denk dat we toch één ding kunnen doen – u moet uw zus bezoeken en precies uitvinden waar Hirst zou verblijven. Misschien dat die bestemming ons een of andere aanwijzing kan geven.'

Nu was het Thea's beurt om een gezicht te trekken. 'Edwina zal zich afvragen waarom ik zo geïnteresseerd ben in de verblijfplaats van haar –' Ze stopte, hoefde Patrick niet te gebaren stil te zijn; ze had de voordeur net zo duidelijk als hij horen dichtgaan.

Ze stonden alle twee op, keken naar de deur. Patrick keek snel de kamer rond, waarna zijn blik op het driedelige, zijden kamerscherm in de hoek bleef rusten. Hij greep Thea's arm, blies de kaars uit, duwde die in haar hand, en fluisterde: 'Hou die vast, wilt u?'

De kamer was nu volslagen donker, en zonder op haar antwoord te wachten, voerde hij haar door de kamer en kroop met haar achter het kamerscherm. Er was maar weinig ruimte achter het scherm, en Thea's rug werd tegen Patricks stevige gestalte gedrukt toen zijn armen om haar heen gleden en hij haar dicht tegen zich aan trok.

'Geen geluid,' mompelde hij, terwijl ze naar de voetstappen luisterden, die zo te horen naar de kamer kwamen waar zij zich verborgen hielden.

Te oordelen naar de zware tred was het een mannelijk persoon die precies wist waar hij naartoe ging. Terwijl ze ademloos naar de naderende voetstappen luisterde, kwam er slechts één vraag bij Thea op: was dit de persoon die Hirst had vermoord?

☾

Hoofdstuk 7

Bij het opengaan van de deur drukte Thea zich nog dichter tegen Patrick aan. Hun intieme positie stoorde haar helemaal niet; ze was juist dankbaar voor zijn warmte tegen haar rug en zijn sterke armen die keurig onder haar borsten waren geslagen. Met de uitgeblazen kaars in haar hand geklemd en ingehouden adem wachtte ze tot de persoon die in de deuropening stond zijn volgende stap zou zetten.

Hij bleef daar voor haar gevoel een eeuwigheid staan, maar in werkelijkheid waren het slechts een paar seconden, toen hoorden ze hem de kamer binnenlopen en de deur achter zich sluiten. Ondanks Patricks nabijheid was Thea bang – het zou een moordenaar kunnen zijn die in de kamer was. Die gedachte was dodelijk voor Thea, en ze slaakte bijna een zucht van verlichting toen een zwak lichtje aan de andere kant van het scherm de duisternis verbrak. Hij moest een van de kaarsen hebben aangestoken die op de tafel bij de deur hadden gelegen. Vanaf haar positie achter het scherm zag ze een zwak flakkerend lichtje, maar er was geen denken aan dat een van hen hun aanwezigheid zou riskeren door om de hoek van het scherm te gluren om te zien wie het vertrek was binnengekomen.

Te oordelen naar de geluiden die hij maakte was het duidelijk dat hij bekend was met de kamer. Hij liep haastig naar het bureau... en het Chinese scherm dat Patrick en Thea verborg, maar op het laatste moment zwenkte hij af en klonk het of hij naar de rij boeken tegen de muur liep.

Zich intens bewust van Thea's slanke gestalte, vooral de stevige billen die tegen zijn onderlijf waren gedrukt, had Patrick grote moeite om zijn gedachten bij de huidige toestand te houden en niet af te dwalen in erotische gevoelens die haar nabijheid wekte. Evenals Thea was hij zich ervan bewust dat de man aan de andere kant van het scherm de man kon zijn die Hirst had vermoord, en, nog belangrijker voor hem, de chanteur van zijn moeder. Met de grootste moeite negeerde hij het warme lichaam tegen het zijne en overwoog of hij achter het scherm vandaan zou stappen en de man confronteren.

Verscheidene dingen voorkwamen dat hij dat deed, niet in de laatste plaats Thea's aanwezigheid. Hij zou nooit iets doen waarmee hij haar in groter gevaar bracht dan ze al was, en hij wist absoluut niet hoe de man op een plotselinge confrontatie zou reageren. Wat hemzelf betrof was hij bereid het risico te nemen, maar hij kon het niet riskeren dat Thea kwaad zou worden gedaan. Toch kon hij daar ook niet zomaar blijven staan en een kans mislopen om iets over de man te weten te komen die net was binnengekomen.

Zijn blik viel op de smalle spleet in het scherm waar twee helften samenkwamen. Zou hij het wagen erdoorheen te gluren?

Thea moest hetzelfde hebben gedacht, want het idee was amper bij hem opgekomen of ze boog zich voorover en bracht haar oog voor de spleet.

Ze kon maar heel weinig zien, de smalle spleet beperkte haar zicht, en behalve de lichtcirkel van de kaars-vlam was de kamer in duisternis gehuld. Ze wachtte met ingehouden adem, hopend dat de persoon met de kaars in zijn hand in het zicht zou komen.

Het was frustrerend slechts zo weinig te kunnen zien, maar uiteindelijk werd ze beloond met het zicht op een arm. Ze zag dat de eigenaar van de arm met verscheide-ne boeken rommelde, ze opzij gooide, sommige vielen op de vloer. Reikend in de ruimte tussen de boeken die hij had gemaakt, zocht zijn hand even in het rond, toen slaakte hij een zucht van verlichting op het moment dat hij een pakje uit de schuilplaats haalde. Thea kon niet precies zien wat hij in zijn hand had, maar het zou de re-den voor zijn komst naar het huis kunnen zijn. Hij draai-de zich om en ze ving een glimp op van een brede, man-nelijke rug toen hij in de richting van de deur liep.

Thea dacht na. De mysterieuze bezoeker zou heel goed Alfreds moordenaar kunnen zijn; hij was kennelijk teruggekomen om iets belangrijks te halen, en nu hij het had gevonden, wilde hij weggaan. Ze zag geen reden waarom ze hem niet zou confronteren, vooral niet omdat ze een geladen pistool in haar zak had.

Ze duwde de verbaasde Patrick de kaars in zijn hand, en rukte haar pistool te voorschijn. Vervolgens sprong ze achter het scherm vandaan. 'Blijf staan! Of ik schiet!'

Bij het geluid van haar stem verstijfde de man en blies bijna tegelijkertijd de kaars uit die hij vasthield. De ka-mer was meteen aardedonker. In het besef dat ze mis-schien iets te ondoordacht had gehandeld, en dat ze in het donker geen enkele kans had iets te raken, vloekte Thea binnensmonds. Maar haar ondamesachtige vloek was niets vergeleken bij de vloek die Patrick uitte toen hij haar opzij duwde en in het donker langs haar heen stapte. Thea's oren brandden bij het horen van zijn venij-nige woorden: 'Stomme gans.'

De volgende paar seconden waren chaotisch. De bezoeker rende met Patrick op zijn hielen de kamer uit, en Thea sloot de rij. Het trio, de een na de ander, sprong de hal in, hun voeten denderden over de vloer. Niemand deed nog moeite zich stil te houden.

De achtervolging leidde hen naar de achterkant van het huis, en het werd Patrick duidelijk dat zijn tegenstander van plan was de leveranciersingang bij de keuken te bereiken. Eenmaal daar aangekomen zou hij makkelijk in de steeg kunnen verdwijnen.

Zonder op de voorwerpen te letten die hij op zijn pad kon tegenkomen, verhoogde Patrick zijn snelheid, liep de andere man in het donker bijna omver. Zonder de moeite te nemen dat te voorkomen, sprong hij naar de man waarna ze beiden op de vloer vielen.

Er volgde een hevige worsteling, de indringer deed zijn uiterste best zich van Patrick te ontdoen, en Patrick was net zo vastbesloten hem vast te houden. Ze rolden en kronkelden over de vloer, hun kreunen hingen zwaar in de lucht wanneer een van beiden door een vuist werd geraakt.

Thea, die zich vlak achter Patrick had bevonden, viel midden in de vechtende kluwen. Snakkend naar adem kwam ze neer, het pistool vloog uit haar hand. Ze had er geen idee van wie de man was, maar ze was vastbesloten Patrick te helpen.

De worstelende kluwen vocht heftig in het donker, kreten van pijn onthulden de schade die door vuisten en goedgerichte trappen werden veroorzaakt. Nadat ze een knie tegen haar borst had gehad, een snee in haar lip en een elleboog in haar oog, slaagde Thea erin haar armen om de nek van de indringer te slaan en zo hard mogelijk te knijpen. Hij was veel sterker dan ze had verwacht en ondanks haar pogingen hem te verstikken, hield hij niet op met Patrick te blijven stompen. Woedend en angstig bracht Thea haar tanden in stelling en beet hem zo hard mogelijk in zijn oor. Hij brulde en kwam overeind, maar viel bijna meteen achterover. Ze hield hem als een buldog vast en beet nog harder; haar slanke armen verstrakten nog meer rond zijn nek, terwijl ze haar hele gewicht gebruikte om hem uit zijn evenwicht te brengen.

Het werkte, en ze vielen samen op een hoop, de indringer boven op haar, haar armen rond zijn nek geslagen, zijn gewicht drukte haar tegen de vloer. Ze hoorde Patrick overeind krabbelen, en nadat ze het oor van de man had losgelaten, riep ze verheugd: 'Ik heb hem! Ik heb hem!'

'Nee, verdomme!' gromde Patrick boven haar. 'Je hebt mij, kleine dwaas!'

Er gebeurden verscheidene dingen tegelijkertijd: de indringer nam de benen; Thea trok haar armen rond Patricks nek terug alsof ze net had ontdekt dat hij een cobra was, en haar mond vormde een teleurgestelde 'O' en Patrick bevrijdde zich uit haar greep.

Het geluid van een dichtslaande deur dreunde door het donker. Stilte daalde neer. De indringer was ontsnapt.

Patrick en Thea zaten in het donker op de vloer, terwijl de stilte voortduurde. Na een paar seconden, toen de stilte ongemakkelijk werd, schoof Thea behoedzaam een eindje bij Patrick vandaan en stond op. Een ogenblik later hoorde ze hem ook overeind komen. Hij zei geen woord en de stilte werd zenuwslopend.

'Eh, ik dacht dat ik je hielp,' mompelde ze ten slotte. 'Ik dacht dat hij jou was... ik dacht dat ik voorkwam dat hij je pijn deed.'

Patrick stak de kaars aan die hij voor het gevecht in zijn zak had gestoken, en liep langs haar heen. In het zwakke gele licht keken ze elkaar aan.

Beiden droegen de sporen van het gevecht. Hoewel het hele incident slechts enkele minuten had geduurd, was er heel wat schade aangericht. Thea vroeg zich somber af hoeveel schade ze elkaar hadden bezorgd.

Ze keek ongemakkelijk naar Patrick, en vond hem tamelijk groot en intimiderend zoals hij haar over de vlam heen aanstaarde. Zijn haar zat helemaal in de war, zijn prachtige jas zat scheef, zijn das half los, en hij had een bloederige striem over een oog en op een magere wang vormde zich een knots van een blauwe plek. Hij zag er verschrikkelijk uit en tegelijkertijd ook, dacht ze dwaas, nogal vertederend. Ze kreeg de neiging die zwarte lokken van zijn voorhoofd te vegen en die blauwe wang te kussen.

Thea zag er niet veel beter uit dan Patrick. Haar kleren waren net zo wanordelijk als de zijne. Een van de schouders van haar mantel was gescheurd en haar hemd hing aan een kant uit haar broek. Het grootste deel van haar haar was op zijn plaats gebleven, maar er hingen slordige strengen zwart haar langs haar gezicht. De snee in haar onderlip bloedde niet meer, maar de lip zelf was licht gezwollen, en als Patrick het goed beoordeelde, zou ze een gigantisch blauw oog krijgen.

'Ik probeerde echt te helpen,' zei ze verdedigend toen hij haar alleen maar bleef aanstaren; de uitdrukking op zijn gezicht was nogal ondoorgrondelijk. 'Ik dacht dat ik de indringer verstikte – niet jou. Ik dacht –'

'Nee,' zei Patrick minachtend, 'je dacht niet na. Je sprong zomaar als een dwaas achter dat scherm vandaan, richtte je pistool – waarbij je alle kansen verspeelde die we misschien hadden om erachter te komen wie hij was – zonder hem iets wijzer te maken.'

'Ik richtte mijn pistool niet,' mompelde ze, waarbij ze hem woedend aankeek.

'O, vergeef het me. Ik moet me hebben vergist.' Hij keek haar beleefd aan. 'En hoe zou u zelf uw acties omschrijven?' vervolgde hij, nu weer formeel.

Zich er te laat van bewust dat ze onnadenkend had gehandeld en... *on*verstandig, was Thea bereid de schuld van het fiasco op zich te nemen. Het was haar fout. Dat wist ze. Ze had de indringer niet zo snel en zo gretig moeten confronteren, en het mislukken van de avond lag volledig aan haar. Berouwvol en schuldig keek ze op naar zijn strenge gezicht. Hij zag er niet echt boos uit, hoewel hij duidelijk misnoegd was – en ze kon het hem niet kwalijk nemen. Onwillig erkende ze dat ze de dingen had verknald. Maar wel met de beste bedoelingen, dacht ze er verdedigend achteraan. Ze had hem willen helpen, en als ze de juiste man had aangevallen, hadden ze de indringer nu te pakken gehad. Patrick had echter gelijk; ze had hun kans bedorven om er discreet achter te komen wie de indringer was en waar hij naartoe ging. Ze staarde een ogenblik naar haar voeten, verloren in haar gevoel van schuld en spijt. Als ze nou maar eens leerde eerst te denken en dan te doen, peinsde ze. Ze waagde het nog een blik op zijn gezicht te werpen, en slaakte een zucht. Ze zou werkelijk liever hebben dat hij tegen haar tekeerging dan op die ijzige beleefde toon tegen haar te praten.

Kijkend naar haar expressieve gezicht kon Patrick bijna haar gedachten lezen. Hij wist heel goed dat ze spijt had van hetgeen er was gebeurd, maar hij was zich er ook van bewust dat hij de pure angst, die hij had gevoeld toen ze zomaar achter het scherm vandaan sprong, nooit meer wilde meemaken. De indringer had wel gewapend kunnen zijn en had haar in een onderdeel van een seconde wel neer kunnen schieten. Ze had ernstig gewond kunnen raken... of gedood. Iets kouds en pijnlijks deed zijn maag samenballen bij de gedachte aan deze donkerogige, bedrieglijke en ergerlijke brutale meid die levenloos op de grond lag. Hij had zich nog nooit in zijn leven zo hulpeloos en bang gevoeld als op dit moment, nu hij besefte hoe makkelijk hij haar had kunnen verliezen.

Hij bekeek haar langdurig, en onwillekeurig moest hij glimlachen. Ze zag er schandelijk uit. Haar hoed was weg, verloren gegaan in het gevecht, en gekleed als jongeman, haar blauwe oog en gezwollen lip, deed ze haar beruchte reputatie eer aan. Hij had zichzelf altijd als een man van goede afkomst beschouwd, en haar acties en verschijning zouden alleen afkeer in hem moeten wekken. Hij schudde zijn hoofd. Afkeer was wel de laatste emotie die bij hem opkwam wanneer hij naar haar keek. Nee, beslist geen afkeer maar wel waardering voor haar misplaatste moed. Bovendien was hij geamuseerd door de hele situatie. En er was ook een eigenaardige tederheid… ja, en verlangen, dat gestaag in zijn borst knaagde… en zijn lendenen.

Zich ervan bewust dat het bewijs van zijn verlangen aanstonds zichtbaar zou worden, draaide Patrick zich om. 'Komt u mee,' zei hij, zijn lagere emoties negerend. 'Ik zie geen reden meer om hier nog langer te blijven.'

Thea pakte haar pistool van de vloer en volgde zijn breedgeschouderde gestalte. 'Ik weet dat we waarschijnlijk niets meer zullen ontdekken,' zei ze onzeker, 'maar moeten we die boekenplank niet nog even onderzoeken voor we vertrekken? U zag het hem niet doen, maar hij heeft iets achter die boeken vandaan gehaald – misschien vinden we iets dat hij over het hoofd heeft gezien.'

Een nader onderzoek van de boekenplanken leverde niets anders op dan enkele muizenkeutels en een laag stof, en Thea was diep teleurgesteld. Lusteloos liet ze zich door Patrick uit het vertrek leiden.

'Je zou toch denken dat we íets hadden moeten vinden,' mompelde ze terwijl ze de buitendeur naderden.

'Ik geloof dat we voor vanavond genoeg hebben gevonden,' zei Patrick droog, waarna hij de deur opende en behoedzaam naar buiten keek.

Op dit uur van de avond was er weinig verkeer, en hij voerde Thea snel het huis uit en de stoep af. Een ogenblik later klommen ze in Thea's rijtuig.

'U had althans genoeg gezond verstand om vervoer mee te nemen,' zei hij grimmig, terwijl hij zich tegen de fluwelen kussens nestelde.

'Ik ben geen volslagen dwaas,' zei Thea hooghartig, nog steeds lijdend onder haar optreden van vanavond.

Patrick glimlachte in het donker. 'Eigenlijk was het heel dapper, hoewel misplaatst, om mij te hulp te schieten. Ik dank u voor uw goede bedoelingen,' mompelde hij.

'Betuttel me niet,' zei Thea boos. 'Ik heb me als een dwaas gedragen, en dat weet u.' Ze zuchtte. 'Het was niet mijn bedoeling de zaak te ruïneren, ik wilde alleen voorkomen dat hij ervandoor ging.'

'Denk er maar niet meer aan, er zullen nog andere kansen komen.'

'Denkt u dat?' vroeg ze, en omdat hij tegenover haar zat, leunde ze naar voren om de uitdrukking op zijn gezicht te zien.

Hij haalde zijn schouders op. 'Aangezien we onze pogingen niet zullen staken, is het logisch dat onze wegen vroeg of laat weer die van de mysterieuze indringer zullen kruisen.' Hij trok een grimas. 'En ik hoop met een betere afloop.'

'Ik vraag me af wat er in het pakje zat dat hij achter de

boeken vandaan haalde,' peinsde Thea hardop. 'Het was niet erg groot. Het was plat en ik geloof opgevouwen. Brieven, misschien?'

Patrick had het idee dat het pakje heel goed de brieven van zijn moeder zou kunnen bevatten, maar hij was niet van plan deze speculatie met Thea te delen. Het was al gevaarlijk genoeg voor haar om de moord en de verdwijning van haar zwager uit te zoeken. Daar hoefde niet ook nog chantage aan te worden toegevoegd. Vooral niet omdat de chantage niets met haar te maken had.

Hij fronste zijn voorhoofd. Of wel? Of liever gezegd, hoeveel of hoe weinig kon de moord op Hirst te maken hebben met degene die zijn moeder chanteerde? Hielden de twee gebeurtenissen verband met elkaar? De plaats van de dood van Hirst scheen zeker tot die conclusie te leiden. Maar was het de juiste? Of was het gewoon een van die ongelooflijke toevalligheden?

Patrick betwijfelde het. Hij hield niet van toevalligheden. Dus. Waren er in werkelijkheid twee chanteurs? Was Hirst een van de twee geweest? Was Hirsts ontmoeting met Thea een persoonlijke kwestie geweest? Een kwestie die Hirst lang voor de komst van Lady Caldecott had willen afhandelen? En was de moord op Hirst het resultaat van een ruzie tussen twee partners?

Hij had geen tijd meer voor verdere overdenkingen; ze hadden Thea's huis bereikt. Enkele ogenblikken later zat hij in een klein, aangenaam vertrek, uitgevoerd in blauwe, gouden en roomkleurige tinten, waar Thea's nicht, Modesty Bradford, bezorgd op de terugkeer van haar jeugdige familielid had zitten wachten.

Modesty was in het geheel niet verontrust door zijn onverwachte verschijning in haar huis, en nog wel op dit onbetamelijke uur, of hun schandelijke toestand. Patrick kreeg de indruk dat er maar weinig was waardoor Modesty Bradford uit haar doen zou raken. Ze waren aan elkaar voorgesteld; een kale butler had verfrissingen gebracht, en Patrick ontspande zich in een gemakkelijke stoel, een glas cognac in de hand. Thea was net klaar met haar verhaal over hun avonturen.

'Nou!' hijgde Modesty, verscheurd tussen afgunst en schrik, 'dit is bepaald een ontwikkeling die niemand van ons had verwacht.' Ze keek Patrick aan. 'Ik neem aan dat u ons niet wilt vertellen waarom u zelf in dat huis was?'

Patrick glimlachte vaag en schudde zijn hoofd. 'Dat kan ik niet doen – het is niet mijn geheim.'

Modesty keek hem peinzend aan. Ze vertrouwde hem instinctief, en ze wist veel meer over hem dan ze had laten merken. Wat belangrijker was, zoals ze had opgemerkt was hij de eerste heer, buiten de mannelijke familieleden, wiens gezelschap Thea zonder ongeduld en minachting leek te verdragen. Ze vond het hoogst interessant dat Thea zijn bemoeienissen bij zo'n intieme familiekwestie tolereerde. Patricks acties waren net zo interessant, en Modesty vroeg zich af of zij de enige was die het merkwaardig vond dat hij de moord op Hirst niet meteen had gemeld, maar zich in plaats daarvan aan Thea had opgedrongen; er was werkelijk geen ander woord voor. Ze vond het nog interessanter dat hij zich niet liet afschrikken door Thea's reputatie of haar niet zo fatsoenlijke gedrag. Vanavond, dacht ze, was daar beslist een goed voorbeeld van! Ze had altijd geweten dat er een bijzondere man voor nodig was om verder te kijken dan de schandelijke verhalen die over Thea de ronde deden, en de warme, edelmoedige vrouw te zien die achter het uiterlijk schuilging. Was Patrick Blackburne die man? Dat was heel goed mogelijk, en die conclusie deed haar plezier.

'Wat moeten we nu doen?' vroeg Modesty, terwijl ze

discreet de wisselwerking tussen Thea en Patrick gadesloeg.

'We kunnen maar weinig doen,' antwoordde Patrick,
starend naar zijn cognacglas. 'Thea's beschrijving van de
indringer geeft ons weinig om mee verder te gaan.'

'Ik kan er niets aan doen, van wat ik kon zien leek hij
een onopvallende man. Het is niet mijn schuld dat hij
geen reus met vlammend rood haar was.'

Patrick grinnikte, en Modesty glimlachte om Thea's
opmerking.

Thea wierp beiden een ontstemde blik toe en stond op.
Hun aanwezigheid negerend, begon ze op haar eigen
rusteloze manier door de kamer te ijsberen. Ze zag er
verbazingwekkend uit. Haar hoed was gedurende het
gevecht verloren gegaan, haar jasje was gescheurd en
haar hemd hing uit haar broek. Op het eerste gezicht
leek ze een jongeman, en toch ook weer niet.

Vanonder zijn oogleden sloeg Patrick haar gade, en
het drong tot hem door dat haar vermomming als jongen
niemand die beter had gekeken voor de gek had kunnen
houden. Gelukkig was het donker geweest en de straat
bijna verlaten. Zijn gedachten dwaalden af terwijl hij het
lichte zwaaien van haar heupen observeerde. Het witte
hemd was te groot voor haar, maar desondanks zag hij
de rondingen van haar borsten terwijl ze zich door de
beslotenheid van de kleine kamer bewoog. Plotseling
voelde hij dat zijn broek strak zat, en hij vervloekte zijn
onhandelbare lichaam, waarna hij zijn gedachten opzettelijk in een andere richting stuurde.

'Weet u zeker dat er niets aan de man was wat ons zou
kunnen helpen hem te identificeren?' vroeg Patrick.

Thea haalde haar schouders op. 'Ik heb het u al verteld; ik zag alleen zijn arm toen hij tussen de boeken
reikte, en zijn rug op het moment dat ik achter het

scherm vandaan kwam. Wat ik van zijn kleding zag – die leek van goede kwaliteit te zijn – niet iets dat een fat zou dragen, maar het zag er ook niet uit als de kleding van een gewone burger. Zijn jas was donkerbruin en paste hem perfect.' Ze fronste haar wenkbrauwen. 'Nu ik er-aan denk, hij droeg een geitenleren broek en laarzen. Ik had beslist het gevoel dat hij uit de betere kringen kwam. Zijn haar was netjes geknipt en donker, niet zwart, bruin waarschijnlijk.' Ze plofte met een zucht naast Modesty op de sofa. 'En wat zijn lengte betrof, zo-als gezegd was hij niet lang, maar hij was ook niet klein. Van achteren gezien leek hij ook niet erg mager of erg dik. We zouden hem ongetwijfeld op straat kunnen pas-seren en hem onopvallend vinden.'

'Denk je dat hij degene is die Hirst heeft vermoord?' vroeg Modesty, kijkend van de een naar de ander.

Patrick haalde zijn schouders op.

Thea trok een grimas.

Er viel een stilte.

'Nou,' zei Modesty ten slotte, 'aangezien we van-avond verder niets meer kunnen doen, wens ik jullie bei-den een goede nacht.' Ze stond op en stak haar hand uit naar Patrick.

Patrick stond ook op. Hij boog zich elegant over Mo-desty's slanke hand en nam afscheid. Hij liet haar hand weer los en ging rechtop staan. 'Ik moet er ook eens van-door. Het is al laat, en ik weet zeker dat u zich beiden wilt terugtrekken om naar bed te gaan.'

'Doe niet zo belachelijk,' zei Modesty voortvarend. 'Gezien de gebeurtenissen van vanavond, alles wat jullie samen hebben meegemaakt, heb ik het gevoel dat u ie-mand van de familie bent. Met andere woorden, er is geen reden voor u om overhaast op te stappen.' Ze had een twinkeling in haar blauwe ogen. 'Ik weet zeker dat u en Thea nog meer te bespreken hebben – vooral over uw plannen met deze schurk. Normaal gesproken zou ik me niet op mijn gemak voelen om Thea alleen in het gezelschap van een man met uw reputatie achter te laten –' Bij het zien van de uitdrukking op zijn gezicht, begon Modesty te lachen. 'Mijn beste meneer, ik mag dan een oude vrijster zijn, maar ik ben me niet onbewust van hetgeen er in de society omgaat – vooral niet wat sommige, eh, losbandige leden uitspoken.' Toen hij nog ongemakkelijker keek, voegde ze eraan toe: 'Ja, ik ben bang dat uw reputatie mij heel goed bekend is.' De twinkeling werd levendiger. 'Ik veronderstel dat ik moet bekennen dat, hoewel ik u nooit persoonlijk heb ontmoet, ik uw moeder al jaren ken. Ze heeft het vaak over u gehad – zelfs over uw oneervolle, eh, escapades.'

Niet wetend of hij moest lachen of vloeken, koos Patrick voor het eerste. Met een aantrekkelijk glimlach zei hij: 'En dat bevestigt wat ik altijd heb vermoed. Moeder heeft werkelijk het effectiefste spionnennetwerk om zich heen!'

'En wat u betreft ogen in haar achterhoofd, jongeman,' zei Modesty giechelend.

Volkomen eensgezind begeleidde Patrick haar naar de deur. Hij deed hem achter haar dicht en draaide zich om naar Thea. Ze zat nog steeds op de sofa, haar benen nu onder zich opgetrokken, en die ongelooflijk donkere ogen op hem gericht.

Onzeker over zijn emoties betreffende Thea Garrett keek hij haar peinzend aan.

'Wat is er?' vroeg Thea scherp. 'Waarom kijkt u op die manier naar me? Ik heb u gezegd dat ik u niet opzettelijk heb aangevallen.'

'Ik weet zeker dat u dat niet heeft gedaan,' antwoordde Patrick terwijl hij terugliep naar zijn stoel. Hij ging zitten, strekte zijn lange benen voor zich uit en schudde zijn hoofd. 'We zijn vrees ik op een dood punt aangeland. Ik betwijfel dat onze man naar het huis aan Curzon Street zal terugkeren. Het lichaam van Hirst is verdwenen – God weet waarheen – en onze bezoeker heeft klaarblijkelijk gevonden waar hij voor kwam. Ik zie geen reden voor hem om terug te keren.'

'Ik vraag me af wat hij heeft meegenomen,' mompelde Thea. 'Als hij dezelfde persoon is die Hirst heeft vermoord en zijn lichaam heeft verborgen, en het is logisch dat hij het is, waarom heeft hij het toen niet meteen meegenomen? Waarom heeft hij een risico genomen door terug te komen?'

Het was een goede vraag die Patrick niet kon beantwoorden. Hij had een paar ideetjes, maar die wilde hij niet met Thea delen. In feite wilde hij veel liever dat zij er helemaal niet bij betrokken was – wat natuurlijk, erkende hij zuur, precies het tegenovergestelde was van wat hij amper vierentwintig uur geleden had gedacht. Hij had gehoopt dat ze hem door middel van de overleden Hirst naar degene zou leiden die zijn moeder chanteerde. Nu leek die hoop op z'n best vaag, en niet-bestaand op z'n slechtst.

Vanavond hadden ze ontdekt dat het lichaam van Hirst was weggehaald, en wie wist waar of wanneer het te voorschijn zou komen? Het was ook waar dat ze de mysterieuze indringer bijna hadden gepakt die een net zo'n mysterieus pakje had weggehaald. Voor Patrick was het pakje echter helemaal niet zo mysterieus – hij was ervan overtuigd dat het de brieven van zijn moeder bevatte. Het ergerde hem dat die verdraaide brieven daar al die tijd waren geweest, en dat hij ze als hij de avond ervoor beter had gezocht wellicht had kunnen vinden en ze diezelfde avond aan zijn moeder had kunnen overhandigen. Maar dan had hij natuurlijk geen reden gehad om zijn relatie met Thea voort te zetten...

Zijn blik richtte zich op haar levendige gezicht, en hij voelde zich gedwongen toe te geven dat er in de afgelopen vierentwintig uur veel was veranderd. En die verandering had voor het grootste deel te maken met dat ergerlijke maar tevens betoverende wezen dat tegenover hem zat.

Hij lapte haar reputatie nu aan zijn laars. Naar zijn mening had Hawley Randall altijd een beetje te dicht aan de wind gezeild. En hoewel Patrick zichzelf net zo wild en roekeloos vond als elk ander lid van de losbandige groep waartoe ze beiden hadden behoord, had het verleiden van onschuldige meisjes, ook niet met een huwelijk aan het eind, hem nooit aangetrokken. Nu hij Thea had ontmoet trok het hem zelfs nog minder aan, en hij wilde, met ongebruikelijke bloeddorstigheid, dat hij degene was geweest die een einde aan Hawley's leven had gemaakt. Hij glimlachte grimmig. En dat, bekende hij, was waarschijnlijk het verwarrendste van alles – hij had een vrouw nooit de moeite waard gevonden om je leven voor te riskeren, en nu zat hij hier, bereid haar te zwaard te verdedigen, tot de dood erop zou volgen!

'Waarom glimlacht u?' vroeg Thea abrupt.

Patrick schudde zijn hoofd. 'U zou het niet begrijpen – ik weet niet eens zeker of ik het zelf begrijp.' Hij stond op. 'Het is laat. Ik denk dat we de gebeurtenissen van vanavond duidelijker zien als we een nacht goed hebben geslapen.' Hij pakte haar hand, dwong haar op te staan. 'Mag ik u morgen bezoeken?'

Enigszins ademloos door zijn nabijheid staarde Thea op naar zijn gezicht. 'Als ik nee zou zeggen, zou u dan wegblijven?' vroeg ze nieuwsgierig.

Hij glimlachte, zijn grijze ogen lachten haar toe. 'Wat denkt u zelf?'

'Ik denk dat u precies zou doen wat u wilt,' zei ze bits.

'Ah, dat zeldzame geval – een intelligente vrouw.'

'En u bent dat al te gewone – een onbeschaamde, aanmatigende bruut,' zei Thea preuts, met een beginnende glimlach rond haar mond.

Later vertelde hij zichzelf dat het het late uur was geweest, de spanning die ze hadden ondergaan én dat schalkse glimlachje waardoor hij zijn hoofd had verloren. De stroom van seksueel bewustzijn had de hele avond tussen hen gevloeid, de kus op het bal had de kracht ervan alleen maar verhevigd. Er was veel aan zijn betrokkenheid met Thea Garrett dat hem verward en onzeker maakte, maar hij wist één ding – hij wilde haar hebben. Instinctief verstevigde hij zijn greep rond haar hand en trok haar in zijn armen. Zijn lippen vonden de hare en hij kuste haar.

Haar mond was zacht en overrompeld, haar lichaam warm en soepel toen hij haar tegen zich aan drukte. Ze voelde verrukkelijk aan, slank en vrouwelijk. De jongenskleren waren vreemd opwindend, vooral toen zijn ene hand zakte en hij haar stevige kontje streelde, slechts bedekt door dun, strak leer.

Verlangen, scherp en dwingend, sloeg door Thea heen. Weerloos tegen de krachten die door haar heen joegen, bood ze geen verzet toen zijn kus zich verstevigde en verdiepte. Bevend van schrik en opwinding, was ontsnappen het laatste dat er bij haar opkwam terwijl ze schaamteloos van zijn smaak, de brute eis van zijn mond en handen genoot. Meegevoerd door een storm van emoties kon ze geen weerstand bieden, en zelfs toen hij haar zijn bereidheid openlijk liet merken, bleef ze gewillig en uit vrije wil in zijn omhelzing.

Meegevoerd door zijn gevoelens voor de vrouw in zijn armen tilde hij haar op en droeg haar, met zijn mond op de hare, naar de sofa waar hij haar slanke lichaam langzaam op neerlegde en naast haar knielde. Hij hief zijn hoofd en ze staarden elkaar aan.

Thea's mond was rood en gezwollen, haar donkere ogen waren opengesperd en afwachtend toen ze naar zijn door hartstocht vertrokken gezicht keek. Dit, besefte ze wazig, was hoe ze zich met Hawley had moeten voelen, vol verlangen en hunkerend naar wat er zou gebeuren – niet verschrikt en angstig. Voor het eerst van haar leven verlangde ze oprecht naar een man. Wat ze in Patricks armen ervoer was geen dwaze, onschuldige droom van een schoolmeisje dat amper begrip had van romantiek, en eindelijk wist ze hoe krachtig het verlangen naar vrijen kon zijn. Hulpeloos trokken haar vingers de contouren van zijn lippen na, en een scherpe steek van genot voer door haar heen toen hij zachtjes in haar vingers beet en eraan zoog.

Haar aanraking was aarzelend geweest, maar het had een krachtige uitwerking op Patrick, en zijn mond nam weer hongerig bezit van de hare en zijn vingers maakten korte metten met de sluiting van haar hemd. Hij schoof het open kledingstuk opzij en omvatte een van haar kleine borsten, en wat er nog over was van zijn verstand, verdween. Hij moest haar hebben of hij zou helemaal gek worden!

Thea snakte naar adem toen ze zijn hand rond haar borst voelde, en hief zich vol genot naar hem op. Zoiets opwindends en verrukkelijks als Patricks liefkozingen had ze nog nooit ervaren, en ze verlangde onbeschaamd naar meer.

Het was het alledaagse geluid van vallend vaatwerk in de gang dat hen beiden abrupt in de werkelijkheid terugbracht. De butler stond voor de deur en kon elk moment aankloppen. De hartstocht doofde alsof ze een duik in ijskoud water hadden genomen, en ze weken ontzet uiteen.

Patrick vloekte binnensmonds en trok Thea overeind. Haastig knoopte ze haar hemd dicht en stak de panden in haar broek. Goddank, dacht hij met een vurigheid die hij in geen jaren had gevoeld, dat de dingen niet verder waren gegaan. Als een beschaafde man van de wereld stuitte het hem tegen de borst om op 'heterdaad' te worden betrapt.

Hij kon nog net zijn das rechttrekken voor er zacht op de deur werd geklopt.

Volkomen verward, verbaasde het Thea dat haar stem zo normaal klonk toen ze de deur opende.

'Miss Bradford dacht dat u misschien nog wat verfrissingen wilde hebben,' zei Tillman, die met een zilveren dienblad vol porseleinen kopjes voor haar stond. De afkeurende uitdrukking op zijn gezicht maakte duidelijk dat hij had verwacht wat er in het vertrek aan de hand was geweest.

'Dat is niet meer nodig,' zei Thea. 'Meneer Blackburne stond op het punt te vertrekken.' Ze keek naar Patrick, haar donkere ogen smeekten en eisten dat hij het moest beamen.

'Dat klopt,' mompelde hij, en liep naar de deur waar Thea stijfjes stond. Hij nam haar trillende hand in de zijne en drukte er een kus op. 'Ik zal morgen langskomen.'

Thea knikte slechts, want ze vertrouwde haar stem niet.

Een ogenblik later stond Patrick buiten in de kille avondlucht en vroeg zich af of hij inderdaad gek was geworden. Hoe moest hij anders verklaren wat er was gebeurd – zijn mond vertrok bij het idee wat er vanavond bijna was gebeurd.

Hij schudde zijn hoofd om zijn eigen dwaasheid en

stapte de straat op. Hij begreep niet precies wat er aan de hand was, maar vanavond had hem één ding bewezen: hij was gevaarlijk en halsoverkop verliefd op de beruchte Thea Garrett.

Hoofdstuk 8

Terwijl Thea en Patrick in het huis aan Curzon Street overeind krabbelden, was de indringer in blinde paniek, met het pakje in zijn hand geklemd, via de achteruitgang in een steeg beland. Het duurde enkele ogenblikken voor hij besefte dat zijn aanvallers hem niet waren gevolgd.

Snakkend naar adem leunde hij tegen een van de gebouwen en nam een paar minuten om bij te komen. Zo lang als hij leefde wilde hij nooit meer de steek van angst voelen die door hem heen was gegaan op het moment dat hij de stem had gehoord die hem een halt toeriep. Dat één persoon hem had staan opwachten was al erg genoeg geweest, maar dat er twee mensen in het huis waren geweest die hadden geprobeerd hem te pakken was angstaanjagend. Wie waren ze geweest? En hoe hadden ze geweten dat hij daar vanavond zou zijn? Die tweede vraag zou voorlopig wel onbeantwoord blijven, maar wie ze waren geweest zou hij zelf kunnen zien – als hij snel was.

Hij liep op een holletje de hoofdstraat in en posteerde zich bijna recht tegenover het huis waar hij was aangevallen. Hij verstopte zich in een smal pad tussen twee fraaie gebouwen, en wachtte met zijn ogen op de ingang van het huis gericht, het pakje nog steeds in zijn hand.

Het licht van een paar straatlantaarns was niet meer dan een vage gele gloed in de donkere avond. Hij besefte meteen dat het onmogelijk was zijn aanvallers vanaf deze afstand, met dit zwakke schijnsel, te herkennen, dus besloot hij hen te volgen wanneer ze het huis verlieten – ervan uitgaande dat ze dat nog niet hadden gedaan.

Hij was geen dappere man, en hij was de eerste om dat toe te geven. Toen de deur van het huis aan de overkant van de straat openging, trok hij zich dan ook dieper terug in de schaduwen die door de gebouwen werden verschaft. Pas op dat moment ontdekte hij dat hij niet de enige persoon was die zich daar verborgen hield.

Terwijl hij zich in de schaduwen terugtrok botste hij hard tegen de stevige gestalte van een ander persoon. Op van de zenuwen uitte hij een gesmoorde kreet en sprong weg, maar struikelde blindelings over de strategisch uitgestoken laars van die ander. Hij verloor zijn evenwicht, viel, en zijn armen maaiden wild door de lucht. Zijn val was niet te voorkomen; zijn hoofd sloeg tegen de stenen muur van het gebouw en vervolgens op de keien van het smalle pad. Hij was bewusteloos. Het pakje was uit zijn hand gevlogen en naast zijn bewusteloze gestalte neergekomen.

'O jee,' mompelde de andere man. 'Ik hoop dat je bewusteloos bent en niet dood.' Een vluchtige controle van de man op de grond verzekerde hem ervan dat hij geen moord op zijn geweten had. Hij stapte over het lichaam heen, en zag twee figuren aan de overkant van de stoep af komen en naar een rijtuig lopen dat een paar deuren verderop stond te wachten.

Toen het rijtuig langs hem heen was gereden, stapte

hij weer terug op het pad en stak een stompje kaars aan dat hij bij zich had. Hij kreeg het pakje in het oog, raapte het op, bekeek het een ogenblik en stopte het veilig in de zak van zijn jas. Met enige moeite draaide hij het gezicht van de bewusteloze man naar zijn kaars en herkende hem onmiddellijk.

'Ah,' zei hij. 'Het is altijd een genoegen wanneer iemands verdenkingen worden bevestigd.' Hij aarzelde een moment, want hij vond het niet prettig de kerel in een dergelijke kwetsbare positie achter te laten. Maar er was niets aan te doen – hij wilde niet hier zijn wanneer de heer weer bij zijn positieven kwam. Dat zou bijzonder vervelend zijn.

Hij stond zuchtend op. 'Het spijt me, vriend, maar ik moet er echt vandoor. Ik vertrouw erop dat je met niet meer dan wat hoofdpijn wakker wordt.' Hij blies zijn kaarsje uit, en na links en rechts in de straat te hebben gekeken, stapte hij kordaat uit zijn schuilplaats.

Pas korte tijd later, terwijl hij zich met een glas cognac voor de open haard in zijn werkkamer ontspande, kwam hij ertoe het pakje nader te bekijken. Nadat hij het had geopend ontdekte hij dat het enkele brieven bevatte, geschreven met een vrouwelijk handschrift. Terwijl hij de hartstochtelijke bekentenissen van de eerste brief las, fronste hij zijn voorhoofd. Dit was zeer interessant.

Zijn blik viel op de handtekening, en hij glimlachte. 'Wel, wel, wel,' mompelde hij. 'Wat een plezier zal ik hieraan beleven.'

Hij stond op, liep naar een portret met een vergulde lijst van een reeds lang overleden voorvader, schoof het opzij en onthulde een kluis erachter. Hij nam een sleuteltje uit zijn vestzakje, opende hem en legde de brieven erin. Hij sloot de kluis af, schoof het schilderij ervoor en keerde terug naar zijn stoel voor het vuur.

Kijkend naar de vlammen vroeg hij zich af hoe hij de brieven het beste kon gebruiken.

De volgende ochtend stormde het boven Londen, en Thea ontwaakte op een dag die er net zo bedreigend en onaangenaam uitzag als zij zich voelde. Nadat ze een bad had genomen en zich had aangekleed, was ze haar onrustige stemming nog niet kwijt, maar het blauwe oog dat Patrick haar had voorspeld, was niet doorgezet. Het oog was echter wel licht gezwollen – wat heel goed het gevolg van een rusteloze nacht zou kunnen zijn, dacht ze. Thea deelde het ontbijt met Modesty. Terwijl haar nicht met de kokkin ging beraadslagen, trok ze zich terug in de kamer waar zij en Patrick dat verbazingwekkende hartstochtelijke intermezzo hadden beleefd. Ze keek door het beregende raam naar buiten en fronste haar wenkbrauwen.

Ze had gezworen nooit meer voor de charmes van een man te vallen, en hier was ze, op de grens van een man echt aardig te vinden, van wie ze niet wist of ze hem kon vertrouwen. Ze zuchtte. Maar, dacht ze, ze had ook geen reden om hem niet te vertrouwen. Hij had haar veel narigheid kunnen bezorgen sinds de eerste keer dat ze hem ongelukkigerwijs had ontmoet, maar dat had hij niet gedaan. Bovendien leek hij dat ook niet alsnog van plan te zijn. Ze wist niet precies wat ze aan hem had.

Thea wendde zich van het raam af en drentelde door het vertrek. Zonder op de geluiden van de straat te letten, richtten haar gedachten zich op meneer Patrick Blackburne, die haar verontrustte. Daarbij vergat ze de tijd, en dus schrok ze toen de deur enkele minuten later ineens openzwaaide en Edwina het vertrek binnenkwam.

Thea verstijfde. Ervan overtuigd dat het lichaam van

Hirst uiteindelijk was gevonden, vermande ze zich om de jonge weduwe te troosten. Maar Edwina, zag ze tot haar verbazing, leek helemaal niet overstuur te zijn. Ze zag er in haar modieuze japon van blauwe mousseline, en de gouden krulletjes langs haar gezicht buitengewoon charmant uit. Ze leek in geen enkel opzicht op een door verdriet verteerde weduwe, dus was ze niet hier omdat het lichaam van haar man was gevonden. Maar waarom zou ze wel hier zijn? Was Edwina eindelijk tot de conclusie gekomen dat het tijd werd een einde aan hun vervreemding te maken?

Thea trad haar behoedzaam tegemoet. 'Edwina! Liefje, wat doe je hier op zo'n naargeestige dag?'

'Ik moest je zien,' zei Edwina ademloos, haar blauwe ogen op Thea gericht. 'Ik heb me gisteravond als een beest tegen je gedragen! Ik kom mijn excuses aanbieden.' Met een onzeker glimlachje voegde ze eraan toe: 'O, Thea, je weet niet half hoe ik je heb gemist. Laten we alsjeblieft geen ruzie meer maken! Ik was zo blij je op het bal te zien – ook al gedroeg ik me daar niet naar.' Ze keek weg. 'Ik was zo bang dat je me onheus zou bejegenen, en toen je dat niet deed, heb ik me als een domme gans gedragen.' Ze keek Thea weer aan. 'Vertel me alsjeblieft, lieve zus, dat je me mijn afschuwelijke gedrag van gisteravond niet kwalijk neemt. Ik wil dat die domme vervreemding tussen ons is afgelopen.'

Thea's hart zwol. Ze spreidde haar armen en zei: 'O, lieve, lieve Edwina, je weet niet hoe ik ernaar heb verlangd deze woorden te horen.'

Edwina vloog in haar gespreide armen, en gedurende enkele ogenblikken waren er aan beide kanten tranen, snikken en verontschuldigingen, en ten slotte waterige glimlachjes tussen de halfzussen. Edwina veegde haar ogen met een kanten zakdoekje droog en plofte op de sofa neer. 'Ik ben zo blij dat we de misverstanden tussen ons uit de weg hebben geruimd. De afgelopen maanden zijn gewoon afschuwelijk geweest! Ik heb wel tien keer op het punt gestaan naar je toe te komen en je te smeken mij mijn daden van de laatste keer dat we samen waren te vergeven.' Edwina trok een gezicht. 'Ik heb me als een verwend nest gedragen. Erger nog, ik had het verkeerd en ik weet het – ik was ook dwaas.' Ze keek met een triest gezicht naar haar schoot. 'Mijn trots voorkwam dat ik de waarheid erkende.' Haar blik ontmoette Thea's ogen. 'Ik besef nu, eigenlijk besef ik het al een paar maanden, dat ik nooit met Alfred had moeten trouwen. Je had gelijk over hem – alles wat je over hem hebt gezegd was absoluut waar, maar ik bracht het niet op het toe te geven – vooral niet tegenover jou!'

Op dat moment kwam Modesty de kamer binnen en maakte daarmee een eind aan de bekentenissen. Met gefronste wenkbrauwen keek ze Edwina aan. 'Zo!' zei ze ten slotte. 'Tillman zei dat je hier bij Thea was, maar ik wilde het met eigen ogen zien.' Ze liep naar Edwina toe, die bij haar binnenkomst was opgestaan, en drukte een kus op haar wang. 'Welkom, kind. Je bent veel te lang weggebleven.'

Edwina sloeg haar armen om Modesty heen, en begon te huilen. 'O, ik heb jullie zo gemist! Ik heb Thea net gezegd wat een dwaas ik ben geweest.' Met berouw in haar blauwe ogen voegde ze eraan toe: 'Wil je het me vergeven?'

Modesty klopte tegen haar wang. 'Natuurlijk, mijn kind – het zal Thea erg gelukkig maken dat de moeilijkheden tussen jullie zijn bijgelegd. Ga maar lekker zitten, dan zal ik Tillman bellen en hem verfrissingen laten brengen.'

De dames gingen zitten, babbelden over oppervlakkigheden tot Tillman Modesty's bestellingen had doorgekregen en terugkeerde met een zilveren blad dat kreunde onder het gewicht van allerlei soorten cake en koek, een pot koffie en een pot thee. Zodra Tillman weg was, bedienden de dames zichzelf.

Pas op het moment dat Modesty ontspannen op haar stoel zat, en in haar koffie roerde, kwam het gesprek op het onderwerp dat haar en Thea het meeste bezighield. Modesty nam een slokje koffie en vroeg daarna: 'En waar is die zwervende echtgenoot van je? Vertel me niet dat hij je heeft verlaten.'

Thea wachtte gespannen op Edwina's antwoord, hield haar koffiekopje in een dodelijke greep.

Edwina glimlachte wrang. 'Hij zei dat hij bij vrienden van hem in Salisbury ging logeren.' Ze haalde haar schouders op. 'Maar volgens mij kan hij net zo goed hier in de stad bij een minnares zijn.'

Modesty en Thea wisselden een blik. Modesty zette haar kopje neer, en vroeg zorgeloos: 'Heeft hij toevallig de namen van die vrienden genoemd?'

Edwina fronste haar voorhoofd en keek van de een naar de ander. 'Waarom heb je zoveel interesse voor Alfred? Thea vroeg me gisteravond hetzelfde.' Haar blik werd scherper. 'Is er iets dat jullie me niet vertellen?'

Modesty schudde haar hoofd. 'Natuurlijk niet, liefje. Ik was alleen nieuwsgierig of hij bij iemand is die wij kennen.' Ze glimlachte en nam weer een slokje koffie. 'Ik heb verscheidene vrienden die in Salisbury wonen – het zou niet zo vreemd zijn als we mensen gemeenschappelijk blijken te kennen.'

Edwina liet haar achterdocht varen, en glimlachte, hoewel een beetje bitter. 'Ik betwijfel of Alfred iemand kent die jij kent. Hij is niet, waarvoor Thea me destijds heeft geprobeerd te waarschuwen, erg respectabel, en onlangs is me dat erg duidelijk geworden.' Een lichte blos kleurde haar wangen. 'Het bal van de Hilliards was de eerste sociale gelegenheid die door een vooraanstaand lid van de bon ton werd gegeven waarvoor ik sinds eeuwen werd uitgenodigd.' Ze lachte. 'Het was zo lang geleden dat ik een feest met een dergelijk soort cachet kon bezoeken, dat ik vastbesloten was te gaan, zelfs als Alfred was gestorven!'

Thea sprong als door een wesp gestoken overeind. Als ze haar kopje niet zo stevig had vastgehouden, was de inhoud over de vloer gemorst. 'Edwina! Wat een verschrikkelijke opmerking,' wist ze ten slotte te zeggen.

Edwina trok een gezicht. 'Ik weet het. Het zou niet erg christelijk of fatsoenlijk van me zijn, maar ik geloof niet dat ik het me zou laten ontnemen.' Ze keek Thea aan. 'Jij weet niet hoe deze afgelopen paar maanden zijn geweest. Alfred en ik hebben alleen maar ruziegemaakt en tegen elkaar geschreeuwd.' Haar onderlip trilde. 'Hij heeft verschrikkelijke dingen tegen me gezegd en me diep gekwetst – er waren tijden dat ik hem gewoon haatte.' Ze lachte ineens. 'Vergeef het me! Ik ben hier niet gekomen om mijn problemen op zo'n botte manier te uiten.'

'Natuurlijk vergeven we het je,' zei Thea snel, nieuwe verbolgenheid over Hirst brandde in haar borst. 'En wij zijn je familie – jouw moeilijkheden zijn de onze. We zouden ons nooit van je kunnen afkeren.' Thea keek ineens ernstig. 'Denk je eens in wat er van mij was terechtgekomen wanneer de familie mij de rug had toegekeerd. Jij hebt ons geen schande gebracht of onbedoeld de dood veroorzaakt van iemand van wie je hield – jij had alleen het ongeluk verliefd te worden op de verkeerde man.'

Modesty's gezicht verstrakte bij Thea's woorden. Die lieve kleine dwaas! Besefte ze dan niet dat van haar hetzelfde kon worden gezegd? Thea kon het Edwina vergeven, maar niet zichzelf. Modesty hield de opmerking, die op het puntje van haar tong lag, voor zich en zei in plaats daarvan: 'Wat ben je van plan te doen, Edwina? Hem verlaten? Gescheiden van hem leven? Een scheiding is niet iets dat makkelijk wordt aanvaard.'

'Zo ver vooruit heb ik nog niet nagedacht,' antwoordde Edwina. Ze keek glimlachend van de een naar de ander. 'Mijn enige doel vanochtend was mijn bruggen naar jou en Thea te herstellen.'

'Nou, dat heb je gedaan,' zei Thea hartelijk. 'En we zullen er niet meer over praten. Modesty en ik zijn verheugd dat je naar ons toe bent gekomen.'

Het gesprek ging een tijdje over van alles en nog wat, de drie dames sprongen van de hak op de tak. Meer dan een uur later stond Edwina op. 'Ik moet gaan. Ik heb Lord Pennington beloofd dat hij me vanmiddag naar het museum mag begeleiden.'

Thea barstte in lachen uit. 'Het museum?' vroeg ze. 'Jij?'

'Ik heb besloten dat het tijd wordt om mijn brein te verrijken,' zei Edwina luchtig, en bedierf het vervolgens door te giechelen. 'Ik weet het, ik geloof het zelf bijna niet. Maar hij smeekte me hem te vergezellen, en ik kon zijn gevoelens niet kwetsen – vooral niet nadat ik hem gisteravond zo heb aangemoedigd.' Bij het zien van Thea's gezicht, zei ze: 'Ik weet het. Ik weet het. Het is mijn eigen schuld. Ik had niet zo openlijk met hem moeten flirten.' Ze zuchtte. 'Soms is het erg moeilijk om je keurig te gedragen, nietwaar?'

Denkend aan haar eigen escapades van de vorige avond, escapades die veel erger waren dan het flirten met een ontvankelijke jonge man, bleven Thea's waarschuwende woorden onuitgesproken. In plaats daarvan knikte ze. 'Inderdaad, dat is zo. Het lijkt erop dat de dingen die je echt wilt doen, precies de dingen zijn die je niet kunt doen.'

'Regels geven de society orde,' mompelde Modesty. 'Zonder regels zou het leven een grote chaos zijn.'

Edwina's ogen twinkelden. 'Nou, ik geloof dat chaos een stuk interessanter is.'

Voordat Modesty het antwoord kon geven dat op haar lippen brandde, klopte Tillman aan en kwam de kamer binnen. 'Meneer Patrick Blackburne is hier,' zei hij zuur.

'Laat hem dan binnen,' zei Modesty voordat Thea iets anders kon zeggen – voor het geval dat haar niet dat van plan was. Ze gaf Thea geen kans de fascinerendste man, die sinds tijden hun pad had gekruist, de deur te wijzen.

Patrick kwam enkele seconden later binnen, en Modesty kreeg sterk de indruk dat zelfs als Thea hem zou hebben weggestuurd, het vruchteloos zou zijn geweest. Er was iets aan hem, iets aan die sterke kaaklijn en vaste blik, dat aangaf dat hij een man was die altijd kreeg wat hij wilde hebben. Modesty nam nog een slokje koffie, en ging er eens lekker voor zitten.

Begroetingen werden uitgewisseld, en Patrick kreeg verfrissingen aangeboden. Hij koos voor koffie, ging ermee voor de open haard staan en babbelde luchtig met de dames.

Hij zag er in zijn donkerblauwe jas en bijpassende broek erg aantrekkelijk uit zoals hij daar stond, en Modesty sloeg de interactie tussen de jongere mensen heimelijk gade. Edwina's ronduit flirterige houding bracht een frons op haar voorhoofd, en ze had Thea wel een schop kunnen geven voor het feit dat ze de jongere vrouw het gesprek liet beheersen.

Onwillekeurig was Edwina nieuwsgierig naar de reden van Patricks aanwezigheid. Net als ieder ander wist ze dat haar halfzus normaal gesproken mannelijk gezelschap vermeed. Als Blackburne een oude vriend van de familie was geweest, zou Edwina niet twee keer over zijn bezoek hebben nagedacht, maar hij *was*, voor zover ze wist, geen oude bekende van de familie. Dus wat had hem hierheen gevoerd? Ze keek speculerend van Thea naar Patrick. Hmm.

'Hoelang bent u van plan in Engeland te blijven, meneer Blackburne,' vroeg Edwina. Ze schonk hem haar lieflijkste glimlach. 'Nu ik u net heb ontmoet, zal het mijn hart breken als u me vertelt dat u binnenkort weer naar dat barbaarse platteland terugkeert. Londen heeft zoveel... pleziertjes te bieden. Zeg alstublieft dat u nog enkele maanden hier blijft.'

Patrick keek Thea aan, die naast Edwina op de sofa zat. Thea was donker en vitaal, groot en slank. Edwina was blond, klein, met goedgevormde rondingen, en ze straalde seksuele belofte uit. De houding van haar goudblonde hoofd, de stand van haar lippen en de sensuele glinstering in haar ogen vertelden hem duidelijk dat ze er niets op tegen zou hebben om hem op de intiemste manier te leren kennen.

Er was een tijd geweest, en nog niet zo lang geleden, dat hij haar duidelijke signalen zou hebben beantwoord, maar dat was, dacht hij bedroefd, voor zijn pad dat van de beruchte Thea Garrett had gekruist. Zijn gebruikelijke voorkeur voor blonde vrouwen was verdwenen, en dezer dagen ging zijn voorliefde, nee zijn fascinatie uit naar slanke meisjes met donkere ogen en naar één levendig, schandelijk meisje in het bijzonder.

Met zijn blik op Thea's afgewende gezicht gericht, zei hij: 'Ik weet niet wanneer ik naar huis zal terugkeren. Dat hangt allemaal af van de afloop van een, eh, zakelijke kwestie waar ik bij betrokken ben.' Omdat hij haar had gadegeslagen zag hij Thea's schouders verstijven. Bijna spinnend voegde hij eraan toe: 'Maar afgezien daarvan heb ik een nog veel belangrijker reden om mijn terugkeer naar Natchez uit te stellen. Je zou kunnen zeggen dat ik heb ontdekt dat Londen niet alleen vele pleziertjes inhoudt, maar het herbergt ook schatten. En ik ben van plan een van die schatten mee te nemen wanneer ik vertrek.'

Modesty straalde naar hem. 'Fantastisch!' riep ze uit. 'Ik dacht al dat u een man met een goed verstand was. Uw woorden hebben me dat net bewezen.'

Zijn ene mondhoek krulde omhoog, en hij proostte zwijgend met zijn kopje. 'En u, lieve mevrouw, bent veel te slim!'

In perfecte harmonie glimlachten ze naar elkaar.

Boos dat hij haar verleidingskunsten had genegeerd, en met een gevoel alsof ze de eerste acte van een toneelstuk had gemist, zei Edwina met geforceerde vrolijkheid: 'Nou, ik ben blij dat u van uw verblijf in Londen geniet.'

Zijn glimlach verbreedde toen Thea naar hem opkeek. 'O, dat doe ik,' zei hij zacht. 'Dat doe ik echt.'

Het was duidelijk dat Thea het middelpunt van zijn interesse was, en Edwina's lippen versmalden zich. Ze stond op. 'Nou, ik moet ervandoor.' Ze deed nog een laatste poging, glimlachte hartelijk naar Patrick, en zei: 'Ik heb mijn rijtuig voor de deur staan. Misschien kan ik u ergens afzetten?'

'Ik waardeer uw aanbod,' zei Patrick gladjes, 'maar ik moet het afslaan. Dank u zeer.'

Edwina kuste Thea en Modesty plichtsgetrouw, en vloog, zichtbaar geïrriteerd, de kamer uit.

De deur was nauwelijks achter haar gesloten, of Patrick zei: 'Ik vrees dat ik de dame van streek heb gemaakt.'

'Waarschijnlijk,' antwoordde Modesty. 'Maar het zal haar goed doen. Ze is haar hele leven vertroeteld en verwend geweest. Het wordt tijd dat ze leert dat ze niet alles kan hebben wat ze wil.'

'Ze is erg jong,' zei Thea verdedigend. 'En het is waar dat ze verschrikkelijk verwend is geweest, maar dat komt doordat ze zo mooi is.' Kijkend naar Patrick vervolgde ze: 'Ze heeft zo'n natuurlijke charme dat je haar gewoon een plezier wilt doen. Ze kan het niet helpen dat ze een beetje verwend is.'

Modesty snoof verontwaardigd.

Met een twinkeling in zijn ogen zei hij tegen Thea: 'Als u het zegt, dan zal het wel zo zijn. Ik zal zeker niet betwisten dat ze mooi is. Te jong,' voegde hij eraan toe, 'om weduwe te zijn.'

Modesty legde een vinger tegen haar lippen, stond tot Patricks verbazing op, en liep naar de deur. Ze opende hem en keek links en rechts de gang in.

Nadat ze de deur weer had dichtgedaan, keerde ze terug naar haar stoel en ging zitten. 'Een van Edwina's minder charmante trekjes is de gewoonte aan deuren te luisteren,' legde ze aan Patrick uit. 'Ze is verschrikkelijk nieuwsgierig en wil graag weten of een gesprek over haar gaat.' Haar mond vertrok. 'En jammer genoeg is dat regelmatig het geval.'

Dat Thea Modesty's woorden maar al te graag wilde weerleggen, was duidelijk, maar helaas waren ze maar al te waar. 'Wat gaan we nu doen?' vroeg ze in plaats daarvan. 'We weten nog steeds niet waar het lichaam van Hirst is verborgen... of waarom.' Een schuldige uitdrukking kroop over haar gezicht. 'En gisteravond heeft duidelijk gemaakt dat we in het huis aan Curzon Street niets meer zullen ontdekken.'

'Daar ben ik het mee eens,' zei Patrick. Hij had lang nagedacht over hetgeen er was gebeurd, en één ding was hem duidelijk geworden: er was geen noodzaak of reden voor Thea om betrokken te zijn bij wat er aan de hand was. Ze was er aanvankelijk door Hirsts bemoeienissen bij betrokken geraakt, maar nu Hirst niet alleen dood was, maar ook zijn lichaam ontbrak, was er een einde aan haar aandeel gekomen. Gerustgesteld over het feit dat ze niets met de chantage van zijn moeder te maken had, was haar bruikbaarheid voor hem ook beëindigd. Je zou bijna denken dat het tijd was de banden door te snijden die hen bijeen hadden gebracht. Hij glimlachte vaag. Bijna. Hij had het sterke voorgevoel dat de hel eerder dicht zou vriezen dan dat de gevoelens die hen verbonden zouden worden verbroken. Maar, erkende hij wrang, er zou nog heel wat listig gemanoeuvreer van zijn kant nodig zijn om zijn stekelige lieveling daarvan te overtuigen. Met dat in gedachten, zei hij: 'Ik wilde voorstellen vanmiddag een ritje door Hyde Park te maken, maar het slechte weer heeft daar jammer genoeg een stokje voor gestoken. Misschien mag ik u en Miss Bradford vanavond naar het theater begeleiden? En een laat souper voor ons regelen?'

Thea keek hem nieuwsgierig aan. 'Maar hoe zal dat ons helpen Alfreds lichaam te vinden? We hebben niets ontdekt wat aangeeft dat Hyde Park of het theater iets te maken heeft met de dood van Hirst.'

Modesty sloeg haar ogen ten hemel. Ze wist dat Thea een intelligente jonge vrouw was, maar soms twijfelde ze daaraan. Het kind was een baby op het gebied van mannen – geen wonder dat die schelm van een Hawley Randall haar zo makkelijk had kunnen overhalen er met hem vandoor te gaan.

'U heeft gelijk: Hyde Park heeft niets met Hirst te maken,' gaf Patrick toe.

Met gefronste wenkbrauwen vroeg Thea: 'Waarom zouden we daar dan naartoe gaan? We zijn bezig uit te zoeken wie mijn zwager heeft vermoord, verder niets. Bovendien weet iedereen dat ik een slechte reputatie heb; als u met mij in Hyde Park wordt gezien, zal er afschuwelijk worden geroddeld en gespeculeerd.' Thea beet op haar lip en keek naar de vloer. 'Ik wil niet onvriendelijk zijn, maar voor uw eigen bestwil doet u er verstandig aan mijn gezelschap te vermijden.'

Patrick slaakte een zucht. Kijkend naar Modesty vroeg hij: 'Mag ik haar even onder vier ogen spreken?'

'Natuurlijk!'

En voordat Thea met haar ogen kon knipperen, liet Modesty haar achter, en sloot de deur stevig achter zich dicht nadat ze de kamer had verlaten.

'Wat heeft u mij te zeggen dat niet in haar bijzijn kan worden gezegd?' vroeg Thea. 'Zijn jullie allebei gek geworden?'

Patrick nam een stap en trok haar in zijn armen. 'Nee, lieveling, ze is niet gek,' zei hij, 'maar ik ben wel gek… op jou.' Hij drukte zijn mond stevig op de hare en zijn armen gleden nog krachtiger om haar heen.

Geschrokken, zowel door zijn woorden als door zijn daden, bleef Thea slap in zijn armen staan, waarbij ze verbaasd merkte dat al haar gevoelens tot leven werden gewekt. Magie omhulde haar, en ze verloor zichzelf in de zachte dwang van zijn kus, de betoverende sensatie van zijn sterke armen die haar brutaal tegen hem aan drukten, en de honingzoete warmte die door haar heen vloeide.

Haar armen gleden om zijn nek en ze kuste hem terug, genietend van haar eigen directheid, en het genot van zijn lippen op de hare. Hij rook ook lekker, dacht ze met genoegen, terwijl ze zo mogelijk nog dichter tegen hem aan ging staan.

Hij kuste haar langdurig, en toen zijn mond haar lippen ten slotte verliet, was Thea buiten adem en haar ogen straalden als sterren.

Hij keek haar teder aan en mompelde: 'Begrijp je het nu?'

Thea kwam met een klap op aarde terug, al haar oude achterdocht welde in haar op. Ze stapte bezorgd uit zijn omhelzing en schiep een fatsoenlijke afstand tussen hen in. Vanbinnen ziek, bang voor zijn antwoord, vroeg ze: 'Probeer je me te verleiden? Z-z-zoals Hawley heeft gedaan?'

Patrick onderdrukte een vloek. Wat zou hij er niet voor over hebben om twee minuten alleen met Hawley te zijn!

Zijn grijze ogen stonden hard toen hij vroeg: 'Denk je dat van me? Dat ik net als Hawley ben?'

Thea haalde haar schouders op. 'N-n-nee, niet precies. Maar wat moet ik er dan van denken? Je kent mijn reputatie.' Een blos kleurde haar wangen. 'Heren hebben gewoonlijk slechts twee redenen om mij op te zoeken: ze willen een weddenschap winnen of proberen mij te verleiden.'

Woedend op zijn eigen geslacht, streed Patrick met zichzelf om te voorkomen dat hij zijn vuist tegen de muur sloeg. Zou hij haar wantrouwen ten opzichte van mannen ooit kunnen overwinnen? Een goed gefundeerd wantrouwen was het wel, erkende hij met knipperende ogen toen hij aan enkele van zijn eigen daden in het verleden dacht. Het was duidelijk dat zijn hofmakerij een wankele aangelegenheid zou worden die hij met uiterste voorzichtigheid moest inkleden.

'Misschien,' zei hij vriendelijk, 'had ik een andere reden – heb je daar al aan gedacht?'

Thea fronste haar wenkbrauwen. Welke andere reden

kon hij hebben? Ach natuurlijk, dacht ze verslagen. Ze had het kunnen raden. Hij wilde haar als zijn minnares! Haar eerste opwelling was hem een klap in het gezicht te geven en hem de kamer uit te sturen, maar ze aarzelde. Zou het echt zo verschrikkelijk zijn om iemands maîtresse te worden? Haar reputatie was toch al geruïneerd – geen enkele fatsoenlijke man zou haar iets anders bieden dan het soort relatie dat Patrick kennelijk in gedachten had. Andere mannen hadden hetzelfde voorgesteld en zij had hen domweg de laan uit gestuurd. Maar Patrick had iets… dat ze onweerstaanbaar vond. Ongelukkig erkende ze dat ze in zijn armen wilde zijn, dat ze al die intieme dingen wilde ontdekken die ze niet van Hawley had geleerd… Durfde ze het risico te nemen? Durfde ze een schandaal te riskeren als hun relatie zou worden ontdekt? Nee, dat kon ze haar familie niet nogmaals aandoen. Maar het zou niet hetzelfde zijn, fluisterde een sluw stemmetje in haar hoofd. Ze was geen jong, onschuldig meisje meer dat wegliep om met de man te trouwen van wie ze dacht te houden. Ze was nu ouder, haar reputatie was al bezoedeld. Ze had tegenwoordig veel meer recht en vrijheid, en ze twijfelde er niet aan dat Patrick ervoor zou zorgen dat ze elkaar heel discreet konden ontmoeten…

Ze keek hem onzeker aan. 'Je wilt dat ik je maîtresse wordt, nietwaar?'

Patrick onderdrukte weer een vloek. 'En zou je dat willen worden als ik dat van je zou vragen?'

Nu ze voor de keus stond aarzelde ze opnieuw in het besef dat haar antwoord haar leven voorgoed zou veranderen. Gezond verstand vertelde haar dat ze het aanbod moest afslaan, maar het verlangen om de genoegens van zijn vrijerij te leren kennen en haar eigen onstuimige karakter werkten tegen haar. Ze gunde zich geen tijd meer om van gedachten te veranderen. 'Ja,' flapte ze eruit, 'als je me wilt hebben.'

Hij wendde zich af, zijn handen balden zich tot vuisten. Starend naar het vuur overwoog hij haar te desillusioneren omtrent zijn bedoelingen, maar hij vroeg zich af of dat verstandig zou zijn. Doordat ze overtuigd was van haar beruchte reputatie, haar bezoedelde toestand, had hij het onaangename gevoel dat als hij dwaas genoeg was haar te verklaren dat zijn voorstel heel wat eerbaarder was, ze hem zonder meer zou afwijzen. En hem uit haar leven bannen – allemaal voor zijn eigen bestwil natuurlijk.

Zijn woede zakte langzaam terwijl hij naar de rode en gele vlammen in de open haard staarde. Ze was bereid, althans op dit moment, om zijn maîtresse te worden, en het was hoogst onwaarschijnlijk dat ze enig ander aanbod van hem in overweging zou nemen. Als hij de kwestie zou forceren, haar vragen met hem te trouwen, zou ze hem ongetwijfeld wegsturen. Ervan overtuigd dat ze in zijn belang handelde, zou ze hem ontlopen – wat zijn hofmakerij behoorlijk zou bemoeilijken.

Hij schudde gefrustreerd zijn hoofd. Ze was bereid zijn maîtresse te worden – een voorstel dat elke andere dame van haar stand met afschuw zou vervullen – en hij vermoedde dat haar instemming niet erg lang zou standhouden. De gevaren die er voor haar aan kleefden zouden snel genoeg tot haar doordringen – waarschijnlijk zodra hij de kamer had verlaten en ze een ogenblik had nagedacht. Maar misschien kon hij dit moment van tijdelijke zwakte in zijn voordeel gebruiken? Hij wilde met haar trouwen, maar als zij er anders over dacht, deed het er dan iets toe? Ondertussen zou hij de tijd hebben om de plannen voor hun huwelijk beter uit te werken.

Hij draaide zich naar haar om. 'Ik wíl je hebben, lieveling – meer dan je denkt.' Hij liep naar haar toe, nam haar hand in de zijne en drukte er een kus op. 'Het zal me een eer zijn.'

Thea haalde rustig adem, duwde haar twijfels en een steek van teleurstelling opzij. Dit was wat ze had gewild, hield ze zich vastberaden voor.

'Wanneer?' vroeg ze kalm.

Patrick staarde haar aan, de uitdrukking op zijn gezicht was ondoorgrondelijk. Hij vroeg zich af of ze wel precies wist dat ze haar lot, haar toekomst in zijn handen legde. Zwerend dat hij haar nooit een reden zou geven om haar besluit te betreuren, trok hij haar in zijn armen. 'Binnenkort, liefje,' zei hij met zijn lippen tegen haar mond. 'Je zult de mijne worden zodra ik geschikte regelingen heb getroffen.'

Hoofdstuk 9

Patrick was diep in gedachten toen hij Thea's huis enkele minuten later verliet. Hij had geen definitieve plannen met Thea gemaakt, waarvan zij dacht dat ze bij hun nieuwe relatie hoorden. Het gesprek dat ze hadden gevoerd maakte het echter noodzakelijk dat hij snel te werk ging.

Hij duwde die gedachten van zich af en concentreerde zich op de chanteur van zijn moeder en hoe hij deze moest identificeren. Een bezoek aan de advocaat die het huis aan Curzon Street in beheer had, leek zijn enige keus – teruggaan naar het huis zou weinig nieuws opleveren, maar misschien had Beaton hem inmiddels iets te vertellen.

Patrick kreeg weinig nieuws te horen. Het huis was niet langer op de markt – de eigenaar, de ongetrouwde, op het platteland wonende Miss Martha Ellsworth, had besloten het niet te verkopen, maar droeg het huis over aan haar neef – Thomas Ellsworth.

'Is dat misschien dezelfde Thomas Ellsworth wiens tante, Lady Levina Embry, eerder dit jaar is overleden?' vroeg Patrick.

Verbaasd riep Beaton uit: 'Inderdaad, dat klopt. Vertel me niet dat de wereld zo klein is dat u de jongeman kent.'

Patrick glimlachte. 'Ik ken hem niet... laten we zeggen dat ik van hem heb gehoord. Hij is geloof ik getrouwd met de dochter van Lord Bettison?'

'Ja, dat klopt ook.'

Patrick nam afscheid van Beaton en ging op weg naar zijn moeder. Hij had het geluk haar alleen thuis aan te treffen.

Er werden begroetingen uitgewisseld, en hij vertelde hetgeen hij van Beaton had vernomen. Gezeten tegenover Lady Caldecott op een roze, satijnen stoel in de gezellige kamer waar hij haar had aangetroffen, zei hij: 'Graaf eens diep in je geheugen, mama. Je hebt het over Levina's zussen en broers gehad – was een van hen een oude vrijster die op het platteland woont? Een Miss Martha Ellsworth?'

Lady Caldecott schudde peinzend haar hoofd. 'Ik geloof het niet. In feite weet ik het zeker – haar zussen heetten Anne en Cecilia – maar ik herinner me hun achternaam niet. En het was Levina die de oude vrijster in de familie was tot ze met Lord Embry trouwde. O, wacht!' Ze fronste haar wenkbrauwen. 'Laat me even denken. Ik geloof dat er iets is... Ah, ik heb het!' Ze boog zich naar voren. 'Levina's broer, de vader van Thomas, trouwde met een nicht, ook een Ellsworth, en ik geloof dat zíj een zus had die ongetrouwd was.'

Patrick keek haar sprakeloos aan. 'Bestaat er een familiestamboom die je niet in dat charmante hoofdje van je hebt?'

'O, natuurlijk wel!' zei Lady Caldecott. Er kroop een lach in haar mooie ogen. 'Ik hou alleen niet het voor de hand liggende bij.'

Patrick lachte. Hij stond op, liep naar haar toe boog zich voorover om haar zachte, geurige wang te kussen. 'Ik weet niet wat ik met de informatie zal doen, maar maak je geen zorgen over je chanteur – laat me alleen weten wanneer hij verdere eisen stelt.'

Een paar minuten later ging hij weg. Eenmaal op straat overwoog hij zijn volgende stap.

Aangezien hij niets kon ondernemen voordat hij wist waar Ellsworth woonde, bracht Patrick de middag door met regelingen betreffende zijn eigen zaken. Hij ging met zijn vrienden Lord Embry en Adam Paxton uit eten in hun favoriete taveerne aan Gerrard Street, en pas toen ze nog een laatste glas port namen bracht hij het gesprek op Thomas Ellsworth.

'Weet iemand van jullie misschien waar ik Thomas Ellsworth zou kunnen vinden?' vroeg Patrick.

Nigel keek hem belangstellend aan. 'Het komt me voor dat je dezer dagen een ongewone interesse voor de familie Ellsworth hebt. Vroeg je me laatst niet ook iets over hen?'

'Inderdaad,' antwoordde Patrick luchtig, 'maar ik heb niet zozeer belangstelling voor de familie als wel voor Thomas in het bijzonder.'

'Waarom?' vroeg Adam.

'Laten we zeggen dat ik nieuwsgierig ben,' mompelde Patrick, zijn grijze ogen bedrieglijk slaperig.

Lord Embry snoof verontwaardigd. 'Noem het wat je wilt, mij bevalt het niet. Die Ellsworth bevalt me ook niet, noch die neef van hem, Hirst. Een duivels knap stelletje belhamels, maar slechteriken. Ik heb wat roddels over hen gehoord waaruit blijkt dat ze op het slechte pad zijn. Je wilt ze geen van beiden leren kennen – vooral Ellsworth niet. De kerel is een parvenu. Geen goede achtergrond – zelfs niet nu hij met die arme, schele dochter van Bettison is getrouwd. Niet van onze soort.' Hij stak een vinger naar Patrick op. 'Niets voor jou om zoveel interesse voor dat soort mensen te hebben. Je voert iets in je schild, mijn vriend.'

Patrick negeerde Embry's laatste opmerking en trok een wenkbrauw op. 'Wat bedoel je met "niet van onze soort"? De hemel weet dat we ons aandeel hebben gehad in braspartijen en hoereren – half Londen klaagt dat ons gedrag beslist schandelijk is.' Hij glimlachte bedroefd. 'Mijn eigen moeder bevindt zich onder hen. En vergeet niet – de achtergrond van de tante van Thomas Ellsworth was bepaald goed genoeg om in onze familie te trouwen.'

'Ik zei niet dat de familie Ellsworth niet een beetje goed bloed in zich heeft – ik zei dat Thomas en die neef van hem, Hirst – niet van onze soort zijn, ongeacht met wie ze trouwen.'

Adam onderbrak hem. 'Ik geloof dat Nigel bedoelt dat Ellsworth en Hirst niet, eh, helemaal jofel zijn. Het is waar dat er takken van de familie respectabel zijn verbonden. En het is waar dat Hirst met dat Northrop-meisje is getrouwd, en dat Ellsworth in de aristocratie is getrouwd. Maar het is ook algemeen bekend dat Hirst er met haar vandoor is gegaan om te trouwen – zeer tegen de wensen van de familie in, en dat Bettison alleen de hand van zijn dochter aanbood om een schuld aan Ellsworth af te lossen – een grote weddenschap tussen hen die Bettison had verloren.' Adam trok een gezicht. 'Het was onwaarschijnlijk dat het meisje ooit een betere verbintenis zou krijgen, en Bettison wilde haar maar al te graag kwijt. Meer terzake is dat er geruchten zijn dat Ellsworth en Hirst onnozele groentjes, die net van het platteland komen, in een van de beruchtere gokhallen buiten Pall Mall hebben geholpen.' Hij grinnikte naar Patrick. 'Wij mogen dan gokken en hoereren, mijn vriend, maar sukkels ruïneren die niet beter weten is nooit een van onze ondeugden geweest.'

'Helemaal mee eens. Thomas Ellsworth lijkt me niet

een erg prettige kerel,' zei Patrick, en verhulde de schrik die de naam Hirst hem had bezorgd. 'Maar ik heb iets, eh, zakelijks met hem af te handelen.'

'Je hoeft niet ver naar hem te zoeken,' bromde Nigel, die de koppige blik op Patricks gezicht herkende. 'Hij woont hier slechts een paar blokken verderop in de straat.'

'Bedankt,' zei Patrick, zijn grijze ogen lachten Nigel toe. 'En als de heren me dan nu willen excuseren? Ik moet een bezoekje afleggen aan die verderfelijk klinkende meneer Ellsworth.'

Patrick duwde de speculatie dat Ellsworth en Hirst iets met elkaar te maken hadden voorlopig terzijde, en vond het adres moeiteloos. Het huis was omvangrijk, en zelfs in het vage schijnsel van de straatlantaarns, zag hij dat het ook aantrekkelijk was. Het bleek ook verlaten. Er scheen geen licht achter de luiken, en een nadere inspectie onthulde dat de klopper was verwijderd – een zeker teken dat de familie niet thuis was.

Desondanks klopte hij aan, en na verscheidene minuten werd hij beloond door het geluid van activiteit achter de stevige eiken deur. Hij klopte nogmaals aan met zijn wandelstok, en een ogenblik later ging de deur op een kier open.

Een magere man van onbepaalde leeftijd stond voor hem met een spetterende kaars in zijn benige hand geklemd. 'Wat wilt u?' vroeg hij nors. 'De familie is naar het platteland.'

Patrick gooide al zijn charme in de strijd en vernam ten slotte dat Thomas Ellsworth die ochtend onverwacht naar zijn landhuis – Apple Hill – in Surrey was vertrokken. 'Hij zei dat hij tot het voorjaar niet naar de stad terugkomt.'

Patrick deponeerde een paar muntstukken in zijn

hand en bedankte hem voor de informatie. Hierna draaide hij zich om en liep de stoep af. Hij had het vermoeden dat Thomas Ellsworth de chanteur van zijn moeder was en ongetwijfeld de kerel met wie Thea en hij de avond ervoor hadden gevochten. Was Ellsworth wellicht ook de persoon die Hirst had vermoord? Het leek bepaald niet uitgesloten. Met zijn gedachten bij Ellsworth en Hirst was hij nog maar halverwege de stoep, toen hij tegen een grote man op botste die zich de stoep op haastte.

De man verontschuldigde zich. 'Neem me niet kwalijk! Ik was in gedachten met iets anders bezig en ik zag u niet. Niemand kan beweren dat Yates een ruwe kerel is. Het spijt me heel erg dat ik u bijna omver heb gelopen.'

Patrick nam hem in een enkele blik in zich op, zag de helderblauwe ogen en de verweerde wangen. Yates? Wie was hij – en had zijn aanwezigheid iets met de moord op Hirst en de chanteur van zijn moeder te maken? Het zou wel eens interessant kunnen worden om te zien wat er gebeurde, dacht Patrick. Hij accepteerde zijn verontschuldigingen en vervolgde zijn weg… langzaam. Langzaam genoeg om te horen wat de heer tegen de norse bediende zei.

'Ik weet dat Tom naar het platteland is,' zei de nieuwkomer, nadat de bediende de deur had geopend. 'Maar hij zal het niet erg vinden wanneer ik binnen een briefje voor hem neerleg, voor het geval hij terugkomt. Ga nu opzij, jij oude sukkel, en laat me binnen als je weet wat goed voor je is – en voor je meester.'

Er klonk iets dreigends in die laatste woorden dat Patrick fascinerend vond. Hij zou Nigel moeten vragen of hij een kerel met de naam Yates kende.

Diep in gedachten liep Patrick bij het huis van Ellsworth vandaan. De dingen kwamen in beweging, peinsde hij. De vlucht van Ellsworth naar het platteland leek verdacht, en het nieuws dat Ellsworth en Hirst verwant waren, en partners in de schandelijke zaak van onnozole groentjes geld afhandig maken, was een ontbrekend stukje van de puzzel. Hadden Ellsworth en Hirst ook hun krachten gebundeld om zijn moeder te chanteren? Het was mogelijk. En had Ellsworth Hirst vermoord? Hadden ze ruzie gekregen waarna Ellsworth Hirst om het leven had gebracht? Het klopte met wat Patrick wist. De verdwijning van het lichaam van Hirst zat hem dwars, en hoewel het logisch leek de misdaad te verhullen als Ellsworth Hirst had vermoord, moest hij weten dat Patrick het lichaam had gezien. Waarom had hij het dus verborgen? Ellsworth kon niet hebben geweten dat hij zijn eigen redenen zou hebben om de moord niet meteen te melden. Zonder tot een oplossing te zijn gekomen, bereikte hij zijn huis. De hele situatie was als een zoemende vlieg om zijn hoofd.

Hij bekeek het probleem vanuit een ander gezichtspunt, en vroeg zich af waarom Ellsworth, en hij was er zeker van dat het Ellsworth was geweest, naar het huis was teruggekomen om het pakje te halen dat Thea had gezien. Waarom had hij het niet meegenomen toen hij het lichaam van Hirst weghaalde? Hij schudde zijn hoofd. Vragen die vragen opriepen.

Terwijl Thea die zaterdagmiddag door de kleine, zonnige salon drentelde, concludeerde ze dat er een paar donkere wolken aan haar horizon waren. Zoals Patrick had verwacht, had ze inmiddels enkele bedenkingen over haar instemming zijn maîtresse te worden, en ze was doordrongen van alle gevaren en valkuilen die voor haar lagen. Ze had de hele dag geprobeerd niet aan hem te denken, maar dat was niet zo gemakkelijk geweest.

Wanneer Patrick uiteindelijk zou komen om haar mee te nemen voor hun eerste afspraak, zou ze tegen Modesty moeten liegen, en die gedachte vervulde haar met schuldgevoel. Modesty vertrouwde haar, en zij moest dat vertrouwen beschamen door tegen haar te liegen. De schuld die ze tegenover haar familie had bezwaarde haar zelfs nog meer. Zonder de steun van haar familie zou ze de roddels en het schandaal van tien jaar geleden nooit hebben overleefd. Ze had haar huidige acceptatie door de meeste leden van de bon ton aan hun loyaliteit te danken, en nu zou ze een volgend schandaal riskeren door zo dwaas te zijn Patricks maîtresse te worden.

Haar zachte mond verstrakte. O, ze was beslist de grootste dwaas van heel Londen! Weer had ze zich door een knap gezicht en vaardige tong laten betoveren. Zou ze het dan nooit leren?

Thea was alleen in de kleine salon geweest, en ze fronste haar voorhoofd toen Modesty binnenkwam.

Modesty wierp een blik op Thea's gezicht en zei, terwijl ze op een met lichtgeel damast overtrokken stoel plaatsnam: 'Ik hoop dat ik niet degene ben die de oorzaak is van die uitdrukking op je gezicht.'

Thea schudde haar hoofd, de frons verdween van haar voorhoofd. 'Nee, dat ben ik zelf. Ik ben soms toch zo'n domme gans.'

'O, werkelijk?'

Thea knikte. 'Het schijnt dat ik mijn gezonde verstand weer door gestolen kussen en sterke armen heb laten overstemmen. Je zou toch denken dat ik na Hawley iets zou hebben geleerd. Ik ben een dwaas.'

'Ah. En nu ben je van gedachten veranderd over die, eh, gestolen kussen en sterke armen.'

Thea keek haar nicht nieuwsgierig aan. Ze was geen onaantrekkelijk vrouw, en in haar jeugd moest ze een schoonheid zijn geweest. 'Heb jij ooit naar de kus van een man verlangd?' vroeg Thea.

'O, zeker wel,' antwoordde Modesty met twinkelende ogen. 'En er was een jongeman toen ik twintig was met wie ik vele gestolen omhelzingen heb gedeeld.' Modesty zuchtte, haar blik afwezig. 'We waren van plan te trouwen, maar hij overleed... en dat was het einde van alles.'

Thea keek haar verbijsterd aan. 'Nooit meer? Heb je nooit meer een man ontmoet die je hart raakte?'

Modesty glimlachte en schudde haar hoofd. 'Nee, ik ben bang van niet. Er waren een paar anderen met wie ik had kunnen trouwen, maar tegen de tijd dat ik uiteindelijk over mijn verdriet heen was, ontdekte ik dat mijn onafhankelijkheid me meer waard was dan de titel "echtgenote".'

Thea ging op de vloer naast Modesty's stoel zitten. Haar lichtgroene jurk bolde rond haar slanke lichaam, en ze legde haar hoofd tegen Modesty's knie.

Modesty stak haar hand uit en streelde haar dikke, zwarte haar.

Met donkere ogen vol verdriet keek Thea naar haar op. 'O, Modesty! Ik ben zo van streek. Ik heb ingestemd zijn maîtresse te worden.'

Modesty hoefde niet te vragen wie de 'hij' was. Haar hand bleef zachtjes haar haar strelen. 'Wil je dat? Zijn maîtresse zijn?'

Thea aarzelde. 'Ik weet het niet. Ik weet alleen dat als ik bij hem ben, de wereld en alles wat daarbij hoort zoveel opwindender en spannender is. En wanneer hij me kust, kan ik aan niets anders denken dan hoe heerlijk het is in zijn armen te zijn... door hem te worden gekust.'

'En hoe zit het met je hart? Wat zegt je hart?'

Thea keek geschrokken. 'Ik weet het niet. Ik –'

Modesty boog zich voorover en hief Thea's kin. 'Hou je van hem, mijn kind?'

Thea onderdrukte een snik. 'O, Modesty, ik vrees van wel!' Niet in staat de vriendelijke blik in Modesty's ogen te doorstaan, verborg ze haar hoofd op Modesty's schoot en mompelde: 'Wat moet ik doen? Ik ben bang om mijn hart te vertrouwen – kijk waar me dat de laatste keer heeft gebracht. En ik kan de familie niet weer te schande maken – o, maar ik wil hem hebben.'

'En zijn maîtresse worden is de enige weg die voor je open staat?'

'Wat is er anders?' vroeg Thea met een klein stemmetje. 'Mijn reputatie is bezoedeld – iedereen weet dat! Geen enkele heer zou met me willen t-t-trouwen.'

'Weet je dat zo zeker? Misschien heb je meneer Blackburne geen kans gegeven. Misschien heeft hij dezelfde gevoelens als jij. Heb je daar al aan gedacht?'

Thea's hoofd kwam met een ruk omhoog. 'O, doe niet zo dwaas! Zelfs als hij van me zou h-h-houden, zou ik niet met hem trouwen.' De donkere ogen schoten vuur. 'Ik zou iemand van wie ik hou nooit te schande willen maken, en als ik dwaas genoeg zou zijn om met hem te trouwen, gesteld *dat* hij met me zou willen trouwen, zou hij me snel genoeg gaan haten. Ik ben een geruïneerde vrouw – iedereen weet dat! Mijn reputatie zal me altijd achtervolgen, en na verloop van tijd zal de man met wie ik getrouwd ben me gaan verachten en zijn moment van krankzinnigheid betreuren. Als ik zou vermoeden dat Patr... meneer Blackburne tedere gevoelens voor me had ontwikkeld, zou het mijn plicht zijn hem af te wijzen – hem zo'n afkeer van me te bezorgen dat alle gevoelens van genegenheid zouden sterven. Het is dat, of hem wegsturen en weigeren hem op welke manier dan ook te spreken of te erkennen. Het zou de enige manier zijn om hem te besparen dat hij een verschrikkelijke vergissing begaat.' Ze wendde haar blik af en zuchtte. 'Nee, het huwelijk is niet voor mij weggelegd.'

Modesty keek haar lange tijd aan. 'Weet je dat zeker?'

Thea knikte. 'Ja,' antwoordde ze gespannen, maar vastberaden. 'Ik wil niet verantwoordelijk zijn voor andermans ongeluk. Ik heb Tom gedood en onze familie te schande gemaakt – zelfs Edwina's rampzalige huwelijk is mijn schuld. Als ik dat niet had... Ik kon het niet verdragen mijn familie nogmaals op die manier te schande te maken.' Thea stond op. 'Daarom moet ik hem schrijven en hem vertellen dat ik van gedachten ben veranderd en dat ik niet zijn maîtresse kan worden.'

Nadat Thea naar boven was gegaan om haar brief aan Patrick te schrijven, bleef Modesty nog een poosje zitten. Een niet zo eerbaar plan kwam bij haar op. Ze hield zich voor dat haar motieven, ondanks haar methoden, zuiver waren, en bekeek het plan van alle kanten. Ze zuchtte. Het zou riskant zijn, maar gezien het feit dat Thea vastbesloten doorging met zichzelf te straffen voor iets dat jaren geleden was gebeurd – ongeacht hoe geschikt de kandidaat was of wat haar hart haar dicteerde – had Modesty het gevoel dat ze geen keus had. Ze trok een gezicht. In feite zou het net iets voor die lieve kleine dwaas zijn om een totaal ongeschikte verbintenis aan te gaan om iedereen te tonen dat ze niets beters verdiende. Modesty had haar besluit genomen en ging naar boven om zelf een brief aan meneer Blackburne te schrijven... en aan een paar anderen. Een tijdje later gaf ze alle brieven aan Tillman met de opdracht dat ze zo snel mogelijk moesten worden bezorgd.

Als Patrick verrast was op zaterdagmiddag twee brieven van de dames te ontvangen die in het huis aan Grosvenor Square woonden, liet hij dat niet merken. Hij las Thea's brief het eerst, opgelucht en niet echt verbaasd dat ze ervan afzag. Zoals hij had verwacht, lapte ze de mening van de society aan haar laars, maar ze was niet bereid de stringentste regels te overtreden. Ze kwam misschien dicht bij de grens, maar ze ging er niet overheen. Hij glimlachte. Zijn lieveling was conventioneler dat ze besefte.

Hij legde Thea's brief terzijde en verbrak het zegel van Modesty's brief, waarna hij de inhoud las. Zijn wenkbrauwen schoten omhoog toen de betekenis van wat ze hem had geschreven duidelijk werd. Haar plan was verleidelijk en, erkende hij, waarschijnlijk de enige manier om Thea's hand te krijgen. Maar, o Heer, Thea zou furieus zijn! En hij zou het haar niet kwalijk nemen. Durfde hij het te riskeren?

Een groot deel van de middag bleef hij over de kwestie nadenken. Het was absoluut een delicate situatie. Hij herlas Modesty's brief nog een keer en zijn hart zonk hem in de schoenen. Als hij dwaas genoeg was nu om Thea's hand te vragen zou ze hem domweg afwijzen – daar twijfelde hij niet aan, en Modesty's brief bevestigde dat. Thea was van gedachten veranderd en had de mogelijkheid zijn maîtresse te worden afgeblazen – wat haar in de toekomst in zijn gezelschap schichtig zou maken, waardoor ze elke poging tot hofmakerij van zijn kant, hoe subtiel ook, verdacht zou vinden. Hij zuchtte. Zijn donkerogige lieveling maakte de dingen voor hen allemaal behoorlijk lastig.

Ongelukkig schreef hij zijn antwoord op Modesty's plan dat uit een enkel woord bestond: nee.

Modesty las zijn antwoord en schudde haar hoofd. Ondanks zijn reputatie was Patrick Blackburne eerbaarder dan goed voor hem was. Ze ging zitten en schreef een volgende bericht. Ze gaf het Tillman met dezelfde instructie als bij haar eerdere brieven en wachtte ongeduldig op een antwoord. Ze hoefde niet lang te wachten en deze keer kreeg ze het antwoord dat ze wilde hebben.

Na Modesty's briefje te hebben beantwoord schreef Patrick onmiddellijk aan Thea dat, hoewel hij teleurgesteld was door haar besluit, hij haar gevoelens volkomen begreep. Hij hoopte dat ze hem desondanks zou toestaan op bezoek te komen en haar af en toe naar de stad mocht begeleiden. Thea antwoordde prompt: als hij maar begreep dat er tussen hen alleen maar vriendschap zou kunnen bestaan, zou het haar verheugen hem zo nu en dan te ontmoeten.

Hij grinnikte toen hij Thea's preutse briefje op maandagochtend las. Als zij dacht dat er alleen vriendschap tussen hen was, misleidde ze zichzelf! En als ze dacht dat hij zijn handen van haar af zou kunnen houden, was ze gek!

Hij zette Thea een ogenblik uit zijn hoofd en richtte zijn gedachten op Ellsworth. Een ding was duidelijk: hij moest Ellsworth in Surrey opzoeken.

Kijkend naar de afspraken in zijn agenda besefte hij dat een reisje naar Surrey tot woensdag of donderdag zou moeten wachten – hij had een sociale verplichting die hij niet met goed fatsoen kon afzeggen, en wel op donderdagavond een diner bij zijn moeder; ze had erop gestaan dat hij zou komen.

Even overwoog hij binnen een uur te vertrekken en donderdagavond op tijd terug te keren voor Lady Caldecotts diner. Na een snelle blik op de klok en het weer buiten zette hij dat plan uit zijn hoofd. Het was al bijna twaalf uur en het had de hele ochtend geregend. Hij trok een gezicht. Tegen beter weten in door de stromende regen over modderige wegen rijden, was niet zijn favoriete tijdverdrijf. Ellsworth kon wachten.

In het besef dat zijn donkerogige lieveling enige tijd nodig zou hebben om aan hun nieuwe overeenkomst te wennen, zag Patrick ervan af haar te bezoeken, hoewel zijn instinct hem aandreef dat te doen. Ze domineerde zijn gedachten, en als hij niet zo onzeker over de afloop was, had hij de situatie misschien amusant gevonden. Hier was hij, beschouwd als losbol onder losbollen, maar hij ontdekte dat hij wat Thea betrof zo kwetsbaar en onzeker was alsof hij voor het eerst van zijn leven verliefd was.

Patrick schrok op. Verliefd? Een glimlach verspreidde zich over zijn grimmige gezicht. Wees blij! Hij was verliefd! En het wezen dat zijn zwarte hart had gevangen (als hij de roddels mocht geloven) was niemand minder dan de beruchte Thea Garrett. Patrick lachte hardop. Het paste perfect, dacht hij, een losbol en een schandelijke dame. O, wat een paar zouden ze vormen. Hij kon nauwelijks wachten tot Tony en Arabella zijn Thea zouden ontmoeten. Zij zouden, hij wist het zeker, gecharmeerd zijn.

Patrick had niet verwacht dat hij van het diner dat zijn moeder gaf zou genieten, en hij had zich voorbereid op een saai avondje. Aangezien hij haar op de hoogte wilde brengen van de huidige ontwikkelingen, arriveerde hij vroeg om enkele ogenblikken met haar alleen te kunnen praten voordat de gasten zouden aankomen.

Lady Caldecott zag er koninklijk uit. Haar kapsel was met parels en diamanten versierd, en in haar verfijnde kanten japon leek ze op en top de aristocrate die ze was.

Moeder en zoon spraken elkaar even in haar boudoir. Patrick vertelde haar alles wat hij had ontdekt en legde haar uit dat hij van plan was Ellsworth zo snel mogelijk te gaan bezoeken.

Met bezorgdheid in haar ogen vroeg Lady Caldecott: 'Denk je dat hij de man is die mij heeft gechanteerd?'

'Dat, of in samenwerking met de kerel die de eigenlijke chantage deed.'

Lady Caldecott aarzelde. 'Er zijn geen eisen meer geweest. Misschien moeten we de kwestie voorlopig gewoon laten rusten? Moeten we slapende honden niet gewoon laten slapen? Ik wil niet dat je jezelf in gevaar brengt.' Haar hand lag op zijn arm, haar ogen waren op zijn gezicht gericht. 'Je bent mijn enige kind. Ik ben nooit een demonstratieve vrouw geweest, noch iemand die makkelijk over hartsaangelegenheden praat, maar ik hou van je, mijn zoon, en als jou iets zou overkomen –' haar stem stierf weg. Ze glimlachte, maar met betraande ogen. 'Nu ik ouder word vind ik dat ik steeds sentimenteler ben.'

Er was een tijd geweest dat Patrick zijn moeder voornamelijk als een kille society-matrone had beschouwd. Nog maar sinds kort was hij de vrouw achter het beleefde uiterlijk gaan ontdekken. Vanwege de chanteur had hij meer tijd in zijn moeders gezelschap doorgebracht dan in de afgelopen tien jaar. Hij was zich als nooit tevoren bewust van haar warme, hartelijke karakter, en nu hij wist dat ze eens intens en onstuimig had liefgehad, zag hij haar heel anders. Haar kwetsbaarheid tegenover de chanteur en haar smeekbede om zijn hulp hadden al zijn beschermende instincten gewekt, en een hoekje in zijn hart geraakt waarvan hij had gedacht dat het voor haar gesloten was.

Geroerd door haar woorden kuste Patrick haar geurige wang. 'Het moet een familietrekje zijn,' zei hij, 'want ik vind dat dingen waar ik vroeger geen belang aan hechtte, bij het voortschrijden van de jaren steeds belangrijker gaan worden. En jouw genegenheid is een van die dingen.' Zijn gezicht verzachtte. 'Ik hou van je, mama – en ik zal proberen mezelf buiten gevaar te houden.'

Haar bezorgde blik verdween niet, en Patrick glimlachte breed. 'Je kent me, mama – ik heb deelgenomen aan duels en ik heb streken uitgehaald, maar er is me nooit iets overkomen. Zoals je eens zelf hebt gezegd – de duivel zorgt voor zichzelf. Maak je over mij geen zorgen.'

'Waarom vervullen je woorden me dan met de grootste angst?' vroeg ze droogjes.

Hij grinnikte en drukte weer een kus op haar wang. 'Maak je geen zorgen, mama. Er zal me niets overkomen – ik zweer het. Zullen we nu maar naar beneden gaan en op je gasten wachten?'

Patrick, met nog steeds het idee dat het een saaie avond zou worden, was verheugd toen hij Modesty en Thea te midden van de gasten voor het zeer exclusieve diner van Lady Caldecott ontdekte. Hij had met de oude Lord Markley staan praten, met andere woorden, staan luisteren naar diens gezeur over de wilde jeugd van tegenwoordig die geen respect voor ouderen toonde, toen hij vanuit zijn ooghoek een flits van stralende kleuren opving.

Zijn blik dwaalde door de omvangrijke salon van zijn moeder en zijn hart sprong op toen hij Thea ontdekte, die er in een japon van wijnrode zijde oogverblindend uitzag, terwijl ze Lord en Lady Caldecott begroette. Vergezeld door een ouder paar dat hij niet herkende, stonden Modesty en Thea met zijn moeder en stiefvader te praten. Te oordelen naar de glimlachjes en het geanimeerde gesprek was het duidelijk, ook al had Modesty daar niet op gezinspeeld, dat zijn moeder en zij meer dan alleen kennissen waren. Lady Caldecott begroette ook de lange, knappe man en zijn mollige vrouwtje met meer dan alleen de gebruikelijke beleefdheid. Patrick was plotseling heel nieuwsgierig naar hen.

Patrick liet Lord Markley midden in zijn jammerverhaal alleen en overbrugde de afstand tussen hem en de groep bij de dubbele deuren van de salon.

Met een beleefde buiging begroette hij Thea en Modesty, en wachtte tot zijn moeder hem aan het andere paar voorstelde.

'Ah, je hebt Lord en Lady Garrett nooit ontmoet, is het wel, lieverd?' mompelde Lady Caldecott met een glimlach naar haar zoon. 'Sta me toe ze aan je voor te stellen – het zijn Miss Garretts tante en oom die van het platteland naar Londen zijn gekomen om hier een tijdje te blijven. Ik beschouw hen als enkelen van mijn dierbaarste vrienden. We kennen elkaar al jaren.'

Handen werden gegeven, en Patrick zag meteen dat Thea haar donkere haar van zijn kant van de familie moest hebben. Lord Garrett had dezelfde bijna zwarte ogen en de manier van kijken waarin hij Thea meteen herkende.

'Het is me een genoegen u beiden te ontmoeten,' zei Patrick, en boog zich over Lady Garretts handje. 'Ik hoop dat u van uw bezoek zult genieten.'

Lady Garretts vriendelijke gezicht straalde hem met een warme glimlach aan. 'O, dat doen we! Het is een groot genoegen u eindelijk te ontmoeten – uw moeder heeft het zo vaak over u gehad, maar we lijken altijd net op het platteland te vertoeven wanneer u Londen bezoekt.'

'We hebben elkaar verscheidene maanden niet gezien en nu hebben we veel roddels uit te wisselen,' zei Patricks moeder. 'Waarom leidt jij Miss Garrett niet even rond om haar voor te stellen? Ik geloof dat ze niet veel andere gasten kent.'

Aangezien hij al naar een manier had gezocht om Thea van de groep weg te loodsen, keek Patrick haar stralend aan. 'Het zal me een genoegen zijn.' Hij legde Thea's hand op zijn arm en voerde haar mee.

De vijf oudere mensen spraken een tijdje met elkaar voordat Lord en Lady Garrett door een oude vriend werden begroet en met hem wegliepen.

Eindelijk vrij om Thea en Patrick gade te slaan, keken Modesty en Lady Caldecott naar hen. Lord Caldecott sloeg hen ook gade, waarbij hij een lichte frons op zijn voorhoofd kreeg.

Geen van beide dames leek iets te gaan zeggen, dus vroeg hij: 'Eh, denk je dat dit verstandig is, liefje?'

Lady Caldecott keek nadenkend, haar gedachten bij de vrouw die ze tientallen jaren geleden was geweest, een getrouwde vrouw met een buitenechtelijke verhouding. Hoe kon ze Thea iets kwalijk nemen terwijl haar eigen verleden op haar geweten drukte? Als haar affaire was uitgekomen, zou ze net zo geruïneerd zijn geweest als Thea. Wie was zij om op haar neer te kijken of te veroordelen?

'Verstand heeft er weinig mee te maken. Ik verlang er al zo lang naar dat Patrick gaat trouwen,' zei Lady Caldecott, 'en Miss Garrett is niet alleen de eerste vrouw met wie hij plannen in die richting schijnt te hebben, ze is de *enige* vrouw.' Haar blik werd weemoedig. 'Patricks geluk is het enige dat telt, en als zij hem gelukkig maakt, dan zal ik gelukkig zijn.' Ze glimlachte naar Modesty. 'Bovendien is Thea verwant aan een van mijn dierbaarste vriendinnen – hoe zou ik tegen een dergelijke verbintenis kunnen zijn? Het mag dan misschien niet de verbintenis zijn waarop ik voor hem had gehoopt, maar in de ogen van haar familie is híj misschien ook niet degene op wie ze hadden gehoopt!'

'Ach ja, dat is maar al te waar,' mompelde Lord Caldecott, 'maar haar verleden dan? Baart je dat geen zorgen?'

Modesty sprong briesend in de verdediging. 'Haar familie en fortuin zijn meer dan respectabel. En wat het schandaal betreft – dat was tien jaar geleden. Mijn arme schat heeft niets verkeerds gedaan – behalve de woorden van een bedrieger geloven!' Ze keek Lord Caldecott aan. 'En u doet er goed aan te bedenken dat uw stiefzoon geen engel is!' Ze keek Lady Caldecott verontschuldigend aan. 'Ik weet dat hij jouw zoon is, Alice, en ik zou nooit iets zeggen om jou te kwetsen, dat weet je. De helft van wat ik van hem weet, heb ik van jou gehoord, en je zou de eerste zijn om toe te geven dat het woord "engel" niet op hem van toepassing is.'

'Absoluut!' beaamde Lady Caldecott, met twinkelende ogen. 'Als zijn moeder zou ik de eerste zijn, hoe spijtig ook, om *dat* toe te geven. Hij is wild, roekeloos, koppig en aanmatigend. Zijn daden hebben me vaak tot wanhoop gedreven, en terwijl de jaren voorbijgingen was het punt dat me het meest deed wanhopen het feit dat hij nooit zou trouwen – of als hij dat wel zou doen, het met iemand zou zijn die volkomen ongeschikt was.' Ze keek weer naar het jongere paar, terwijl Patrick Thea aan Lord Markley voorstelde. Een zachte glimlach speelde om haar lippen. 'Thea zal heel goed bij hem passen. Uitstekend zelfs.'

Nadat hij zijn plicht had gedaan en Thea aan de gasten van zijn moeder had voorgesteld, besloot Patrick dat hij nu zichzelf kon gaan amuseren. Maar voordat hij dat kon gaan doen, en Thea even onder de aandacht van enkele hoge gasten kon weglokken, bleef ze plotseling staan. 'Ach, daar is oom Hazlett! Wat geweldig!' riep ze uit.

Ze liet Patrick staan en begaf zich naar de gezette man in een schitterende blauwe mantel die met Lord Garrett stond te praten. Ze haastte zich naar hem toe en drukte een kus op zijn wang.

'Oom! Ik verwachtte je hier vanavond niet.'

Lord Hazlett glimlachte. 'Waarom niet? Lord Caldecott en ik kennen elkaar al jaren.' Zijn ogen twinkelden. 'Jij bent niet de enige, liefje, die zich in de society begeeft. Hoe gaat het de laatste tijd met je?'

Voordat Thea kon antwoorden, verscheen Patrick naast haar en hij boog beleefd naar Lord Hazlett. 'My lord. Hoe maakt u het vanavond?'

Patrick kende Lord Hazlett oppervlakkig, en het verbaasde hem te horen dat hij Thea's oom van moederszijde was. Maar eigenlijk was zijn verbazing overbodig – de aristocratie met al zijn macht omvatte in vergelijking tot heel Engeland slechts een erg kleine groep.

Het diner werd aangekondigd, en op dat moment gaf Patrick de hoop op enkele minuten alleen met Thea te kunnen zijn. Zijn mooie mond vertrok. Nou ja, waarschijnlijk was dat ook het beste. Ze hield hem op armlengte, en elke plotselinge beweging van hem zou haar waarschijnlijk meteen naar Modesty's zijde doen vluchten – of naar een van haar ooms. Hij zuchtte. Hij zou het langzaamaan moeten doen. Jammer genoeg was geduld nooit zijn sterkste kant geweest.

Patrick zou een stuk opgewekter zijn geweest als hij had geweten hoe moeilijk het voor Thea was om hem op armlengte te houden. Iedere keer dat ze naar hem keek, begon haar hart wild te kloppen. Hij was zo knap. En charmant. En groot. En opwindend. En, o, gewoon alles. Was ze een grote dwaas om zijn aanbod, zijn maîtresse te worden, af te slaan?

Een lichte frons tekende haar voorhoofd. Misschien had hij haar niet echt in die hoedanigheid willen hebben? Uiteindelijk had hij haar weigering zonder enig protest aanvaard. Als hij haar echt zo graag had gewild, had hij haar toch niet zo makkelijk opgegeven? Als hij haar werkelijk als zijn maîtresse had willen hebben, zou hij dan niet hebben geprobeerd haar van gedachten te doen veranderen?

Ze wierp hem een verslagen blik toe en bloosde charmant toen hij zag dat ze naar hem keek en bleef kijken. Hij glimlachte zo warm en uitnodigend dat Thea's tenen in haar satijnen muiltjes krulden. Ze was gewoon een dwaas! Een absolute dwaas, omdat ze zichzelf het genot van zijn vrijerij had ontzegd.

Patrick dacht bijna hetzelfde, terwijl zijn blik waarderend over haar blozende gelaatstrekken en haar slanke, blanke schouders boven haar japon gleed. Ze was alles wat hij wilde hebben, en zijn lichaam bewoog van puur verlangen. Hij zuchtte. Nee, geduld was absoluut niet een van zijn sterkste kanten!

Ten slotte kwam er een eind aan het langdurige diner. Er waren vijftig gasten bijeen rond de met linnen gedekte tafel – Lady Caldecotts idee van een 'klein, intiem' gezelschap van dierbare vrienden – en Patrick vroeg zich af wat ze een groots diner zou noemen.

Hij zag dat zijn moeder opstond van haar plaats aan het hoofd van de tafel, en kreunde bijna. Het diner was al saai genoeg geweest, en nu zouden de dames zich terugtrekken en hij zou niet meer naar Thea's lieflijke gezicht tegenover hem kunnen kijken. Hij zou op z'n minst een glas port met de heren moeten drinken voordat hij uit de eetkamer kon ontsnappen.

Lady Caldecott tikte glimlachend met een lepel tegen haar kristallen glas. Toen alle gasten haar kant uit keken, zei ze: 'Ik heb iets aan te kondigen – iets dat me erg gelukkig maakt, een aankondiging die ik had gedacht nooit bekend te kunnen maken.'

Ze glimlachte warm naar Patrick, en een afschuwelijke gedachte schoot plotseling door hem heen. Hij keek snel naar Modesty en haar zedige houding zond een kille huivering langs zijn ruggengraat. O, nee! Ze zouden het nu doen!

'Ik wil hier de verloving bekendmaken van mijn dierbare zoon, Patrick, met de zeer charmante Thea Garrett. Er is al een bericht naar de *Times* gestuurd en morgen zal er een advertentie in de krant komen te staan.' Na een korte stilte sloot ze de val. 'De haast waarmee hun huwelijk is gepland mag misschien ongebruikelijk zijn, maar aangezien zovelen van onze vrienden en bekenden de stad voor de winter al hebben verlaten, is er geen reden voor uitstel. Vergeet niet – de eisen die de plantage van mijn zoon in Amerika stelt beperken zijn verblijf in Engeland. Ik geloof dat hij van plan is over een paar weken naar Amerika te vertrekken – en zijn bruid mee te nemen. Ze zullen, met speciale toestemming, aanstaande zaterdag trouwen.' Ze keek de tafel glimlachend rond, snel langs Patricks verstarde gelaatstrekken en langs Thea's wezenloze gezicht. 'Jullie zijn allemaal uitgenodigd. Lord en Lady Garrett hebben al ingestemd om mijn echtgenoot en mij de huwelijksreceptie hier te laten geven.' Lady Caldecott straalde. 'Is het niet fantastisch!'

Hoofdstuk 10

'Je bent de meest achterbakse, valse, verdorven persoon die ik ooit heb gekend!' barste Thea uit zodra ze alleen met haar verloofde was. 'Hoe heb ik je kunnen vertrouwen? Je hebt iedereen voorgelogen – zelfs je eigen moeder. Hoe kón je! Ik dacht dat ik het gemeenste beest op aarde voor me had toen Hawley Randall mij bedroog, maar jíj!' Woorden schoten haar tekort, en ze sloot haar mond met een hoorbare klap die Patrick met zijn ogen deed knipperen.

In de duisternis van de koets die hen naar Thea's huis in Londen bracht, kon Patrick haar gelaatstrekken niet duidelijk zien, maar hij twijfelde niet over haar gevoelens. Hij trok een grimas. Hij nam haar die gevoelens ook niet kwalijk. Zijn moeder en Modesty hadden het bekokstoofd, en hoewel hij wist dat hij onschuldig was aan alle misdaden die zijn aanstaande bruid hem voor de voeten wierp, was het onaannemelijk dat ze zijn protesten om het tegendeel te bewijzen zou geloven.

Gelukkig had ze wel gewacht tot ze alleen waren om haar woede te uiten, dacht Patrick, en daarvoor was hij haar dankbaar. En ze had de aankondiging van zijn moeder niet in het openbaar weersproken – waar hij haar nog dankbaarder voor was. Hij wilde met Thea trouwen.

Hij was van plan met Thea te trouwen. En hoewel hij de dingen liever op zijn eigen manier had willen regelen, was hij niet van plan de huidige situatie te veranderen. Zijn moeder en Modesty hadden misschien wel de gemeenste val opgesteld die hij ooit had gezien, maar hij was niet van plan eruit te ontsnappen. Niet nu hij er met de donkerogige helleveeg in zat die zijn hart had gestolen.

'Je bent gemeen!' verklaarde Thea. 'Gemeen en principeloos, en ik zal níet met je trouwen! Al was je de laatste man op aarde! Als was je –'

'Ja, dat doe je wel,' mompelde Patrick, en trok haar van haar zitplaats tegenover hem in de koets.

'Laat me los!' hijgde Thea, worstelend om aan zijn greep te ontkomen. 'Wie denk je wel dat je bent? Laat me ogenblikkelijk los, schurk die je bent.'

Ze was een hoop trillende razernij, maar Patrick zette haar moeiteloos op zijn schoot. Hij begreep haar gevoelens, maar of ze het leuk vonden of niet, ze waren daadwerkelijk gevangen door een paar samenzweerders zoals hij ze nog nooit had ontmoet. Geen enkele woedeaanval zou iets aan de dingen kunnen veranderen, en Thea moest beseffen dat ze er het beste van moesten gaan maken. Ze zouden trouwen. Aanstaande zaterdag.

Hij bedwong haar pogingen aan hem te ontkomen, en vroeg: 'Geloof je me als ik je zeg dat ik niets met de dingen te maken heb die er vanavond zijn gebeurd? Dat de aankondiging van mijn moeder net zo'n schok voor mij was als voor jou? Geloof je me als ik vertel dat mijn moeder en Modesty hun hoofden bij elkaar hebben gestoken en ons beiden hebben beetgenomen? Dat ik net zo onschuldig ben als jij?'

Thea keek hem aan. 'Nee,' bitste ze. 'En jij bent laakbaar in je poging de twee vriendelijkste, fijnste vrouwen de schuld te geven van je eigen dubbelhartigheid.'

Patrick zuchtte. Hij had niet gedacht dat ze hem zou geloven, maar het was het proberen waard geweest. 'Wat wil je dat ik doe, lieveling?' vroeg hij. 'Zal ik de *Times* schrijven en ze vertellen dat de aankondiging een vergissing is? Dat mijn moeder heeft gelogen? Een rectificatie laten plaatsen? Zou je dat willen? Het zou op zijn minst een nog grotere storm van roddels veroorzaken dan het nieuws van onze verloving. Misschien wil je graag het onderwerp van roddels zijn?'

Thea haalde woedend adem. 'Wat een stomme opmerking! Natuurlijk wil ik niet het onderwerp van roddels zijn. Na wat ik heb doorgemaakt denk je zeker dat ik het leuk vind om berucht te zijn. Ben je gek?'

Hij glimlachte. 'Alleen op jou, lieveling. Alleen op jou.'

Thea staarde hem aan, geloofde hem geen moment. Maar ze was zich erg van hem bewust en wilde dat ze dat niet was. Ze wilde dat ze hem net zo gemeen en weerzinwekkend vond als ze beweerde. Maar dat was niet zo. Erger, ze was zich van hem bewust op een manier die haar een ongemakkelijk gevoel bezorgde. Zijn stevige dijen waren onder haar billen, zijn armen hielden haar gevangen, en zijn mond was vlak bij de hare. Ze was zich erg bewust van zijn mond, herinneringen aan zijn aanraking, de zoete gevoelens die ze wekten, die door haar heen golfden. O, bah! Hij had haar emoties in verwarring gebracht en op dit moment haatte ze hem. Hij had haar erin laten lopen. Haar bedrogen. Zijn arme moeder en lieve Modesty voor zijn karretje gespannen – en nu probeerde hij hun de schuld te geven!

Haar kin schoot omhoog. 'Waarom zou ik je geloven? Ik weet dat je niet met me wilt trouwen – je wilde me als je maîtresse.' Ze snakte naar adem toen er een gedachte in haar opkwam. 'Je hebt dit gedaan omdat ik niet je maîtresse wilde worden!' Haar ogen werden spleetjes. 'Wraak! Dat is de reden waarom je dit doet. Omdat ik van gedachten was veranderd, neem je wraak door me te dwingen met je te trouwen.'

Patrick onderdrukte een lach. Alleen Thea zou geloven dat het eerbaarder was zijn maîtresse te worden dan zijn vrouw.

'Weet je zeker dat je er niet nog wat langer over wilt nadenken?' plaagde hij. 'De meeste vrouwen zouden blij zijn met een huwelijksaanzoek.'

Thea kruiste haar armen voor haar borst. 'Als ik het me goed herinner heb je me geen aanzoek gedaan. Althans niet voor een huwelijk.'

Zijn lippen vertrokken. 'Goed dan.' Hij boog zijn hoofd en zijn lippen beroerden de hare. 'Thea Garrett, wil je me de grote eer doen om mijn vrouw te worden? Alsjeblieft?'

Thea's hart sprong bijna uit haar borst toen zijn lippen haar mond bedekten, en haar maag leek wel naar haar schoenen gezakt. Maar ze zou zich niet door hem laten afleiden – hoe aangenaam het ook was. Haar lippen tintelden door zijn lichte liefkozing en ze moest al haar krachten verzamelen.

Zo ver van hem af als de ruimte en zijn armen toelieten, antwoordde ze van ganser harte: 'Absoluut niet!'

'Je wijst me te snel af, lieveling,' zei Patrick. 'Maar ik vrees dat je geen keus hebt – ook al zouden alle gasten van vanavond zweren dat ze zouden zwijgen, is er altijd nog die verdraaide advertentie voor de *Times*.'

Thea staarde hem even aan, haar gedachten in chaos. Zou het zo verschrikkelijk zijn om met hem getrouwd te zijn? In haar hart wist ze het antwoord op die vraag, en hoewel ze zich als een gek tot hem voelde aangetrokken, veranderde dat niets aan het feit dat ze hem wantrouwde en zijn motieven niet begreep. Dat iemand als Patrick Blackburne daadwerkelijk met haar wilde trouwen was nooit bij haar opgekomen – ondanks de gebeurtenis in haar verleden en haar schijnbaar hernieuwde acceptatie in de kern van de bon ton, was zij nooit vergeten dat ze een geruïneerde vrouw was en dat ze de dood van haar broer had veroorzaakt. Ze wist niet wat ze van Patrick moest denken. Zijn reputatie scheen hem niet te hinderen... en haar roekeloze daden, zoals de trip naar een zeker huis aan Curzon Street, hadden hem schijnbaar niet afkerig van haar gemaakt. Was het haar reputatie die hem aantrok? Gebruikte hij haar om een lange neus naar de society te trekken? Dacht hij dat haar verleden een inschikkelijke vrouw van haar zou maken, bereid een oogje dicht te knijpen voor de andere vrouwen in zijn leven?

Met een ellendig gevoel keek ze uit het raam van de koets naar buiten. De richting van haar gedachten stond haar niet aan, maar ze kon niets anders bedenken. Alles in haar kwam in opstand bij de gedachte dat hij zo afgestompt was, zo berekenend, maar ze kon niet ontkennen dat hij haar met een list tot een huwelijk had gedwongen – om wat voor redenen dan ook. Ineens werd het haar allemaal te veel. Haar emoties verscheurden haar, haar hart trok de ene kant op, vorige ervaringen naar de andere. Twee dingen waren onontkoombaar: hij trok haar aan op een manier die ze niet kon verklaren, en hoewel ze er kwaad en gebelgd over was, hadden de aankondiging in een salon vol leiders van de bon ton en het afschuwelijke bericht naar de *Times* haar lot bezegeld. Ze zou met Patrick Blackburne trouwen.

Op neutrale toon zei ze: 'Ik kan niet tegenspreken wat je zegt. Mijn familie lijkt verrukt te zijn over de verbintenis, en ik wil veel doen om hen te plezieren.' Ze keek hem onvriendelijk aan. 'Zelfs met je trouwen.'

'Als je maar met me trouwt,' mompelde Patrick, beschaamd over de triomf die hem overspoelde. Ze zou zijn vrouw worden, en hij zou haar verwennen en verleiden en eisen dat ze van hem zou houden. En als hij haar hart had gewonnen zou hij zijn eigen hart aan haar voeten leggen. Vol verwachting van de strijd die hij moest aangaan om haar liefde te winnen, trok hij haar tegen zich aan en bedekte haar mond met de zijne. Hij kuste haar met alle gretigheid die hij had onderdrukt, met al het verlangen dat hij vanbinnen voelde.

Thea verstijfde in zijn omhelzing. Ze was niet in de stemming om te vrijen, zeker niet voor de pret alleen, maar haar lichaam, haar hart, hadden andere ideetjes. Terwijl zijn armen strakker om haar heen sloten en zijn kus zich verdiepte, werd haar verlangen tot leven gewekt, en alle gedachten zich tegen hem te verzetten, verdwenen als sneeuw voor de zon. Ze hield van hem – sukkel die ze was! Met een halve zucht, halve snik, sloeg ze haar armen om zijn nek en drukte zich heftig tegen hem aan, beantwoordde zijn kus.

Ze was zoet en meegevend, haar lippen zacht en gewillig, ze smaakte betoverend, en Patrick nam alles wat hem werd geboden. Als goede wijn steeg ze hem onmiddellijk naar het hoofd, zijn ademhaling kwam hijgend en de pijn tussen zijn benen werd plotseling ondraaglijk.

Zonder het schommelen van de koets op te merken, of dat ze haar huis naderden, kuste Patrick haar met groeiende hartstocht, zijn stijve lid drukte dwingend tegen haar billen, de zachte zwelling van haar boezem brandde tegen zijn borst. Hij moest haar aanraken. Hij moest.

Zijn hand greep haar borst, omvatte hem zacht voor hij zijn reis naar beneden voortzette. De plooien van haar zijden rokken hinderden hem slechts licht, en hij kreunde toen zijn hand ten slotte haar naakte been eronder vond.

Dronken en duizelig klemde Thea zich aan hem vast, zijn warme strelingen zonden verrukkelijke opwindende gevoelens door haar heen. Toen hij haar dijbeen omvatte en de rondingen zacht kneedde, kreunde ze onwillekeurig. Zoiets had ze nog nooit gevoeld, echt nog nooit. Ze had overal pijn. Ze wilde dat hij haar overal aanraakte. En het meest verlangde ze ernaar dat hij zijn verkenningstocht zou voortzetten. Toen hij dat deed, toen zijn zoekende vingers uiteindelijk het plekje tussen haar benen vonden, trok er een huivering door haar heen. Overrompeld door onbekende gevoelens kronkelde Thea op zijn schoot, het gevoel van zijn gezwollen schacht die tegen haar billen drukte vergrootte het tumult in haar binnenste.

'Je benen, lieveling, doe ze vaneen, laat me je aanraken,' mompelde Patrick tegen haar mond, haar achterover duwend.

Dronken van opwinding gehoorzaamde Thea hem. Wat moest ze anders? Iedere zenuw in haar slanke lichaam wilde dat deze magie doorging. Haar geest en lichaam werden in een pijnlijk verlangen verenigd, maar Patricks aanraking, op het moment dat hij het tere vlees onder de dikke krulletjes uiteen duwde en liefkoosde, maakte de pijn alleen maar heviger, en ze huiverde weer. Hij maakte haar gek, dacht ze duizelig, hijgend en kronkelend onder zijn verkenningstocht. Plotseling gleed een van zijn vingers naar binnen en ze schreeuwde het bijna uit van genot. Primitieve, dwingende gevoelens rezen in haar op, deden haar beven, maakten haar bewust van het pure verlangen dat door haar lichaam trok.

Ze wilde hem hebben. Trillend en onzeker kuste ze hem herhaaldelijk, haar vingers woelden door zijn dikke, donkere haar, haar lichaam nodigde hem uit haar te strelen.

Evenzeer een gevangene van zijn emoties als Thea van de hare, kreunde hij onder haar uitdagende bewegingen. Hij wilde niets liever dan zich met haar verenigen, zijn hartstocht de vrije teugel geven, maar hij was zich er pijnlijk van bewust dat er geen tijd was. O, maar er was wel tijd, zei een stemmetje in zijn hoofd…

Hij deed het bijna. Hij duwde Thea bijna op de zitting, bevrijdde zichzelf bijna en zocht bijna ontlading tussen haar zachte dijen. Maar hij deed het niet. Er was een deel van hem, een verstandig deel, dat niet wilde dat hun eerste vereniging een vunzige affaire op de zitting van een koets was. Nee, niet alleen wilde hij niet dat hun allereerste keer onder deze omstandigheden plaatsvond, maar hij wilde tijd. Tijd om haar genot te geven, tijd om haar de vreugden te leren die een man en een vrouw konden delen.

Die gedachte was nauwelijks bij hem opgekomen, toen de koets vaart minderde en stopte. Hij slikte een steek van frustratie in en trok spijtig zijn hand onder haar rok vandaan, waarna hij haar op de zitplaats tegenover hem zette.

'Ik ben bang,' mompelde hij, 'dat we ons genot nog een tijdje moeten uitstellen. Je bent thuis.'

Thea staarde hem hol aan. Nu haar lichaam nog in brand stond door het verlangen dat hij in haar had gewekt, duurde het een ogenblik om tot de werkelijkheid terug te keren, en terwijl dat gebeurde, stroomde er schaamte en ergernis door haar heen.

Plotseling gehaast om aan Patrick te ontkomen, voordat hij de reden wist, dook ze naar de deur van de koets, wrong hem open en sprong naar buiten. Toen hij haar wilde volgen, stak ze haar hand op.

'Niet doen,' zei ze met trillende stem. 'Ik wil je gezelschap niet. Laat me met rust.'

Zijn lippen verstrakten. 'Dat zal een beetje moeilijk gaan aangezien we verloofd zijn.'

Thea onderdrukte een snik, overweldigd door de hele situatie. 'Laat me met rust,' herhaalde ze, waarna ze haar rokken bijeengreep, de stoep op vloog en in het huis verdween.

Patrick onderdrukte een vloek en plofte terug op de zitplaats. Hij opende de scheidingswand tussen hem en de koetsier, en snauwde: 'Naar White's.'

Eenmaal voor de ingang van de club, liep Patrick de stoep op en ging naar binnen. Hij was al lid van de club sinds zijn vader zijn naam voor toelating had opgegeven, wat inmiddels een eeuwigheid geleden leek. Aangezien de avond in de ogen van zijn vrienden en hem nog jong was, verbaasde het Patrick niet dat er nog een handjevol kennissen rond een van de speeltafels stond.

Hij sloeg het spel een poosje gade tot hij Lord Embry's blik ving. Gebarend dat hij hem onder vier ogen wilde spreken, wachtte hij tot Embry zich kon excuseren. Paxton die het zag gebeuren, fronste zijn wenkbrauwen. Patrick trok een gezicht. Een ogenblik later gooide ook Paxton zijn kaarten neer en verliet de tafel.

Geflankeerd door zijn twee vrienden begaf Patrick zich naar een rustig hoekje. Toen de drie vrienden waren gezeten en een glas port voor zich hadden staan, zei Patrick: 'Ik heb jullie iets te vertellen. Zodra ik dat heb gedaan, ben ik van plan erg dronken te worden. Doen jullie mee?'

'Ach, ik heb er geen bezwaar tegen samen met jou dronken te worden,' antwoordde Nigel. 'Dat heb ik al in geen drie dagen gedaan.'

Adam glimlachte en hief zijn glas in Patricks richting.

'Het lijkt me een plezierige manier om de avond door te komen.'

Patrick nam een grote slok van zijn port. Kijkend naar de afwachtende gezichten van zijn vrienden, zei hij: 'Ik wil dat jullie bij de eersten horen die het weten – ik ga trouwen – al gauw. Morgen staat de aankondiging in de *Times*. Het huwelijk zal zaterdagmiddag worden gesloten – in het huis van mijn moeder.' Een glimlach krulde zijn lippen bij het zien van de verbaasde uitdrukking op het gezicht van Embry en Paxton. 'Het zal jullie verheugen dat Thea Garrett mijn aanstaande bruid is.' Nigel hapte naar adem, Paxtons ogen rolden bijna uit hun kassen en Patrick grijnsde.

Toen Paxton en Embry hem bleven aanstaren alsof hij ineens hoorntjes op zijn hoofd had gekregen, zei hij: 'Felicitaties zijn hier wel op hun plaats, weet je.'

'Allemachtig!' sputterde Nigel. 'Ben je gek geworden? Ik heb je voor haar gewaarschuwd. Heb je wel goed naar mijn woorden geluisterd?'

De uitdrukking op Patricks gezicht maande zijn vrienden tot voorzichtigheid. 'Vergeet niet, mijn vriend, dat je het over de dame hebt met wie ik ga trouwen… moet ik nog meer zeggen?'

Nigel verbleekte. Hij beschouwde zichzelf als een dappere ziel, maar niet zo dapper dat hij het waagde een duel met Patrick te riskeren. Diens vaardigheid met zowel het pistool als het zwaard was algemeen bekend.

Paxton schraapte zijn keel. 'Eh… hoe is dat zo gekomen? Ik kan me niet herinneren dat je de dame het hof hebt gemaakt.'

Patrick glimlachte en nipte van zijn port. 'Dat heb ik gedaan, geloof me. En ik zal de eerste zijn om toe te geven dat mijn, eh, hofmakerij hoogst ongebruikelijk is geweest. Maar de dame ging erop in en ik ben van plan met haar te trouwen.'

Nigels blik verscherpte. 'Je bent verliefd op die meid!'

'Ik vrees van wel,' antwoordde Patrick met een twinkeling in zijn grijze ogen.

'Het is een verbintenis uit liefde?' vroeg Paxton, die nog steeds niet kon geloven wat hij net had gehoord.

Patrick knikte. 'Helemaal.' Hij trok een gezicht. 'Hoewel de dame me op dit moment waarschijnlijk liever zou begraven dan met me trouwen.'

'Aha!' riep Nigel uit. 'Ik heb je gewaarschuwd.' Door de blik die Patrick hem zond, klapte hij zijn mond weer dicht.

'Het huwelijk is op zaterdag, nietwaar?' informeerde Paxton, waarop Patrick knikte. 'Dan stel ik voor dat we een minder respectabele plek opzoeken waar we stomdronken kunnen worden.'

'Precies mijn idee,' antwoordde Patrick.

Terwijl Patrick met zijn vrienden bij White's was, liet Thea zich in haar slaapkamer door Maggie uit haar kleren helpen. Thea had niet echt haar hulp nodig, maar Maggie zou beledigd zijn wanneer ze geen gebruik van haar diensten maakte, en dus verdroeg ze dat Maggie de dingen deed die ze makkelijk zelf had kunnen doen.

Maggie merkte dat Thea's gezicht gespannen stond en dat haar meesteres ongewoon stil was. Toen Thea, inmiddels gekleed in een fijnlinnen nachthemd, tegen de kussens van haar bed zat genesteld, draalde Maggie met weggaan.

'Is er nog iets dat ik kan doen? Misschien iets warms te drinken te halen?' vroeg ze.

Thea schudde haar hoofd. 'Nee, dank je, Maggie. Er is niets aan de hand. Ga maar naar bed.'

Maggie aarzelde, en Thea gebaarde met haar hand. 'Ga.'

Nadat Maggie de kamer had verlaten, zat Thea in haar bed en peinsde over de grillen van het noodlot. In de afschuwelijke tijd na de dood van Hawley en Tom, was ze ervan overtuigd geweest dat ze nooit meer zou liefhebben. Ze had gezworen dat ze nooit meer de zilveren tong van een duivel zou vertrouwen. In het besef dat haar reputatie was bezoedeld en dat de wereld het wist, had ze zich voorgenomen nooit te trouwen. Daarbij had ze nooit gedacht dat een respectabele heer ooit met haar zou willen trouwen. Ze zuchtte. Op dit moment kon ze niet zeggen dat Patrick met haar wílde trouwen – het was een rare behoefte het haar betaald te zetten dat ze had geweigerd zijn maîtresse te worden.

Haar gedachten waren niet zo ingewikkeld als het leek – er waren mannen, en ze had er verscheidene gekend, die heel ver gingen om zichzelf te wreken. Het was niet ondenkbaar dat Patrick daar bij hoorde.

Ze fronste haar wenkbrauwen. Hij had nooit enig teken getoond dat hij kleingeestig was, maar je wist het nooit zeker. Uiteindelijk kende ze hem niet zo goed. Ze zuchtte weer, haar gezicht stond knorrig. Nee, ze kende hem niet zo heel goed, maar wat ze wel wist, was dat ze hem heel erg aantrekkelijk vond.

Ze was zich bewust geweest van Modesty's thuiskomst. Enkele minuten eerder had ze de deur naar haar kamers horen openen en dichtdoen. Tegen het eind van de avond had ze begrepen dat Lord en Lady Garrett hadden aangeboden Modesty in hun rijtuig thuis te brengen. Aangezien het onwaarschijnlijk was dat Modesty niet over de gebeurtenissen van de avond wilde praten, vermande Thea zich voor een bezoekje.

Ze hoefde niet lang te wachten. Er werd zacht op de deur geklopt en Modesty kwam in een zijden kamerjas over haar nachthemd Thea's slaapkamer binnen.

Nadat ze de deur achter zich had gesloten, liep ze de kamer door en ging op de rand van het bed zitten. 'Ik hoopte dat je nog niet was gaan slapen. Ik was zo blij dat ik nog licht onder je deur zag.' Ze pakte Thea's hand en klopte erop. 'Nou, kuikentje,' zei ze met een glimlach, 'het was bepaald een gedenkwaardig avondje, nietwaar?'

Thea glimlachte flets. 'Zeg dat wel.' Ze keek Modesty vragend aan. 'Was jij net zo ondersteboven als ik?'

Modesty staarde naar haar schoot. 'Niet echt,' gaf ze toe. 'Het was me duidelijk geworden dat meneer Blackburne behoorlijk onder de indruk van je was.'

Thea zuchtte. 'Hij wilde me als zijn maîtresse, Modesty, niet als zijn vrouw.'

'Als dat het geval was, wat had dat van vanavond dan te betekenen?'

Thea trok een gezicht. 'Ik weet het niet. Ik weet alleen dat toen Lady Caldecott haar aankondiging deed, ik stomverbaasd was. Het woord trouwen is tussen Patrick en mij nooit gevallen.' Een flits van achterdocht verscheen in haar ogen. 'Wist jij hiervan? En mijn ooms ook? Wist iedereen behalve ik dat dit gepland was?'

Modesty leek verbaasd. 'Thea! Hoe kun je zoiets denken? Denk je nou echt dat ik, eh, wij zo laag zijn gezonken… dat je familie je tot een huwelijk kan dwingen met iemand die je niet wilt? Ik moet bekennen dat ik dit gesprek hoogst verontrustend vind. Wil je me vertellen dat je níet met meneer Blackburne wilt trouwen?'

'N-n-n-nee,' bekende Thea, 'niet precies.'

'Wat is er dan?' vroeg Modesty. 'Ben jij niet de jonge vrouw die me een paar dagen geleden vertelde dat je verliefd op hem bent? Zijn je gevoelens veranderd?'

Thea schudde haar hoofd, ze zag er verward en ellendig uit. 'Ik hou van hem. Ik begrijp alleen niet hoe hij het ene moment wil dat ik zijn maîtresse word en vervolgens laat aankondigen dat we zaterdag gaan trouwen! Zonder een verschrikkelijk schandaal te veroorzaken heb ik geen andere keus dan met hem te trouwen.' Onzeker vervolgde ze: 'Je denkt toch niet dat hij een lange neus tegen de society wil trekken of probeert me terug te pakken vanwege mijn weigering zijn maîtresse te worden?'

Modesty's wenkbrauwen vlogen omhoog. 'Wat een belachelijk idee! Een heer van meneer Blackburnes kaliber zou nooit zo laag zinken. Trouwens, lijkt het je niet een wanhopige stap voor zoiets kleins?'

'Ik veronderstel dat je gelijk hebt,' gaf Thea toe. 'Maar je moet het met me eens zijn dat het tamelijk onhandig was om zijn moeder vanavond die aankondiging te laten doen, zonder míj te hebben gevraagd of ik wel met hem wil trouwen! Dat was arrogant en principeloos.'

Modesty's wangen kleurden plotseling rood. 'Eh, misschien dacht hij dat je het wat hoog in je bol had en dat je hem zou weigeren.' Haastig voegde ze eraan toe: 'Weigeren om de verkeerde redenen, natuurlijk. Hij heeft misschien gedacht dat jou geen andere keus geven de enige manier was om je tot een huwelijk te brengen.'

Thea keek Modesty verward aan. 'En jij vindt het eervol wat hij heeft gedaan?'

Modesty schraapte haar keel, leek slecht op haar gemak. 'Ik zou het niet, eh, eervol willen noemen, maar ook weer niet oneervol.' Ze klaarde op. 'Het was handig!'

'Dat was het zeker,' zei Thea droog.

Modesty klopte op haar hand. 'Pieker er nou maar niet over, liefje. Bedenk alleen dat je zaterdag met een van de begerenswaardigste vrijgezellen van Londen gaat trouwen. Voor die tijd hebben we nog een heleboel te regelen.' Modesty legde een vinger tegen haar lip. 'Er

232

moet onmiddellijk een trouwjurk worden gemaakt. We moeten onze favoriete kleermaakster zeggen dat ze al haar andere opdrachten een paar dagen opzij legt.' Ze keek Thea stralend aan. 'O, is het niet opwindend? Je gaat trouwen!'

Ondanks haar sombere stemming en haar wantrouwen ten aanzien van Patricks motieven, sloeg iets van Modesty's enthousiasme op Thea over. Een sprankel van opwinding ging door haar heen. Ze ging trouwen! Met Patrick Blackburne! Er waren, dacht ze, terwijl ze met een dromerige glimlach aan zijn flitsende glimlach en die ogenblikken in de koets dacht, een paar voordelen aan een dergelijke verbintenis.

De volgende ochtend ontdekte Thea dat bijna iedereen in hun kringen de aankondiging van haar huwelijk had gelezen en op bezoek kwam. Modesty en zij waren nauwelijks klaar met hun ontbijt, en zaten in de huiskamer de plannen te bespreken, toen de eerste bezoekers binnenkwamen. Tot haar verbazing genoot ze goedkeuring en bijval van de meesten van de machtige leiders van de society. Ze werd opgehemeld en vertroeteld en toegejuicht, en plotseling bezag ze haar verhoogde status met grote ogen van verwondering. De vroege bezoekers varieerden van oprechte vrienden, zoals Lady Roland, opgewonden door het nieuws, tot leden van haar eigen familie, zoals Lord en Lady Garrett, Lord Hazlett en haar lievelingsneef John. Thea twijfelde er niet aan dat de familie hier als teken van solidariteit was, waarmee ze de wereld toonden dat zíj niets eigenaardigs achter de haast en omstandigheden van haar huwelijk zochten. Met een prop in haar keel zwoer ze dat haar roekeloze dagen voorbij waren – ze zou hen nooit meer in verlegenheid brengen of te schande maken.

Het feit dat de society het haar had vergeven werd

maar al te duidelijk toen Lady Jersey, de huidige maîtresse van de prins van Wales, de kamer binnen zeilde. Gezeten op de sofa naast Thea, koerde ze: 'Lieve, lieve Thea, wat fantastisch voor je! Ik was zo verrukt toen ik vanochtend de aankondiging las. Het is een schande dat die charmante losbol Patrick vastbesloten is jou zo spoedig van ons weg te rukken en jou niet eens de tijd gunt om een behoorlijk huwelijk te plannen. O, maar het is zo heerlijk romantisch, vind je niet?'

Thea knikte, keek geamuseerd naar Lisbeth, die tegenover haar in de overvolle huiskamer zat. Volgend op de vroege gasten, was de kamer nu vol met tientallen kwetterende vrouwen, van matrones tot dwepende jonge meisjes – met hun ontzagwekkende moeders. Zelfs Patricks vrienden, Lord Embry en Adam Paxton, waren gekomen om hun felicitaties aan te bieden. Te oordelen naar Nigels knipperende ogen toen een van de jongedames in zijn buurt nogal luid lachte, en de vaalgroene kleur van Paxtons gezicht, vermoedde Thea dat zij en haar verloofde de vorige avond behoorlijk op stap waren geweest. Ze hoopte dat Patrick er net zo slecht aan toe was.

Tillman, en een in haast ingehuurde knecht, liepen rond met bladen vol verfrissingen, en deden net of dit de normale gang van zaken was. De superieure uitdrukking op het gezicht van haar butler vertelde Thea dat hij genoot.

Nippend van een kop koffie keek Thea tevreden de kamer rond, nog steeds niet helemaal in staat te geloven dat zij al die stralende welwillendheid had veroorzaakt. Natuurlijk was ze slim genoeg om te beseffen dat het degene was met *wie* ze ging trouwen die alle nieuwsgierigheid en opwinding had veroorzaakt – plus het feit dat haar verloofde de zoon was van een van de bolwerken van de society, Lady Caldecott.

Toen ze een halfuur later de reacties van het gezelschap gadesloeg op het moment dat Lady Caldecott arriveerde, glimlachte ze voor zich heen. Lady Caldecott
zeilde elegant de kamer binnen, haar modieuze blauwe
japon flapperend rond haar enkels, en glimlachte tevreden naar de aanwezigen. Met alle hooghartige charme
van een vrouw van haar standing begroette ze de mensen, knikte naar deze en gene terwijl ze zich een weg
naar Thea baande. Ze drukte een hartelijke kus op haar
wang en zei: 'Mijn lieve kind! Hoe voel je je onder al die
aandacht?'

Thea grinnikte. 'Het is verbazingwekkend! Ze schijnen
me allemaal te mogen.'

Lady Caldecot giechelde, keek rond en zei zacht: 'En
dat is maar beter ook – anders krijgen ze met mij te
doen.'

Thea lachte. 'Weet u dat uw zoon soms opmerkelijk
veel op u lijkt?'

'Wat een charmante opmerking,' antwoordde Lady
Caldecott met twinkelende ogen. 'Maar vertel eens, hebben jij en Modesty al besloten wie je jurk gaat maken?'

Modesty en Lisbeth drentelden in hun richting en er
volgde een levendige discussie over de voordelen van
verscheidene welbekende kleermaaksters die in Londen
werkten. Lady Caldecott klopte op Thea's hand. 'Ik ben
nooit gezegend geweest met een dochter... ik hoop dat je
me wilt toestaan je in deze kwestie te leiden.' Ze glimlachte liefjes. 'En sta me toe de jurk te betalen. Dat zal
me een groot genoegen zijn.'

Later wist Thea niet met zekerheid te zeggen hoe het
zo was gekomen, maar ze had ingestemd met Lady Caldecotts verzoek. Lady Caldecott, die inmiddels had bereikt waarvoor ze was gekomen, stond op. 'Laat alles
maar aan mij over, liefje.'

Geleidelijk begon de menigte uit te dunnen en er kwamen steeds minder nieuwe mensen binnen. Toen de laatste was vertrokken, zonken Lisbeth, Modesty en Thea uitgeput achterover in hun stoel, toen Edwina binnenkwam.

Met een verwilderde blik in haar blauwe ogen wierp ze een uitgave van de *Times* op Thea's schoot, en vroeg: 'Is dit waar? Ga je met Patrick Blackburne trouwen?'

Modesty en Lisbeth wisselden een blik, beiden gingen rechtop zitten.

Thea, onaangenaam verrast door de binnenkomst van haar zus, knipperde met haar ogen. 'Ja, het is waar,' gaf ze toe. 'Ik ga zaterdag met hem trouwen.'

Edwina zoog haar adem in. 'Zo, slimmerik! Je dwingt mij met een nul als Hirst te trouwen en zelf pik je een rijke man met goede connecties in!'

'Zo is het genoeg, Edwina,' bitste Modesty. 'Niemand heeft je gedwongen met Hirst te trouwen. Dat wilde je zelf, ondanks Thea's smeekbeden het niet te doen. Je zou blij moeten over het geluk van je zus.'

Met een pruilende uitdrukking op haar gezicht plofte Edwina op een stoel. 'Ik ben blij voor je, Thea,' zei ze op een toon die het tegendeel bewees. 'Het lijkt alleen niet eerlijk,' klaagde ze, 'dat Thea degene in de familie is die een goed huwelijk doet. Ik heb altijd met iemand als hij willen trouwen – en dat zou ik ook hebben gedaan als zij niet dat schandaal had veroorzaakt.' Edwina frummelde aan haar blonde krullen. 'Iedereen heeft altijd gezegd dat ik veel mooier ben dan zij, en bovendien – heb ik niet haar slechte reputatie.'

Edwina's woorden kwamen hard aan, en de glans die rond Thea had gehangen, verdween. Edwina's ijdelheid was voor Thea altijd moeilijk te begrijpen geweest, en dat had ze zichzelf altijd kwalijk genomen. Uiteindelijk had ze Edwina zelf ook verwend, en het kind was jong – en mooi.

Lisbeth had geen excuses voor haar. Naar haar oprechte mening was Edwina Hirst gewoon een verwende, koppige, zelfzuchtige heks. Met een vechtlustige blik in haar groene ogen zei Lisbeth: 'Aan mooi zijn kun je niets doen, en wat een reputatie betreft… ik ben er niet zo zeker van dat de jouwe vlekkeloos is.'

Edwina staarde haar aan. 'Wat bedoel je? Wie kletst er over mij? Verspreidt iemand leugens over me?'

'Niet dat ik weet,' antwoordde Lisbeth zorgeloos. 'Maar ik zou erop letten, liefje, dat je niet de naam krijgt een verwend nest te zijn. Of een vrouw die haar man bedriegt – en ik bedoel niet met Lord Pennington.'

'Hoe durf je!' riep Edwina uit, waarbij ze overeind sprong. Kijkend naar Thea vroeg ze: 'Laat je haar op die manier over mij praten?'

De neiging om Edwina's veren glad te strijken was er wel degelijk, en toch aarzelde Thea. Ze mocht dan veel van Edwina's kinderlijke en arrogante daden door de vingers zien, maar ze was er niet blind voor. Hoewel ze het niet graag wilde toegeven, was er veel waars in Lisbeths woorden. 'Je hebt ruzie met Lisbeth, niet met mij.' Gesterkt door haar oplossing Edwina voor zichzelf te laten opkomen, voegde ze eraan toe: 'Zoals je me vaak genoeg hebt gezegd – je bent een volwassen vrouw, een getrouwde vrouw, en oud genoeg om je eigen beslissingen te nemen. Als je je beledigd voelt door Lisbeths opmerkingen, moet jíj het met haar uitvechten.'

Edwina's mooie mond hing onaantrekkelijk open, en ze had niet verbaasder kunnen zijn wanneer Thea op haar had gespuugd. Modesty keek de andere kant op, beet op haar lip, en er speelde een vage glimlach om haar mond.

Lisbeth keek Thea goedkeurend aan. 'Goed gedaan, liefje. Ik vroeg me af hoeveel langer je je nog voor haar karretje zou laten spannen.'

Edwina snakte naar adem. Kijkend van de een naar de ander zag ze dat er geen hulp voor haar was. 'Nou! Als jij er zo over denkt, is er voor mij geen reden om nog langer te blijven.' Ze beende naar de deur en vloog de kamer uit.

Thea kwam half overeind, maar Modesty greep haar arm stevig vast en hield haar op haar plaats. 'Laat haar gaan,' mompelde Modesty. 'Alles wat je zei was waar. Het wordt tijd dat ze leert op haar woorden te letten en begint na te denken over haar houding ten opzichte van andere mensen. Edwina heeft veel te lang alleen rekening met zichzelf gehouden.'

Thea glimlachte ongelukkig. 'Ik weet het, en het is mijn fout. Ik wil niet te hard tegen het kind doen.'

'Ze is geen kind,' zei Lisbeth. 'En je doet haar geen goed door haar altijd de hand boven het hoofd te houden.' Lisbeth stond op. Ze kneep hartelijk in Thea's wang. 'Wees gelukkig, lieve – je verdient het. Ik verheug me op het bal van zaterdag.'

De kamer leek opeens erg stil nadat Lisbeth was vertrokken. Modesty en Thea keken elkaar aan.

'Deze ochtend is succesvol verlopen,' zei Modesty, 'maar weet je, ik ben blij dat de rust is weergekeerd – althans voor een tijdje.'

Thea glimlachte. 'Om eerlijk te zijn, ik ook!'

Tillman klopte aan en kwam binnen. Hij hield een zilveren schaal in zijn handen die vol lag met visitekaartjes en briefjes. 'Wilt u deze nu doorkijken, of zal ik ze wegzetten voor later?'

Thea haalde haar schouders op, en nadat Tillman de kamer had verlaten en de schaal bij hen had achtergelaten, begonnen Modesty en zij aan de dankbare taak van briefjes lezen en de triomf van deze ochtend herbeleven.

Thea vond halverwege de stapel een brief. Met een glimlach om haar lippen opende ze hem en begon te lezen. Haar adem stokte in haar keel van schrik, wat maakte dat Modesty gealarmeerd opkeek.

Haar gelaatstrekken verbleekten, haar ogen waren grote zwarte poelen in haar asgrauwe gezicht. Thea overhandigde Modesty de brief waarna ze deze snel doorlas.

Ik weet wat je hebt gedaan en ik kan het bewijzen. Als je wilt dat ik blijf zwijgen, moet je deze instructies precies opvolgen. Zeg het tegen niemand. Als je naar Bow Street gaat, zal ik het weten en dienovereenkomstig plannen maken. Als iemand zich bemoeit met de stappen die ik heb gezet, zal ik je te kijk zetten.

Er zal vanmiddag om halfzes een zwart rijtuig bij de ingang van Hyde Park staan. Het rijtuig zal leeg zijn. De koetsier weet van niets. Leg negenduizend pond in kleine biljetten in een zak op de zitplaats in het rijtuig. Doe geen poging het rijtuig te volgen – als je dat wel doet, zal het niet goed voor je aflopen.

Hoofdstuk 11

Het was later die dag dat Lady Caldecott uiteindelijk de stoep naar haar eigen huis op liep. Ze had het in verband met Patrick en Thea druk gehad en was tevreden met haar inspanningen. Na haar bezoek aan Thea was ze eerst naar haar kleermaakster gegaan. Toen ze na twee uur het winkeltje na een inspannende bespreking heimelijk verliet, was ze ervan overtuigd dat Thea zaterdagmiddag de oogverblindende bruid van haar zoon zou zijn... en dat de jurk klaar zou zijn. Vervolgens was ze bij enkelen van de machtigste vrouwelijke leiders van de stad langsgegaan en had ze, o zo beleefd, hun steun voor Patrick en Thea aangewakkerd. Alles bij elkaar voelde ze zich zeer tevreden.

Eenmaal binnen bestelde ze thee en nestelde ze zich in haar blauwe zitkamer waar ze een aangename middag wilde doorbrengen met plannen maken voor de gebeurtenis op zaterdag. De Lords Garrett en Hazlett hadden aangegeven bereid te zijn dat ze alle aspecten van het huwelijk voor hun rekening wilden nemen, maar Lady Caldecott had hun aanbod beleefd afgewezen. Dit zou haar show worden. En wanneer Lady Caldecott iets in haar hoofd had, vonden verstandige mensen het gewoonlijk beter niet tegen haar wensen in te gaan.

Haar butler kwam binnen, en behalve het blad met theebenodigdheden, overhandigde hij zijn meesteres ook een schaal met alle visitekaartjes en briefjes die tijdens haar afwezigheid waren bezorgd. Ze bekeek verscheidene kaartjes en las de namen van sommige welbekende leden van de aristocratie die waren langsgekomen, en haar laatste twijfels over de gok die Modesty en zij hadden genomen, werden gesust. Hoe haastig het huwelijk ook mocht zijn gepland, en hoe onorthodox het ongetwijfeld was, het *zou* een succes worden – daar zou zij voor zorgen.

Ze had net een slokje thee genomen en wilde de stapel kaartjes opzij leggen voor later om ze op haar gemak te bekijken, toen een opgevouwen briefje haar aandacht trok. Ze pakte het op, verbrak het zegel en las de inhoud.

Ik heb de brieven. Ze zijn fascinerend. Als u ze terug wilt hebben, draag dan zaterdag op het huwelijk van uw zoon de Caldecott-parels. Draagt u echter de Blackburne-robijnen, dan zal ik mijn conclusie trekken... en andere plannen maken.

Met trillende vingers las Lady Caldecott het briefje nogmaals door. Haar eerste impuls was Patrick een briefje te sturen, hem vragen naar haar toe te komen, maar ze aarzelde. Haar zoon zou over een paar dagen trouwen; ze wilde hem op dit moment niet lastig vallen met haar problemen.

Haar lippen vertrokken. Het was al erg genoeg dat Modesty en zij Patrick en Thea in hun val hadden laten lopen – en het was gewoon ondenkbaar om Patrick nu nog meer moeilijkheden te bezorgen. Ze zou zich niet door haar zorgen laten afleiden. Nee. Ze zou die verdraaide parels dragen en zien waartoe dat leidde. Na het huwelijk zou er tijd genoeg zijn om het Patrick te vertellen. Ondertussen zou ze haar parels dragen, en de Blackburne-robijnen zouden toch niet bij de donkerbruine japon hebben gepast die ze had uitgekozen om zaterdag te dragen.

Lord Caldecott kwam binnen. Hij zag er erg aantrekkelijk uit in zijn donkergrijze jas en zwarte broek. Zijn zilvergrijze haar was naar achteren gekamd, en zijn hemelsblauwe ogen stonden teder toen hij naar haar keek. Lady Caldecotts hart sprong op bij zijn aanblik. Ze had nooit gedacht zo hevig te kunnen liefhebben, zo intens, en de overweldigende emoties die deze man in haar wekte verbaasden haar nog steeds. Nog verbazingwekkender was dat hij dezelfde gevoelens voor haar leek te koesteren.

Ze was altijd blij hem te zien, maar zijn aanwezigheid was juist op dit moment bijzonder geruststellend. Gedurende een tijdje was ze in zijn gezelschap in staat al haar angsten en zorgen opzij te zetten, even te vergeten dat er een chanteur was die haar in zijn macht had en dat haar geliefde zoon zijn eigen veiligheid riskeerde door hem te zoeken. De komende dagen zou ze het druk krijgen, en ze was vastbesloten die niet door vrees voor haar te laten bederven – noch voor haar zoon.

'Hallo, liefste,' mompelde Lord Caldecott, waarbij hij zich bukte en haar op de mond kuste. 'Je ziet er vanmiddag heel mooi uit.' Hij glimlachte. 'En erg, erg ingenomen met jezelf.'

Hij ging naast haar zitten, en pas nadat hij thee voor zichzelf had ingeschonken en een slokje had genomen, zei hij: 'Ik geloof dat ik jou en je vriendin Modesty moet feliciteren. Eerlijk gezegd dacht ik dat het je niet zou lukken, maar het schijnt dat jullie goed hebben gegokt. Overal waar ik vandaag kwam praatte iedereen alleen maar over het huwelijk van je zoon.' Hij glimlachte. 'Ik heb bij mijn verschillende clubs mijn best gedaan elke mogelijke speculatie over de aankondiging en de haast van het huwelijk de kop in te drukken.'

Lady Caldecott keek hem stralend aan, dankbaarheid welde in haar borst. 'Zoals ik wist dat je zou doen,' mompelde ze met een plagende blik.

Hij grinnikte. 'Je kent me te goed, liefste.' Zijn blik werd ernstig. 'Jij houdt mijn geluk in dit handje van je,' zei hij, en pakte hem van de sofa waar hij tussen hen in had gelegen. 'Weet je,' voegde hij er zacht aan toe, 'er is niets wat ik je zou ontzeggen – onthoud, mijn lief, dat ik altijd alles binnen mijn vermogen zou doen om je in veiligheid te houden en gelukkig te maken.' Hij grinnikte. 'Ook als het betekent dat ik je moet helpen wanneer je de society misleidt met het plotselinge huwelijk van je zoon.'

Diep geroerd legde Lady Caldecott haar hoofd tegen zijn schouder. 'Je bent te goed voor me.'

Hij kuste haar. 'En jij bent alles wat ik me in een vrouw had gedroomd.' Ze kusten elkaar weer.

Lord en Lady Caldecott zaten van hun thee te genieten toen Patrick een paar minuten later aanklopte.

'Goedemiddag,' zei hij bij binnenkomst, waarna hij door de kamer liep en voor de open haard ging staan. 'Ik hoop dat alles goed met jullie is.'

Lord Caldecott mompelde iets beleefds, zette zijn kop op het schoteltje en stond op. 'Heel goed zelfs. Na gisteravond,' zei hij met een glinstering in zijn ogen, 'weet ik zeker dat je veel met je moeder te bespreken hebt – dus zal ik jullie alleen laten om dat te doen.'

'Lafaard,' zei Lady Caldecott over de rand van haar kopje.

Lord Caldecott keek haar aan. 'Dat niet, mijn lief – verstandig.'

Zodra haar echtgenoot weg was, en Patrick de thee had afgeslagen, keek ze taxerend naar haar zoon zoals hij bij de open haard stond, een arm leunend op de witmarmeren schoorsteenmantel. 'En?' vroeg ze. 'Ben je erg boos op me?'

Patrick glimlachte, hoewel zuur. 'Waarom zou ik dat zijn terwijl je me het enige hebt gegeven dat ik bovenal wil hebben – Thea als mijn vrouw.'

Zijn moeder bekeek hem aandachtig, niet in staat iets op te maken uit zijn donkere gelaatstrekken. Zijn woorden gaven haar de hoop dat hij niet al te boos op haar was, maar ze wist het niet zeker. Patrick was nooit makkelijk te doorgronden geweest. Ze haalde adem en zei: 'Ik moet zeggen dat je het beter opneemt dan ik had verwacht.'

'En jij, lieve mama, mag verdraaid blij zijn dat het plannetje van jou en Modesty gisteravond niet anders is uitgepakt. Vertel me eens wat je had gedaan wanneer ik was opgestaan en je aankondiging had weerlegd... of wanneer Thea het had gedaan?'

'We rekenden, ben ik bang, op verrassing... en dat de gevoelens die jullie volgens ons voor elkaar koesteren het zouden winnen.' Ze boog haar hoofd opzij. 'En het heeft gewerkt, toch?' vroeg ze.

'Fantastisch,' antwoordde Patrick, een grijns verspreidde zich over zijn gezicht. 'Ik had het zelf niet beter kunnen regelen.' Hij schonk haar een waarschuwende blik. 'Maar ik zou niet nogmaals zo'n trucje uithalen. De volgende keer zou het weleens heel onplezierig kunnen aflopen.'

Ze knikte. 'Ja, daar ben ik me van bewust, en wanneer het niet zo dringend noodzakelijk was geweest, zouden we nooit dergelijke drastisch stappen hebben genomen.' Ze leunde naar voren. 'Je weet dat ik alleen jouw geluk voor ogen heb. Toen Modesty me schreef en de situatie uitlegde, zagen we geen andere manier – voor jullie beiden niet. Wil je het me vergeven dat ik als een liefhebbende moeder heb gehandeld?'

'Deze keer heb je gewonnen,' gaf hij toe, 'en ik neem je niets kwalijk – in feite zou je kunnen zeggen dat je mijn dankbaarheid hebt – een beetje ongaarne, maar desondanks dankbaarheid.' Hij keek haar met toegeknepen ogen aan. 'Maar ik zou je willen waarschuwen je – in de toekomst, op welke manier dan ook, hoe dringend of noodzakelijk het je ook voorkomt – niet meer met mijn zaken te bemoeien.'

'O, natuurlijk niet,' antwoordde Lady Caldecott deemoedig. 'Het zou niet eens in mijn hoofd opkomen.'

Patrick barstte in lachen uit. 'Probeer me niet met die zogenaamd onschuldige blik voor de gek te houden!' Hij wachtte even, een speculatieve blik in zijn grijze ogen. 'Ik vraag me af... vertel me niet dat jullie twee ook al plannen voor onze huwelijksreis hebben.'

'Nou, het kwam bij ons op,' begon Lady Caldecott met verdachte zorgeloosheid, 'dat jullie misschien door de haast van alles misschien niet...'

Terwijl Patrick deze discussie met zijn moeder had, deed Modesty haar best Thea ervan te overtuigen dat ze volgens haar een vergissing maakte. Ondanks al Modesty's argumenten en smeekbeden om Patrick over het briefje te vertellen, weigerde Thea echter van gedachten te veranderen. 'Ik zal noch hem noch een ander hierbij betrekken. Het was mijn dwaze koppigheid om Hirst alleen te ontmoeten die me om te beginnen in deze positie heeft geplaatst. Het is dus aan mij hier weer uit te komen of de prijs te betalen.' Ze keek Modesty gekweld aan. 'Dat moet je begrijpen!'

'Ik begrijp dat jij een onbeperkt vermogen hebt om jezelf van al het slechts in de wereld de schuld te geven,' bitste Modesty. 'Hoe weet je nou dat het briefje naar Hirst verwijst? Zijn naam wordt niet genoemd. Vergeet ook niet dat jij niet degene bent geweest die Hirst heeft vermoord, zoals Patrick heeft bevestigd. Je hebt hem bewusteloos geslagen, maar je hebt hem niet gedood, dus wat kan het je nou schelen wat er in dat briefje staat?'

'Omdat degene die het heeft geschreven kennelijk de persoon is die het lichaam van Hirst heeft verborgen.'

'En? Wat heeft dat met jou te maken? Hooguit dat zijn dood bekend is.' Voor het eerst keek Thea besluiteloos, en Modesty ging verder. 'Als de chanteur van plan is het lichaam aan de autoriteiten over te leveren, zou dat dan niet juist goed zijn? Het zal hard voor Edwina zijn, maar het feit dat haar man dood is, vermoord, moet toch eens aan het licht komen. Beter vroeg dan laat, zou ik denken. Is het eerlijk om Edwina in de waan te laten dat haar man leeft en ergens op het platteland bij vrienden op bezoek is, terwijl wij iets heel anders weten?'

Thea werd kennelijk verscheurd door Modesty's argumenten. Aarzelend zei ze: 'In het briefje staat dat er "bewijs" is. Stel dat deze persoon werkelijk een of ander bewijs heeft dat mij in verband brengt met de dood van Hirst?'

Modesty zuchtte. 'Thea, luister nou eens naar jezelf! Je hebt Hirst niet vermoord. Je hebt zijn lichaam niet verborgen. Waarom speel je die persoon in de kaart? Als je zo dom bent aan zijn eis toe te geven, zal het alleen maar de eerste van vele zijn – dat moet je weten! Je hebt Hirst niet vermoord, waarom zou je je dus zorgen maken over wat een of andere laffe opportunist denkt?'

Modesty's argument leek Thea steeds verstandiger in de oren te klinken. Er was nog een reden waarom haar standvastigheid begon af te nemen: ze had beseft dat al haar problemen voortkwamen uit het feit dat ze Hirst alleen had ontmoet... en stond ze nu op het punt de situatie te verergeren door net zoiets vermetels te doen? Ze keek nadenkend. En kende iemand haar reacties zo goed dat ze erop rekenden dat ze weer op zo'n roekeloze manier zou handelen?

Thea deed een paar stappen de kamer in, haar handen tot vuisten gebald, haar kin koppig omhoog. Ze hield er niet van te worden gemanipuleerd – het was al erg genoeg dat Patrick haar manipuleerde, maar ze vertikte het om een vreemde de touwtjes in handen te geven.

Ze keek naar Modesty. 'Je hebt gewonnen. Ik zal het briefje negeren.'

'O, liefje, dat is een verstandig besluit,' zei Modesty ernstig. 'Ik weet het gewoon.'

Thea was niet helemaal overtuigd, maar op dit moment was ze bereid aan Modesty's dringende verzoek te voldoen.

Uitgeput door de constante stroom van bezoekers, volgend op de opwinding van de avond ervoor, verheugden de beide dames zich op een rustige middag. Patricks komst maakte even later een eind aan dat idee.

Patrick had Tillmans aanbod hem aan te kondigen afgewezen, en nu slenterde hij de kamer binnen waar de dames waren gezeten. Hij zag er volgens Thea veel te aantrekkelijk en zelfverzekerd uit. Je zou denken dat hij na de gebeurtenissen van de avond ervoor – zowel in het huis van zijn moeder als in de koets – op zijn minst het fatsoen had er iets anders uit te zien. Maar nee. Hij liep de kamer verder binnen, haar zitkamer, met de houding van een koning die de oorlog had gewonnen en dat ze blij moest zijn hem te zien. Wat ze was, te oordelen naar de vlinders in haar buik, maar wat niets met de situatie te maken had!

Hij begroette eerst Modesty, en babbelde even met haar. Vervolgens draaide hij zich om naar Thea die in een stoel bij het raam zat, en zijn grijze ogen stonden plagend toen hij een kus op haar pols drukte. 'Ik neem aan dat je goed hebt geslapen, mijn lief.'

'Natuurlijk,' zei ze. 'Is er een reden waarom ik niet goed zou hebben geslapen?'

'Ach, gewoonlijk zijn jongedames die net ten huwelijk zijn gevraagd, te opgewonden om een oog dicht te doen.'

Ondanks haar pogingen zich van hem los te trekken, bleef hij haar hand vasthouden, en ze staarde hem aan. Hij grinnikte en Thea's weerbarstige hart klopte een beetje sneller.

Niet wetend wat ze ervan moest verwachten, had ze deze eerste ontmoeting na hun abrupte afscheid van de vorige avond gevreesd, maar te oordelen naar zijn houding hoefde ze zich geen zorgen te maken. Hij was zijn gebruikelijke irritante zelf. Ze probeerde nogmaals haar hand te bevrijden, maar hij bleef hem met een spottende blik in zijn ogen vasthouden.

Terwijl ze opkeek in dat harde, donkere, knappe gezicht, vooral naar die brede, glimlachende mond, liep er een lichte huivering van zinnelijkheid over haar ruggengraat. Herinneringen aan het hartstochtelijke intermezzo in de koets flitsten door haar heen. Die intieme, erotische dingen die hij gisteravond met haar had gedaan waren niet ver uit haar gedachten geweest, en vol afschuw besefte ze dat ze ernaar verlangde dat hij die dingen heel snel weer met haar zou doen.

Woedend om haar zwakheid, klemde ze haar kaken op elkaar. 'Ik ben niet, als ik je eraan mag herinneren, een jónge dame. Je bent toch zeker niet vergeten dat ik eens op het punt van trouwen heb gestaan?'

'Ik wil graag met je in discussie over dat jóng zijn, en wat het andere betreft…' Patrick hief haar hand naar zijn lippen en beet zacht in een vinger, wat een stimulerende schok door haar heen zond. 'Op het punt staan met een andere man te trouwen is niet hetzelfde als verloofd zijn met míj.' Hij kuste haar trillende vingertoppen. 'Onthoud dat, wil je, lieveling?'

Verontwaardiging welde in haar borst, maar ze beperkte zich ertoe haar hand terug te trekken en stijf te zeggen: 'Met de aankondiging in de *Times* van deze ochtend, kan ik je verzekeren dat het nogal moeilijk te vergeten is.'

'Fantastisch! Ik wil niet dat er later wordt gezegd dat mijn bruid vergat naar haar eigen huwelijk te gaan.'

'Daar hoef je niet bang voor te zijn,' mompelde Thea. 'Na al eens een schandaal te hebben veroorzaakt wil ik mijn familie nooit meer het middelpunt van roddels laten zijn.'

'Daar twijfel ik niet aan, liefje,' zei hij vriendelijk.

'Was er een bepaalde reden waarom je bent gekomen?' vroeg ze met een kille uitdrukking op haar gezicht.

'Eigenlijk wel – behalve het feit dat ik mijn charmante verloofde zelf graag wilde zien, ben ik hier in opdracht van mijn moeder,' zei hij. 'Ze verontschuldigt zich voor haar eigenmachtige methoden, maar ze heeft voor vanmiddag om vier uur een afspraak voor je gemaakt met haar kleermaakster om een jurk te passen. Ze vertrouwt erop dat je het haar zult vergeven – en dat die afspraak niet ongelegen komt. Ik ben met de koets van de Caldecotts gekomen om je daarheen te vergezellen.'

'Dat is niet nodig,' antwoordde Thea. 'Ik weet zeker dat als je mij de naam en het adres van de kleermaakster geeft, Modesty en ik het moeiteloos zullen vinden.'

'Eigenlijk lijkt het mij beter dat Patrick je vergezelt,'

zei Modesty snel. Ze was het dreigement van de chanteur nog niet vergeten, en ze vertrouwde Thea's resolute manier van doen niet. 'En terwijl je weg bent, ga ik naar Lady Caldecott om te zien hoe ze opschiet met de regelingen voor het huwelijk.'

Patrick keek haar aan, een glans in zijn ogen. 'Nog meer plannetjes, lieve Miss Bradford?'

Modesty leek in verwarring, een duidelijke blos kleurde haar wangen, maar ze keek hem aan en vroeg: 'Plannetjes?' Haar ogen gingen heel wijd open. 'Wel, wat bedoelt u daarmee, sir?'

Met ingehouden adem wachtte ze op zijn antwoord, rekende erop dat hij de situatie had aanvaard en, belangrijker, dat hij haar geen kwaad hart toedroeg. Desondanks haalde ze opgelucht adem toen hij grinnikte, een overdreven buiging maakte, en mompelde: 'Ik geloof dat deze ronde voor u is, Miss Bradford.'

Modesty sloeg haar wimpers neer, een glimlachje speelde om haar lippen. 'Je moeder waarschuwde me dat je een eigenaardige manier van doen hebt – ik zie nu wat ze bedoelt.'

Zich bewust van Thea's verwarring, wilde ze niet dat haar nicht hier te diep over na zou denken, en keek naar de klok op de schoorsteenmantel. Vervolgens stond Modesty op. 'Het is bijna tijd voor je afspraak. Zal ik Tillman je bruinzijden jasje laten brengen? Of heb je liever het blauwfluwelen?'

Nu de grond onder haar voeten weg was geslagen, gaf Thea zich elegant gewonnen. 'Het bruinzijden, alsjeblieft.'

Er werd weinig gezegd tussen Patrick en Thea terwijl ze op Tillman wachtten, noch tijdens de rit naar de kleermaakster in Bond Street. Thea was zich te bewust van wat er zo kortgeleden in deze koets was gebeurd, en van

Patricks brede gestalte, om veel meer dan oppervlakkige opmerkingen te kunnen maken. Ze gaf de voorkeur aan stilte boven dwaasheid. Maar nu er geen gesprek tussen hen plaatsvond, dwaalden haar gedachten af, en ze herinnerde zich zijn kussen maar al te goed, het gevoel van zijn hand op haar borst, en de verrukkelijk erotische streling van zijn warme vingers over haar dijbeen. Een trage hitte rees in haar buik, haar borsten tintelden, en haar mond verlangde er plotseling naar op diezelfde gretige manier door hem te worden gekust.

Patrick was zich net zo bewust van Thea en van hetgeen er de avond ervoor bijna was gebeurd. Zo bewust zelfs, dat hij toen ze nog maar een blok hadden gereden al een stijve had en zich afvroeg hoe hij uit de koets moest stappen zonder dat iedereen precies wist wat hij in gedachten had. Hij verschoof ongemakkelijk, probeerde zijn opstandige lid tot bedaren te brengen. Hij dwong zijn gedachten zich op wereldse zaken te concentreren, en was opgelucht dat zijn lid weer was geslonken toen ze het adres van de kleermaakster hadden bereikt.

Maar de gedachten die hen beiden hadden bestookt, waren nog niet helemaal weg, en zelfs toen Thea door mevrouw De Land werd begroet en betutteld, was ze zich bewust van Patricks aanwezigheid op de achtergrond. Patrick was zich net zo bewust van Thea. Onwillekeurig liefkoosde zijn blik haar, en een hunkering ontstond in zijn ogen toen hij haar met mevrouw De Land zag beraadslagen.

De zaak van mevrouw De Land werd als een van de beste in Londen beschouwd, en haar klanten kwamen uitsluitend uit de rijke, adellijke klasse. Terwijl het haar vaardigheid met ontwerp, kleur en materiaal was die de vrouwen en dochters van de heren naar haar winkel bracht, was het haar discretie die de heren zelf met hun liefjes en maîtresse naar haar zaak voerden. Mevrouw De Lands paskamers stonden bekend om hun privacy en ruime afmetingen, met comfortabele stoelen en tafels; er werden zelfs verfrissingen geserveerd. Maar het opmerkelijkste van alles was de zachte, grote sofa in elke paskamer, die tijdens het langdurige, ingewikkelde passen als rustplaats voor de jongedames diende, en als plaats waar de geile beschermers, als de stemming hen overviel, alvast van een voorproefje van de charmes van hun laatste liefje konden genieten.

Thea werd naar een van de paskamers gebracht waar ze op mevrouw De Land wachtte, die met de voorbeelden van de stoffen en het ontwerp dat Lady Caldecott voor haar had gekozen, zou terugkomen. Er lag een koppige uitdrukking op haar gezicht; het gevoel dat ze, of ze wilde of niet, een kant op werd gestuurd die ze niet zelf had gekozen, werd met de minuut sterker. Het was haar huwelijk. En haar jurk. Díe beslissing zou ze toch zeker zelf moeten nemen!

Toen mevrouw De Land terugkeerde met een prachtige strook witte satijn en een rol lichtroze gaas voor eroverheen, verdween Thea's wrevel en bewonderde ze Lady Caldecotts uitstekende smaak. Het ontwerp voor de jurk was precies wat ze zelf zou hebben gekozen – ingetogen zonder meisjesachtig te zijn. De jurk bestond uit een weelderige rok met een hoge taille, en een lijfje met een vierkante halsuitsnijding dat met Brussels kant zou worden afgezet, evenals de enigszins poffende mouwen. De roze gazen overjurk voorkwam dat de jurk te gewoon werd, en zou ook boze tongen stillen die misschien bezwaar zouden maken wanneer Thea in het wit zou trouwen.

Het passen duurde niet zo erg lang. Mevrouw De Land en haar assistenten namen snel de maat om het patroon te gaan knippen.

Terwijl Thea bezig was, genoot Patrick van een glas port en las de uitslagen van de paardenrennen. Hij zat in een van de wachtkamers, een eind bij de winkel vandaan. Mevrouw De Land was tenslotte érg discreet. Het zou nooit voorkomen dat een vrouw in haar winkel kwam en daar haar man ontdekte... met zijn maîtresse.

Thea's bezoek duurde niet lang. Zodra de maten waren genomen en ze de stof en het ontwerp had goedgekeurd, was er niets meer te doen. Nadat mevrouw De Land haar op een kom warm water had gewezen, voor het geval Thea zich wilde opfrissen, en ze geen verdere hulp nodig had, vertrok mevrouw De Land. Eenmaal alleen kleedde Thea zich niet meteen aan. In plaats daarvan bleef ze, met een haar verstrekte zijden kamerjas over haar hemd zitten, schonk een glas limonade in uit de karaf, die op een tafel klaarstond, en staarde voor zich uit.

Ze was in verwarring. Ze voelde zich zowel gevangen als verrukt. Ze zou met Patrick trouwen, daar twijfelde ze niet aan, maar er was een koppig deel van haar dat zich verzette tegen de listige manier waarop het was gegaan. Ze zuchtte en nipte afwezig van haar limonade.

Ze wilde, besefte ze met een schok, dat Patrick van haar hield. Ze wist al dat ze van hem hield en dat het een heel andere emotie was dan Hawley in haar jonge hart had gewekt, inmiddels al die jaren geleden. Hawley was een verliefdheid geweest, dat zag ze nu wel in, maar Patrick... Patrick was alles wat ze zich altijd in een man had gewenst, en zaterdag zou ze met hem trouwen, maar zijn motieven baarden haar zorgen. Hij wilde haar hebben – dát was duidelijk – maar was het genoeg?

Ze stond op en zette haar glas neer. Het moest genoeg zijn. Bij de herinnering aan de vorige avond, aan die hartstochtelijke momenten in de koets, begon haar hart wild te kloppen.

Thea had net de ceintuur van de kamerjas losgeknoopt toen er op de deur werd geklopt. 'Ja?' riep ze. 'Binnen.'

Toen Patrick in de deuropening verscheen, waren ze beiden verbaasd toen ze elkaar zagen – Thea, omdat ze mevrouw De Land had verwacht, en Patrick vanwege de aanblik van Thea in de open kamerjas met slechts haar hemd eronder, en er schoot een pijl van wellust door hem heen.

Ze staarden elkaar een tijdje aan, Thea's mond stond halfopen en haar ademhaling ging steeds sneller, Patrick stond versteend in de deuropening. Zijn ogen waren op haar gefixeerd, in het bijzonder op het snelle rijzen en dalen van haar borsten, die uitdagend tussen de panden van de kamerjas en boven haar hemd uit te zien waren.

De kleine, intieme ruimte werd plotseling gevuld met machtige, overweldigende emoties, primitieve emoties die bevrijd wilden worden. Puur verlangen zweefde in de lucht tussen hen, en Patrick voelde zijn lichaam on-middellijk reageren; hij was hard en bereid de verzen-gende druk in zijn lendenen eiste ontlading. Thea was net zo hulpeloos betoverd als hij; de zoete pijn van ver-wachting schoot door haar heen, haar bloed stroomde en haar lichaam hunkerde naar zijn aanraking.

Zonder na te denken sloot Patrick de deur achter zich, weer zo'n discretie van mevrouw De Land, en liep lang-zaam naar Thea toe. Er was zowel een vraag als een eis in zijn ogen te lezen toen zijn blik de hare ontmoette. Thea was niet in staat haar ogen af te wenden, kon het feit niet verbergen dat ze dezelfde elektrificerende hun-kering ervoer.

Zijn handen grepen haar schouders, en zijn mond vond de hare. De aanraking van zijn lippen was als een toorts bij zomerdroog stro, onmiddellijk ontvlambaar, en Thea beefde toen haar hele lichaam in vuur en vlam werd gezet. Patricks kus was niet zacht, maar Thea genoot van de bijna pijnlijke druk toen zijn tong haar mond op brute wijze verkende. Iedere stoot van zijn tong, het schrapen van zijn tanden over haar onderlip, zond een duizelingwekkende schok van verlangen door haar heen. Onwillekeurig klemde ze zich aan hem vast terwijl het verlangen naar meer door haar heen golfde.

Haar armen gleden rond zijn nek, en ze kuste hem hartstochtelijk terug, net zo brutaal als hij haar kuste. Niets deed er meer toe, alleen het feit dat ze in Patricks armen stond en dat hij doorging met deze zinnelijke betovering in haar aan te wakkeren.

Ze versmolten samen, zoekende mond tegen zoekende mond, dij tegen dij. Thea voelde elke ribbel en spier in zijn lichaam... vooral die rotsharde schacht die zo opdringerig tegen haar buik porde. Er ging een huivering door haar heen in het besef dat, als al het andere tussen hen verkeerd was, ze dit tenminste samen hadden... deze ongelooflijke, magische uitwisseling van gevoelens.

Zijn handen gleden naar haar heupen, en hij bewoog haar loom tegen die stevige roede, wond hen beiden op tot het verlangen ondraaglijk was. Op een of andere manier had hij zich van zijn jas ontdaan, zijn das zat scheef en zijn hemd hing halfopen; haar lichtgele kamerjas viel op de vloer, ongeduldig opzij geduwd door Patricks zoekende vingers.

Patrick vond wat hij had gezocht, zijn handen omvatten haar borsten, trokken het hemd naar beneden zodat ze als rijpe, zoete perziken in zijn handen vielen. Hij kon de verleiding niet weerstaan ze te proeven, en toen zijn mond de hare verliet, was Thea teleurgesteld, een teleurstelling die ze zich nauwelijks herinnerde toen zijn lippen zich rond een harde tepel sloten. Hij zoog en beet zachtjes in de gevoelige huid, zond puur genot door haar heen, genot dat zich tussen haar benen verspreidde. Ze kreunde, haar hoofd boog naar achteren, terwijl ze zich aanbood aan zijn plunderende mond.

Blind van hartstocht, gedreven door zijn eigen verlangens, duwde Patrick haar achterover, volgde haar lichaam naar beneden terwijl ze op de groensatijnen sofa belandde. Hij bewonderde haar borsten, kneedde ze, trok met zijn vingers aan haar tepels en drukte er vervolgens zijn mond op. Ze was vuur en zijde onder zijn lippen en handen, haar reactie betoverde hem, maakte hem bijna gek van verlangen naar hun eenwording.

Thea's bloed stroomde dik en traag door haar lichaam, elke centimeter van haar huid leek in brand te staan, maar het was het lieflijkste vuur dat ze ooit had ervaren, en ze wilde meer, wilde dat dit vuur heter, feller brandde.

Ze kreeg haar zin toen zijn hand over haar dij streek, en haar vervolgens tussen haar benen aanraakte. Ze ging op in de vlammen bij de eerste zachte streling van zijn hand over die krulletjes, en ze beefde door de kracht van de emoties die door haar heen stroomden. Haar handen omklemden zijn haar en ze hief zich op toen hij haar dijen spreidde en dat zachte, geheime vlees verkende en streelde. Ze was nat en heet en pijnlijk gereed voor zijn onderzoekende liefkozing, de gevoelens die hij door zijn brutale invasie wekte, het glibberige strelen van zijn vingers over haar satijnachtige huid, waarmee hij haar steeds verder naar de rand voerde.

Hij kon niet wachten. Zo onhandig als een jongen met zijn eerste vrouw, frunnikte hij aan zijn broek, kreunde toen zijn erectie werd bevrijd. Hij knielde tussen haar benen, stak zijn handen onder haar billen, legde haar zodanig neer dat ze hem kon ontvangen. De aanraking van haar krullerige grotje tegen de top van zijn schacht was opwindend, maar niet zo opwindend en gekmakend zoet als het moment waarop hij centimeter voor centimeter in haar strakke, vochtige schede verzonk.

Ze waren verenigd, hun lichamen een, en Thea lag verbazingwekkend welwillend onder hem. Ze had dit gewild, maar willen had haar niet voorbereid op de extase van het moment. Hoewel ze verpletterd onder hem lag, haar lichaam gevuld door het zijne, ervoer ze pure magie. Ze was betoverd. Het deed er niet toe dat hij nog steeds half gekleed was, dat haar hemd tot haar middel was opgetrokken alsof ze een dienstmeid was, of dat haar borsten ontbloot waren, of dat het op de sofa in een kleermakerswinkel plaatsvond. Het enige dat er toe deed was dat hij in haar armen was, dat zijn lichaam het hare bezat, dat zijn mond de hare plunderde...

Patrick beefde bij de zoete gevoelens die door hem heen joegen terwijl hij binnen in haar was. Haar vlees voelde zo stevig, zo strak dat hij vreesde dat hij haar misschien had verwond.

Met moeite haalde hij zijn mond van de hare. Hij staarde in haar donkere ogen, en vroeg: 'Heb ik je pijn gedaan, lieveling? Dat was niet mijn bedoeling.'

Thea schudde haar hoofd, de verdwaasde uitdrukking op haar gezicht vervulde hem met tederheid. Hij kuste haar, kuste haar zo zacht en teder dat Thea dacht dat haar hart zou barsten.

Haar ontkenning was het enige dat hij nodig had. Zijn mond zweefde weer naar de hare, zijn handen grepen haar heupen steviger vast, zijn lichaam stootte binnen in haar.

Verlangen en hitte welden in haar op, het gevoel van zijn lichaam boven op haar, de smaak van zijn tong, wierpen haar in een warreling van verbazingwekkende emoties. Het was een wereld die ze samen deelden, de zoetheid van hun eenwording, de kracht van de emoties die hen dreef, die al het andere deed vervagen zodat alleen hun gevoelens voor elkaar overbleven, en dat wat ze met elkaar deden.

Thea kronkelde onder hem, kreunde in verrukking toen hij haar heupen hief om dieper in haar door te dringen, haar helemaal te vullen. Plotseling greep ze zijn schouders, haar vingers dreven in zijn huid toen er een scheut door haar heen ging die bijna pijn deed. Ze kronkelde wild, op zoek naar verlichting van de zoete, zoete pijn die groeide en binnen in haar sterker werd. Het was ondraaglijk; ze wilde dat het ophield; ze wilde eeuwig doorgaan, en net toen ze dacht ze het geen seconde langer zou kunnen verdragen, was daar de extase, extase zoals ze die nog nooit eerder had ervaren flitste door haar heen. De wereld verduisterde, en er was alleen die ongelooflijke explosie van genot die haar in duizend stukjes leek te breken.

Patrick voelde het moment dat ze haar ontlading vond, haar inwendige spieren klemden om hem heen, molken hem uit, en dreven hem tegelijkertijd naar eenzelfde duizelingwekkend universum van genot.

☾

Hoofdstuk 12

Thea lag op de groene sofa. Het duurde enkele ogenblikken voordat de werkelijkheid weer tot haar doordrong. Niets in haar leven, vooral niet die afschuwelijke nacht met Hawley, had haar voorbereid op het genot dat Patricks vrijen haar had bezorgd.

Ze voelde zich slap, zo ontspannen dat ze zich nauwelijks kon bewegen. Patrick was er al niet beter aan toe – hij gleed als een lappenpop van haar lichaam naast haar op de sofa. Hij hield een arm om haar heen geslagen alsof hij haar aan zijn zijde verankerd wilde hebben om haar zachte, lome kussen op haar wang en mondhoek te blijven geven.

Uiteindelijk klopte de werkelijkheid zacht op de deur van de paskamer. Ze schrokken beiden op. Patrick voelde zich dwaas, en een ogenblik verlamd, alsof hij als een schooljongen op iets ondeugends was betrapt. Hij duwde zijn verwarde haar naar achteren, knoopte zijn broek en hemd dicht en strikte zijn das zo goed mogelijk. Het kostte hem slechts een ogenblik, een ogenblik waarop de enorme stommiteit van zijn daden door zijn hoofd schoot.

Bij het geluid van die klop op de deur vloog Thea overeind, frunnikte aan haar hemd, probeerde recht te trekken wat Patrick omhoog had getrokken. In opperste verwarring deed ze haar uiterste best haar zelfbeheersing te herwinnen – en alle tekenen van wat er net was gebeurd uit te wissen. Het was onbegonnen werk – de geur van hun vrijpartij hing in de lucht, en ze wist dat haar mond rood en gezwollen was van Patricks kussen. En hoewel Patrick inmiddels zijn jasje weer aanhad, was er toch iets niet helemaal in orde met zijn uiterlijk... iets waardoor mevrouw De Lands geoefende oog meteen in de gaten zou hebben wat er was gebeurd. Vernedering sloeg door Thea heen.

Ze vermande zich tot het uiterste en tegen de tijd dat er voor de tweede keer werd aangeklopt, riep ze, na een vertwijfelde blik op Patrick: 'Ja? Wie is daar?'

Mevrouw De Lands gedempte stem klonk door de deur. 'Is alles in orde, liefje? Ik ben het. Mevrouw De Land. Kan ik je ergens mee helpen?'

Thea slikte een hysterische giechel weg. 'Nee, nee. Alles is in orde. Ik kom zo naar buiten.'

'Goed hoor, liefje. Als je hulp nodig hebt, er is een belkoord in de hoek. Als je daaraan trekt, komt er meteen iemand om je te helpen.'

Na mevrouw De Lands vertrek viel er een ongemakkelijke stilte.

Niet in staat Patrick aan te kijken, draaide Thea hem haar rug toe bij het aantrekken van de geelzijden kamerjas – ze sloeg hem rond haar bevende lichaam dat nog nagloeide van genot, en nog warm was van het zijne. Met opgetrokken schouders zei ze: 'Wil je alsjeblieft weggaan – ik wil me graag aankleden... voordat mevrouw De Land weer terugkomt.'

Patrick, die niet zo'n beginner als Thea was, zag de humor van de situatie in, ook al vervloekte hij zijn roekeloze aandeel erin. Hij had zich in geen jaren zo jong en groen gevoeld als op het moment dat er op de deur was geklopt, en hij kon zich geen enkele keer, zelfs niet in zijn jonge jaren, herinneren dat hij in een dergelijke compromitterende positie was gevonden. Als hij zich niet bewust was geweest van Thea's acute verwarring, was hij misschien in lachen uitgebarsten, maar kijkend naar haar gespannen rug was hij ervan overtuigd dat hij, als hij niet wilde dat zijn hoofd van zijn romp werd geslagen, het beste zijn lachen voor zich kon houden.

'Thea, mijn lief,' begon hij zacht, 'het spijt me dat ik je in deze benarde positie heb gebracht. Ik ben gewoonlijk niet zo overhaast met mijn liefdesuitingen, noch zo onnadenkend en zorgeloos. Ik had beter moeten weten, en ik kan me niet genoeg verontschuldigen voor het feit dat ik je in verlegenheid heb gebracht.'

Patrick ging achter haar staan. Hij legde zijn handen op haar schouders en plantte een warme kus in haar nek. 'Maak je er maar niet druk over, liefje – over een paar dagen zijn we getrouwd, en ondanks het feit dat de society het tegendeel beweert, zijn we echt niet het eerste paar dat de huwelijksgeloften niet heeft afgewacht.'

Thea draaide zich naar hem om. 'Moet ik me daardoor beter voelen?'

'Nee, ik probeer je te laten begrijpen dat de komst van mevrouw De Land eerder ongelegen dan catastrofaal was, en om je te laten inzien dat hetgeen we hebben gedaan niet zo heel erg verschrikkelijk was.' Zijn ogen keken haar doordringend aan. 'Het was mijn fout – ik had beter moeten weten, maar ik wilde je hebben – en ik kon me niet beheersen.' Hij glimlachte wrang. 'Spijtig genoeg kan ik me ten opzichte van jou soms niet helemaal als een heer gedragen.'

'Je hebt je tegenover mij nog nooit als een heer gedragen,' mopperde Thea, denkend aan die hartstochtelijke kus op het bal bij de Hilliards, en hun worsteling met de indringer in het huis aan Curzon Street.

Hij glimlachte, en er ontstonden rimpeltjes bij zijn ooghoeken. 'Nee, dat heb ik nooit gedaan, toch? Wanneer ik bij jou ben, vrees ik dat alles wat ik over fatsoenlijk gedrag als heer heb geleerd, domweg uit mijn brein vliegt. Het is maar goed dat we zaterdag trouwen – een lange verloving zou mijn dood worden.'

Thea hief met een ruk haar hoofd. 'En we moeten natuurlijk alleen aan jouw behoeften denken, is het niet? Jij en Hawley hebben me voor jullie eigen doeleinden gebruikt.'

Zijn glimlach vervaagde. 'Denk je er zo over? Dat ik zo laag en zelfzuchtig ben dat ik alleen aan mijn eigen verlangens denk? Dat ik zoals Randall ben?'

Haar kin ging omhoog. 'Waarom zou ik dat niet moeten denken?'

Een spiertje in Patricks kaak trilde. 'Als je dat denkt, verbaast het me dat je bereid bent met me te trouwen.'

'Ik heb geen andere keus,' bitste ze.

'Nee, dat is zo,' zei Patrick traag, trachtend zijn groeiende boosheid onder controle te houden. 'Want je zou na wat er een paar minuten geleden is gebeurd natuurlijk zwanger kunnen zijn.' Bij het zien van haar bleke gezicht, voegde hij eraan toe: 'Dus is ons lot bezegeld, nietwaar?'

Thea's mond viel open – die gedachte was nu helemaal niet bij haar opgekomen. Ze herinnerde zich haar hevige bezorgdheid van tien jaar geleden maar al te goed – ze was niet alleen verantwoordelijk geweest voor de dood van twee mannen, maar ze had ook gedwongen kunnen zijn Hawley's bastaardkind ter wereld te brengen. De mogelijkheid dat ze zich nu voor de tweede keer in dezelfde positie had geplaatst, bezorgde haar een bittere smaak in haar mond. Ze kon niet geloven dat ze weer zo roekeloos en dom was geweest... Met Hawley had ze geen keus gehad – het was een verkrachting geweest, Hawley was vastbesloten geweest haar geen kans te geven aan een huwelijk met hem te ontsnappen – ongeacht wat haar wensen waren geweest.

Ze hield scherp haar adem in, en staarde Patrick met groeiende achterdocht aan. Had hij hetzelfde gedaan? Ze kon niet ontkennen dat ze geen gewillige partner in hun vrijpartij was geweest, maar kon het zijn dat Patricks zinnelijke aanval uit iets anders dan passie was ontsproten? Het was een onverkwikkelijke gedachte.

'Heb je daarom met me gevrijd?' vroeg ze. 'Gedraag je je zoals Hawley heeft gedaan – mij compromitteren om ervoor te zorgen dat ik zaterdag met je trouw?'

Patrick staarde haar in verbijsterde woede aan. Een vloek onderdrukkend, snauwde hij: 'Je mening over mij is hoogst vleiend!' Hij deed een stap dichter naar haar toe, pakte de panden van haar kamerjas en rukte haar naar zich toe. Zijn grijze ogen waren bijna zwart van woede. 'Als je een man zou zijn, en je had het gewaagd dit tegen me te zeggen, zou ik je hebben vermoord. Maar aangezien ik verdoemd ben om de rest van mijn leven met je door te brengen, zal ik me tot een waarschuwing beperken – waag het nooit meer mijn eer in twijfel te trekken.'

Hij liet haar met een bijna minachtend gebaar los en duwde haar van zich af. Hierna draaide hij zich abrupt om en beende naar de deur. Over zijn schouder zei hij ijzig: 'Ik zal in de winkel op je wachten.'

Zich niet bekommerend of iemand hem zag, smeet hij de deur dicht en beende met snelle, boze stappen door de brede gang. Met opeengeklemde kiezen voelde hij de neiging opkomen iets kapot te gooien. Dat ze dacht dat hij zo laag was!

Thea staarde enkele ogenblikken naar de gesloten deur, stomverbaasd over zijn nauwelijks beheerste woede. Het leek wel, dacht ze ongemakkelijk, of ze hem had beledigd. Haar mond verstrakte. Hij verdiende het. Verdoemd om de rest van zijn leven met haar te door te brengen? Ha!

Het was een stroef, beleefd paar dat door Grosvenor Street reed. Patrick vergezelde haar naar huis en verdween na een vluchtig afscheid. Zijn stramme houding, de strakke uitdrukking op zijn gezicht, betekenden dat hij des duivels was.

Thea hield zich voor dat zij zich nergens schuldig over hoefde te voelen – als hij zich beledigd voelde, was dat zijn probleem. Zíj had het gelijk aan haar kant.

Gehuld in onverschilligheid slaagde ze erin een rustige avond thuis te doorstaan, luisterend naar Modesty's gebabbel over de huwelijksplannen, gevolgd door een rusteloze, bijna slapeloze nacht. Op donderdagochtend werd ze vermoeid en met hoofdpijn wakker. Een lang bad en een licht ontbijt van scones met jam, gevolgd door enkele koppen sterke koffie, maakten dat ze zich iets beter voelde.

Een uur later werd er een briefje van mevrouw De Land gebracht, met het verzoek zo snel mogelijk te komen passen. Thea en Modesty zaten in de huiskamer toen Tillman het bracht.

Zodra Modesty hoorde wat ze had geschreven, riep ze uit: 'Allemachtig, die vrouw moet de hele nacht hebben gewerkt!'

'Vast wel – het huwelijk is zaterdag, voor het geval je dat bent vergeten,' mompelde Thea.

Modesty keek haar verward aan. 'Is er iets mis, liefje?'

Thea trok een gezicht en schudde haar hoofd. 'Nee. Waarschijnlijk gewoon bruidszenuwen.' Ze lachte vreugdeloos. 'Gelukkig zal ik er niet al te lang last van hebben.'

Modesty stond op het punt iets te zeggen toen de deur openzwaaide en Edwina de huiskamer binnenstormde. Haar bleke gezicht stond angstig.

Ze plofte naast Thea op de sofa en jammerde: 'O, Thea! Je moet me helpen. Je moet! Ik weet niet waar ik het moet zoeken.'

'Wat is er dan?' vroeg Thea, gealarmeerd door Edwina's gedrag.

Edwina nam even de tijd om tot zichzelf te komen. Met haar goudblonde hoofd gebogen en haar handen tot vuisten gebald op haar schoot, zei ze: 'Er is een vreselijke man, meneer Yates. Hij is echt een afschuwelijke man, en hij heeft zich vanochtend met geweld toegang tot mijn huis verschaft en hij zei dat ik hem zeventienduizend pond moet betalen! Hij zei dat Alfred hem dat schuldig was, en dat hij, als ik hem niet maandag om twaalf uur betaal, actie zou ondernemen.' Haar stem daalde tot fluistersterkte. 'Hij dreigde dat als Alfred wist wat goed voor hem was, er geen uitstel meer zou zijn… niet als hij wilde dat zijn mooie vrouw bleef zoals ze was.'

Thea's armen sloten zich rond de schouders van haar zus, en ze trok de bevende Edwina tegen zich aan. Haar ogen ontmoetten die van Modesty aan de andere kant van het vertrek toen ze zich beiden herinnerden dat Alfred hun op de avond dat hij werd vermoord om hetzelfde bedrag had gevraagd. Zijn gezicht had angstig gestaan, en voor één keer had Thea het gevoel gehad dat hij de waarheid had gesproken. Hij was wanhopig geweest, en het was duidelijk geen spelletje geweest.

Edwina snikte tegen Thea's schouder, en Thea's hart kneep samen. 'Stil maar, liefje, stil maar. Wees niet bang

– ik zal ervoor zorgen dat jou geen kwaad wordt aangedaan. Meneer Yates zal zijn verdraaide geld krijgen.'

Modesty's lippen verstrakten, maar ze bleef zwijgen.

Edwina hief haar hoofd, ze glimlachte door haar tranen heen. 'O, Thea, ik heb gebeden dat je me niet in de steek zou laten. Ik was zo bang – ik wist niet waar ik het moest zoeken – jij was mijn laatste hoop.'

'Ja, ja, dat weet ik wel zeker,' zei Modesty, 'maar hoe zit het met die man van je.' Aangezien Edwina niets over de dood van haar man wist, was Modesty nieuwsgierig of ze moeite had gedaan contact met hem te krijgen. 'Heb je erover gedacht hem te schrijven om te vertellen wat er is gebeurd? Het is uiteindelijk zijn schuld, niet die van je zus.'

Edwina's glimlach verdween. 'N-n-nee, dat heb ik niet gedaan.' Ze zag er verslagen uit. 'Trouwens, wat zou het voor zin hebben? Alfred heeft geen geld, dat weten jullie. Hij gokt,' voegde ze eraan toe, alsof dat alles verklaarde.

Thea omhelsde Edwina snel, en volgde Modesty's hint. 'Maar we moeten met Alfred praten, liefje. Ik kan niet telkens zijn schulden blijven betalen wanneer hij in moeilijkheden komt. En ik wil niet dat jij op deze manier wordt bedreigd en bang gemaakt. We moeten een blijvende oplossing zoeken.'

'Maar er is geen oplossing,' jammerde Edwina. 'Wij zijn niet zo rijk als jij, en Alfred zal altijd blijven gokken – hij heeft me uitgelegd dat het in zijn bloed zit, en dat hij er niets aan kan doen. En tenzij jij ons blijft helpen, of hij sterft, of ik een fortuin erf, zie ik geen manier om de situatie te veranderen.'

Er schoot een steek van ongemak door Thea heen. Voor het eerst bekeek ze Edwina met iets anders dan blinde adoratie. Er had zoiets koels en onverschilligs in haar laatste woorden geklonken, dat ze even moest na-denken. Edwina wist niet dat haar man al dood was, maar ze moest hebben beseft dat Alfreds voortijdige overlijden onder normale omstandigheden niet bepaald waarschijnlijk was – hij was kerngezond geweest. Was de gedachte om zich van deze onverbeterlijke gokker te verlossen al eens bij Edwina opgekomen? Of dat al haar problemen zouden verdwijnen wanneer haar zus zou sterven en zij het grote fortuin zou erven?

Thea verkilde, haar arm gleed van Edwina's schou-ders, en ze berispte zichzelf. Wat dacht ze nou? Edwina hield van haar, en ondanks het feit dat ze verwend en zelfzuchtig was, zou ze nooit haar dood wensen.

Beschaamd over zichzelf drukte ze een innige kus op Edwina's wang. 'Nou, je zou een aantrekkelijke weduwe zijn, liefje, maar gok er alsjeblieft niet op dat ik binnen-kort onverwacht zal sterven.'

Edwina's ogen sperden zich open, en ze keek ge-schokt. 'Alsof ik dat zou doen! Wat een afschuwelijke opmerking.'

'Maar niet onpraktisch,' zei Modesty mild. Edwina staarde haar vol afschuw aan, en Modesty vervolgde: 'Jij was degene die iets zei over een fortuin erven – Thea is de enige die jou iets zou kunnen nalaten.'

'Ja, dat is waar, maar ik dacht niet echt na over wat dat werkelijk betekende.' Ze glimlachte naar Thea. 'Ik zou jou nooit iets kwaad toewensen.'

'Dat weet ik,' antwoordde Thea, 'maar ik vrees dat we van het onderwerp afdwalen. Wat gaan we aan de situ-atie doen nadat ik maandag meneer Yates heb betaald en hij geen reden meer heeft om je te bedreigen? Als jij al-leen maar zou proberen een beetje economischer te zijn, zou je heel plezierig van je eigen fortuin kunnen leven.' Ze keek Edwina streng aan. 'Dit zal werkelijk de laatste keer moeten zijn dat ik je van Hirsts schulden verlos, liefje. Niet alleen omdat ik dat wil, maar je moet ook niet vergeten dat ik zaterdag ga trouwen. Vanaf dat moment zal mijn man mijn fortuin beheren – ik zal verantwoording over mijn uitgaven moeten afleggen, en Pat... meneer Blackburne lijkt me niet het soort man die de verwanten van zijn vrouw toestaat haar – of hem – geld af te troggelen.'

'Wat een afschuwelijke opmerking!'

'Misschien wel,' zei Modesty, 'maar het is voor een groot deel waar.'

'Ik weet zeker dat meneer Blackburne niet zou willen dat Thea's zus wegens schuld in de gevangenis wordt gegooid,' zei Edwina, met een ongelukkige uitdrukking op haar gezicht. Ze zuchtte. 'Ik weet het, ik weet het, ik ben weer zelfzuchtig – ik veronderstel dat ik zal moeten proberen zuiniger te zijn. Hoewel ik er geen idee van heb hoe ik Alfreds goklust binnen de perken moet houden.'

'Mijn aanbod van een huis op het platteland en een regeling om je van een comfortabel, zo niet prima leven te verzekeren, staat nog steeds open,' mompelde Thea.

Edwina aarzelde, haalde diep adem, en zei haastig: 'Misschien is het tijd dat ik over dat aanbod ga nadenken.'

Thea keek haar stralend aan. 'O, lieverd, ik weet dat je gelukkig zult zijn zodra je je hebt gevestigd. Het leven op het platteland zal niet zo opwindend zijn als in Londen, maar een landelijk leven kan je grote vreugde schenken.'

Edwina leek niet overtuigd, maar voor het eerst scheen ze erover na te denken. 'Ik veronderstel dat je gelijk hebt, op dit moment lijkt het de enige oplossing.' Ze zuchtte. 'O, maar ik zal Londen zo missen – de winkels, de soirees en de drukte in het algemeen.' Ze trok een gezicht. 'Ik denk echter niet dat Alfred op het platteland erg gelukkig zal zijn.'

In het besef dat Alfreds geluk niet langer aan de orde was, zei Modesty: 'Ach, ik weet zeker dat hij zich wel zal aanpassen – en aangezien daar geen gokhallen in de buurt zijn, zal hij misschien leren zijn goklust te beteugelen.'

Edwina's gezicht weerspiegelde haar twijfels over die laatste opmerking, maar ze knikte, en zei: 'Misschien hebben jullie gelijk.' Ze keek Thea aan. 'Heb je al iets in je hoofd voor ons?'

'Nee, niet precies... Ben je wel eens ergens geweest waar *jij* het prettig vond?'

Edwina schudde haar hoofd. 'Als ik niet in Londen kan wonen, maakt het niet uit waar ik in het land kom te wonen.'

Thea aarzelde. 'Als ik het me goed herinner staat er niet al te ver van Halsted House in Gloucestershire een leuk huis te koop.'

Edwina leek nog steeds niet overtuigd, maar ze erkende: 'Dat zou Alfred prettig vinden – hij beweert dat het goed jachtterrein is.'

'Eh, ja, ik weet zeker dat hij het daar tijdens het jachtseizoen heel aangenaam zal vinden,' mompelde Thea, terwijl ze zich schuldig voelde.

Ze wisselde een ongemakkelijke blik met Modesty, trok een gezicht en hoopte, niet voor het eerst, dat Alfreds lichaam zo snel mogelijk zou worden gevonden. Het was wreed om Edwina in onwetendheid te houden over de dood van haar man, maar wat kon ze anders doen? Ze kon moeilijk zeggen: 'O, trouwens, ik weet toevallig dat Alfred dood is, vermoord. Jammer genoeg schijnt zijn lichaam te zijn verdwenen, en ik heb geen flauw idee waar het is. Of wie het heeft weggehaald. Of waarom.' Nee. Ze was niet van plan zoiets belachelijks te zeggen.

Deze ellendige gedachten werden abrupt onderbroken toen Modesty op de klok keek, en zei: 'Aangezien we de kwestie voorlopig hebben geregeld, wil ik voorstellen dat je het rijtuig laat voorrijden. Het is bijna tijd om je trouwjurk bij mevrouw De Land te gaan passen.'

'Maakt mevrouw De Land je trouwjurk? Wat opwindend!' riep Edwina uit. 'Ze is voor mij veel te duur. Wat een geluk dat jij je haar kunt permitteren.'

'Eigenlijk is het niet je zus die de jurk betaalt,' zei Modesty scherp. 'Lady Caldecott staat erop de jurk als huwelijkscadeau aan haar schoondochter te geven.' Ze keek Thea aan. 'En het is niet verstandig mevrouw De Land te laten wachten.'

Edwina stond op. Ze zag er bijzonder aantrekkelijk uit toen ze Thea smeekte: 'O, mag ik met je mee? Ik heb mevrouw De Lands winkel nooit durven betreden. Alsjeblieft, zeg dat ik mee mag.'

'Natuurlijk mag je mee,' zei Thea. 'En waarom ga je na afloop niet mee terug? We hebben uiteindelijk nog veel te bespreken.'

Edwina stemde toe, en de twee zussen bereidden zich eensgezind voor om weg te gaan. Modesty sloeg hen gade toen ze de kamer verlieten, en vroeg zich af of Edwina haar zus een jurk voor zichzelf zou aftroggelen. Natuurlijk niet om hem zaterdag tijdens het huwelijk te dragen – maar misschien als troostprijs omdat ze zich zo verstandig gedroeg? Ja. Dat was precies wat Edwina zou proberen, concludeerde Modesty hoofdschuddend. Het kind was verwend, en Thea, met haar edelmoedige hart, deed de zaak geen goed.

Tegen de tijd dat Thea en Edwina op weg waren naar mevrouw De Land, werd Patrick in zijn huis aan Hamilton Place wakker. Op de avond dat zijn verloving met Thea was aangekondigd, was hij er niet in geslaagd zich met zijn vrienden onder de tafel te drinken: hij was al verdoofd geweest door de wetenschap dat Thea zijn vrouw zou worden, en hij had geen verdere stimulering nodig gehad. Maar dat was de vorige avond wel anders geweest.

Woedend door de scherpe woordenwisseling met Thea, was hij de rest van de woensdagmiddag in een slechte bui geweest. Zijn zwartgallige humeur was niet verminderd tegen de tijd dat hij zich die avond in hun favoriete gokhal bij Lord Embry en Adam Paxton had gevoegd. Vastbesloten niet meer stil te staan bij Thea's reactie op zijn vrijerij, of de ruzie waarmee het eindigde, was hij rijp voor moeilijkheden. Na een blik op zijn grimmige gezicht, hielden zijn vrienden hun mond dicht en zorgden ervoor dat zijn glas de hele avond gevuld bleef. Tegen de tijd dat ze hem naar huis hielpen kwam de zon al op, en was hij letterlijk stomdronken.

Toen hij wakker werd, hielp het gebonk in zijn hoofd hem eraan herinneren waarom hij excessen zoals die van de avond ervoor niet meer plezierig vond. Net als Thea eerder op de dag, voelde hij zich na een bad en een maaltijd weer enigszins normaal.

De ruzie gisteren met Thea speelde nog steeds door zijn hoofd, maar hij was niet langer des duivels. En hoe langer hij nadacht over alle aspecten van wat er was gebeurd, des te beter hij besefte dat haar reactie hem niet had moeten verbazen. Hij zou Hawley Randall heel graag in handen willen hebben. De schoft had niet alleen zijn best gedaan haar leven te ruïneren, maar zijn gruwelijke gedrag had Thea ook niet veel vertrouwen in mannen gegeven. Waarom zou ze dus níet aan zijn motieven twijfelen?

Hij schonk zijn zesde kop sterke koffie in, en ging in gedachten het incident voor de zoveelste keer na, wenste voor de honderdste keer dat hij haar bij mevrouw De Land niet had opgezocht. Als ik in de winkel had gewacht, zoals ik had moeten doen, zou dit allemaal niet zijn gebeurd, gaf hij zuur toe. En toch had hij er geen spijt van dat hij met Thea had gevrijd. Nee, hij zou nooit spijt krijgen van het genot dat ze hem had geschonken. Hij had alleen spijt van de timing en de omgeving.

Een vreemd gevoel roerde zich in zijn binnenste. De volgende keer dat ze zouden vrijen, zou ze zijn vrouw zijn, dacht hij. Zijn vrouw. Een dwaze grijns verspreidde zich over zijn gezicht.

'Sir?' Zijn butler kwam de kamer binnen waar Patrick zat. 'Er is een, eh, heer om u te spreken.'

Patrick trok een wenkbrauw op.

Chetham kuchte bescheiden. 'Ik geloof dat het de, eh, heer is die u enkele dagen geleden hebt ontmoet. Een meneer Hackett.'

Patrick fronste zijn wenkbrauwen, toen herinnerde hij het zich weer. 'Natuurlijk. Breng hem binnen.'

Een gepijnigde uitdrukking flitste over Chethams strenge gelaatstrekken, en Patrick grijnsde. Zijn butler was veel stijver op het gebied van sociale omgang dan hij was, en hij was ervan overtuigd dat Chetham het liefst wilde dat hij Hackett helemaal niet zou ontmoeten en zeker niet in de huiskamer.

De persoon die enkele ogenblikken later door Chetham werd binnengeleid maakte bepaald geen gunstige indruk in zijn onopvallende en onmodieuze kleding. Hackett was een kleine man met gluiperige gelaatstrekken die er altijd uitzag alsof hij zojuist naar de begrafenis van zijn laatste vriend was geweest.

Vandaag was het niet anders; hij hield zijn slappe hoed in zijn handen, zijn treurige bruine ogen op Patrick gericht. 'Goedemorgen, sir. Ik heb de informatie die u wilde hebben.'

Patrick knikte, en gebaarde dat Hackett moest gaan zitten en zichzelf bedienen van de restanten van de uitgebreide maaltijd die nog steeds op tafel stonden. Hij wachtte geduldig tot de kleine man zijn bord had volgeladen. Glimlachend sloeg hij Hackett gade die een hap van de ham nam en zichtbaar genoot.

Een verzaligde uitdrukking verscheen op zijn gezicht. 'Prima ham, sir, werkelijk prima.'

'Ik ben blij dat het je smaakt,' antwoordde Patrick, terwijl zijn ogen lachten. 'En, wat heb je voor me?'

Zonder onderbreking ging Hackett door zijn mond vol te proppen met ham, gebakken eieren en niertjes in jus, terwijl hij in zijn sjofele jas reikte en een vierkant pakje te voorschijn haalde. Hij gaf het aan Patrick en zei met een mondvol gebakken niertjes: 'Ik geloof dat alles er is. Uw man is schoon. Mijn vrienden konden geen smetje aan hem ontdekken.'

Patrick had niet anders verwacht, maar hij was desondanks opgelucht dat zijn stiefvader niet in financiële moeilijkheden leek te zijn. Hoofdschuddend las hij het rapport dat voor hem lag. Nee. Lord Caldecott had geen geldgebrek en hij had geen reden om zijn vrouw te chanteren. Het speet hem dat hij zijn neus in Caldecotts zaken had moeten steken, maar hij moest het zeker weten.

Nogmaals kijkend naar de vele gegevens trok hij een wenkbrauw op en zei: 'Ik had niet gedacht dat dit soort informatie zomaar beschikbaar zou zijn. Je, eh... werkgever moet overal bronnen en ogen hebben.'

Iets, dat in de verte op een glimlach leek, verscheen op

Hacketts gezicht. 'Dat klopt, sir. Het zou u verbazen wat hij allemaal kan ontdekken als hij dat wil.'

Patrick ging er niet verder op in. Hackett zou toch niets loslaten. Hij was alleen de boodschapper.

Nadat hij Hackett had betaald en weggestuurd, verliet Patrick de huiskamer met de informatie in zijn hand en liep naar de voorste salon. Er brandde een vuurtje in de open haard, en hij gooide het pakje waarvoor hij net een aanzienlijk bedrag had betaald in de oranje-gele vlammen. Terwijl hij toekeek hoe de vlammen de bladzijden verteerden, voelde hij zich weinig minder dan een bemoeial.

De dag was al een eind gevorderd, en Patrick overwoog een bezoekje aan Thea te brengen, maar zag ervan af. Hij was inmiddels wel over de ruzie van de vorige dag heen, maar hij wist niet hoe Thea eraan toe was. Het was beter haar een poosje met rust te laten dan een volgende woordenwisseling tussen hen te riskeren. Hij wilde niet zaterdag met een vrouw trouwen die jegens hem achterdochtig was, maar hij wilde ook niet dat ze over het incident zat te piekeren.

Hij nam een besluit, pakte zijn hoge hoed en verliet het huis. Zijn bestemming was een dure juwelier aan King Street. Eenmaal binnen werd hij door de eigenaar en hoofdjuwelier, meneer Greenberg, begroet.

Zodra hij zijn wensen kenbaar had gemaakt, duurde het niet lang om zijn keuze, een set topazen omringd door diamanten, te bepalen. Nadat hij instructies voor de bezorging had achtergelaten, verliet Patrick de winkel, waarbij hij het gevoel had dat hij Thea in ieder geval een olijftak aanbood. Wat er hierna zou gebeuren, was aan haar. Ze zou zijn cadeau misschien wel in de goot smijten of in zijn gezicht, dacht hij grijnzend, maar hij hoopte dat ze het als vredesoffer zou aanvaarden.

Hij had de tijd aan zichzelf en slenterde naar Brooks, waar hij een tafeltje vond waaraan enkele heren zaten te kaarten, en voegde zich bij hen. Andere heren die hij kende druppelden binnen, en aangezien het nieuws over de verloving het gesprek van de dag was, merkte hij dat hij een populaire kerel was.

Gedurende de rest van de middag en avond werd hij meer keren toegedronken dan hem lief was. Omdat hij geen herhaling wilde van de avond ervoor, nipte hij slechts van de vele glazen die hem werden aangeboden. Tegen de tijd dat Nigel en Adam hem rond middernacht aantroffen, was zijn hoofd nog steeds helder.

'Ik heb je overal gezocht,' klaagde Nigel terwijl hij naast Patrick plaatsnam. 'Heb me sinds gisteravond zorgen over je gemaakt. Was lang geleden sinds ik je zo stomdronken had gezien. Vond het niet prettig. Vroeger dronk je ons allemaal onder tafel, maar dat heb ik je in lange tijd niet meer zien doen. Het baarde me zorgen.'

Patrick zat in een rustig hoekje van de club, een plekje dat hij had opgezocht om uit de buurt te blijven van de heren die de verschillende ruimtes nu bevolkten. Paxton liet zijn elegante gestalte in de diepe leren stoel aan Patricks andere kant zakken, en grinnikte. 'Hij is al zo sinds hij had ontdekt dat je was uitgegaan. We hebben in elke club die hij kende naar je gezocht.' Zijn goudbruine ogen glommen geamuseerd. 'En geloof me, hij kent ze allemaal.'

'Ik weet het – ik hem hem zelf overal geïntroduceerd,' zei Patrick wrang.

'Maakt allemaal niet uit,' zei Nigel ongeduldig. 'Ik heb iets voor je ontdekt.' Patrick fronste zijn voorhoofd. 'Aangezien je zo verdraaid geïnteresseerd bent in Ellsworth, heb ik maar eens beetje rondgevraagd. Er wordt gefluisterd dat hij, en die neef van hem, Hirst, in handen van een geldschieter zijn gevallen – de ergste bloedzuiger van het hele stel, een kerel genaamd Yates.'

Patrick verstijfde. 'Ik geloof dat ik de man heb ontmoet,' zei hij, 'laatst bij Ellsworth thuis.'

'Verbaast me niets wanneer Ellsworth hem geld schuldig is. Yates is een slechterik. Behept met een crimineel element – absoluut niet respectabel. Zelfs de meest geharde gokkers mijden hem, maar er zijn er bij die nergens anders naartoe kunnen om geld voor hun schulden te lenen – zoals Ellsworth. Wat Yates anders maakt dan de anderen is dat wanneer iemand te laat is met terugbetalen hij er niet voor terugschrikt om de familie of vrienden van de man te bedreigen. Staat erom bekend het gezicht van de vrouwen of dochters te bewerken, of de ledematen van de mannelijke familieleden te breken – jong of oud. Maakt Yates niets uit. En als dat niet helpt –'

'Als dat niet helpt,' onderbrak Paxton hem grimmig, 'dan gaat hij moord niet uit de weg om zijn punt duidelijk te maken. En omdat mensen op hoge posities schulden bij hem hebben, kan niemand hem iets doen. Plus het feit,' voegde hij eraan toe, 'dat Yates er wel voor zorgt dat er geen belastend bewijs blijft rondslingeren. Hij is zowel meedogenloos als slim, en hij krijgt zijn geld altijd, of je eindigt in de hel.'

'Hij lijkt me een verdorven kerel,' zei Patrick, terwijl er allerlei implicaties door zijn hoofd schoten. Was het Yates geweest die Hirst had vermoord? Omdat hij zijn schuld niet had kunnen betalen? En was het Yates geweest, en niet Ellsworth die Thea en hij die nacht hadden verrast? Hij moest hierover nadenken. Zodra het huwelijk had plaatsgevonden.

'Dank jullie voor de informatie. Ik zal ervoor zorgen dat ik niet in conflict kom met meneer Yates,' was het enige dat hij tegen zijn vrienden zei.

Nigel keek Patrick achterdochtig aan. 'Waarom geloof ik je nou niet?' Hij stak een vinger naar hem op. 'Je voert iets in je schild.'

Patrick haalde zijn schouders op. 'Maak jij je maar nergens zorgen over. Zo, als jullie me nu willen excuseren, denk ik dat ik naar huis ga.' Hij grinnikte. 'Het effect van gisteravond speelt me nog steeds parten, en ik verlang naar mijn bed.'

Nigel snoof verontwaardigd. 'Als je niet voorzichtig bent, mijn vriend, word je nog een zeer respectabele kerel.'

'Beter dat dan een oude losbol die achter zijn rug om wordt uitgelachen.'

'Heel goed!' zei Paxton lachend. 'Een rake klap.'

Nigel glimlachte triest. 'Duik je bed in, Patrick. Ik zal over je wijze woorden nadenken.'

Patrick liet zijn vrienden achter en slenterde naar de ingang van de club. Hij wenste de portier een goede avond, stapte naar buiten en ontdekte tot zijn verbazing dat het regende. Toen hij die middag zijn huis had verlaten, was het zonnig weer geweest met een paar wolkjes in de lucht en daar had hij zich op gekleed. Vanaf King Street was hij naar de club gelopen, en hij had verder niet voor vervoer gezorgd. In het flakkerende licht van de toortsen aan de muur van de club stond hij naar de regen te staren, en voelde er weinig voor om in de stortbui naar huis te lopen.

Maar aangezien er niets anders op zat, trok hij zijn hoofd tussen zijn schouders en liep de stoep naar de straat af. Het geluid van een naderend voertuig trok zijn aandacht, en hij hief een arm om het rijtuig aan te houden dat uit het donker opdook. Hij riep zijn adres naar de koetsier en sprong erin.

Hoofdstuk 13

Sterke handen sloten zich rond Patricks nek, probeerden hem te wurgen, en tegelijkertijd maakte het rijtuig een heftige beweging, waardoor zijn hoofd tegen de achterkant ervan sloeg zodat hij half bewusteloos raakte. Duizelig en worstelend om bij bewustzijn te blijven, dansten er vlekjes voor zijn ogen. Zijn luchtpijp werd dichtgeknepen en hij deed grote moeite om adem te halen – vruchteloos. De vingers van zijn aanvaller knepen zó hard rond zijn keel dat de lucht werd afgesneden, en hij vocht tegen een volgende aanval van duizeligheid en wist dat als hij dit wilde overleven, hij zich uit die greep moest bevrijden. Hij was niet bang om dood te gaan, maar de gedachte Thea nooit meer te zien, en in de handen van een onbekende aanvaller te sterven, maakte hem furieus.

Hij reageerde instinctief door zijn armen op te heffen en zijwaarts te drukken, waarmee hij de wurgende handen van zijn keel wist te krijgen. De verlichting volgde onmiddellijk, en dankbaar haalde hij gretig en diep adem. Zijn aanvaller wierp zich op hem, en ze worstelden in het schommelende rijtuig, waarbij Patrick door het vage schijnsel van een enkele straatlantaarn een korte glimp van het gezicht van de grote man opving.

De regen gutste nog steeds op het dak van het rijtuig, de wielen rolden sissend over het natte wegdek, de paardenhoeven deden het water aan alle kanten opspatten. Binnen werd een dodelijke strijd uitgevochten, de geur van nat leer, oude parfum en verschaalde tabak vermengde zich met de geur van gevaar.

Patrick kon zijn aanvaller niet goed zien; hij kreeg een indruk van een grote, dodelijke gestalte – bijna een reus van een man. Dat was geen verkeerde indruk. Een arm als een boomstam schoot door de lucht en raakte Patricks hoofd, sloeg hem achterover. Sterretjes explodeerden in zijn brein, en hij schudde zijn hoofd in een wanhopige poging het weer helder te krijgen. Zijn aanvaller sloeg opnieuw toe, maar deze keer slaagde Patrick erin hem af te weren en zelf heftig naar de man uit te halen. Het was een rake klap, en Patrick vloekte vanwege de pijnscheut die langs zijn arm omhoogschoot toen hij de aanvaller in diens gezicht raakte. De man kreunde en viel half over de andere zitplaats, en Patrick viel mee, waarna hij hem nog een paar klappen gaf. De pijn in zijn keel, het kloppen van zijn hoofd, en het gevecht zelf, maakten denken bijna onmogelijk, maar op een of andere manier dacht hij aan zijn voeten. Gezien de grootte van de andere man en de beperkte ruimte in het rijtuig was het niet waarschijnlijk dat hij dit gevecht zou kunnen winnen. Thea's gezicht flitste aan hem voorbij. Bij God! Het zou toch niet op deze manier eindigen. Hij ging met haar trouwen, en niemand, ook niet deze gigantische gestalte zou hem daarvan tegenhouden. Hij hield er niet van weg te lopen voor een gevecht, het was zijn eer te na, maar in dit geval viel er misschien iets te zeggen voor een overhaast vertrek.

Een vierkante vorm wierp zich op hem, en Patrick trapte met zijn gelaarsde voeten, raakte de andere man vol op de borst, sloeg hem achterover. Zonder nog een keer na te denken, wrikte hij de deur van het rijtuig open en wierp zich naar buiten in de regen. Hij belandde hard op de straatkeien, rolde en tuimelde een eindje door tot hij uiteindelijk stil bleef liggen.

Hij negeerde zijn pijnlijke spieren, kwam wankel overeind en bereidde zich voor op een eventueel gevecht. Tot zijn opluchting was hij alleen, de lamp van het rijtuig verdween uit het zicht.

Hij keek snel om zich heen, bedacht dat de aanvaller zou kunnen terugkeren, en verloor geen tijd om de veiligheid van Hamilton Place te bereiken. Wat Chetham ook dacht van de bemodderde verschijning van zijn meester op het moment dat Patrick naar binnen strompelde, hij hield het voor zich.

Hij nam Patricks natte, bevuilde mantel aan en mompelde: 'Slecht weertje, sir.' Vervolgens bekeek hij de gehavende toestand van zijn werkgever, en voegde eraan toe: 'Zal ik een bad laten klaarmaken?'

Het was al laat, de meeste bedienden waren al naar bed, en hoewel Patrick naar een troostrijk bad verlangde, schudde hij zijn hoofd. 'Nee. Vanavond niet meer. Ik wacht wel tot morgenochtend. Wil je er dan voor zorgen?'

Patrick draaide zich om en begon de trap op te lopen. Chetham schraapte discreet zijn keel, en Patrick keek om naar zijn butler.

'Ja?' vroeg hij vermoeid. 'Is er nog iets dat je me wilt vertellen?'

'De kokkin heeft een rauwe biefstuk in de provisiekamer,' antwoordde Chetham. 'Als u wilt kan ik u die brengen.'

'Een biefstuk?' herhaalde Patrick.

'Voor uw oog, sir. Tenzij ik me vergis, zult u morgen een, eh, blauw oog hebben.'

Patrick bekeek zijn oog in zijn scheerspiegel en was het met hem eens. Hij zou morgen inderdaad een blauw oog hebben. Hij herinnerde zich geen klap op zijn oog, maar toen hij zijn andere verwondingen onderzocht, vermoedde hij dat hij sommige ervan had opgelopen toen hij uit het rijtuig was gesprongen. Er liep een lange, brede striem langs de zijkant van zijn gezicht die met de kleur van zijn oog zou concurreren, als hij op de blauwe kneuzing op zijn wang en slaap mocht afgaan. Hij trok een grimas. En het huwelijk was over minder dan achtenveertig uur. Wat zou hij een prachtige aanblik vormen voor de vele gasten die zijn moeder had uitgenodigd om getuige te zijn van zijn huwelijk met Thea. Hij grinnikte. De helft van hen zou ongetwijfeld denken dat hij met geweld tot dit huwelijk met zijn verloofde was gedwongen.

Chetham kwam binnen met de biefstuk, en nadat hij hem had weggestuurd, ging Patrick, met de koele biefstuk op zijn oog, achterover op het bed liggen. Alle botten in zijn lichaam deden pijn, en hij besefte dat hij werkelijk te oud werd voor dit soort escapades als hij vanavond had meegemaakt.

Hij fronste zijn voorhoofd. Maar hij had zich vanavond nergens bewust in begeven. Hij had alleen een rijtuig aangehouden om aan de regen te ontsnappen. Hij had zich ook niet in een gevaarlijk deel van Londen bevonden, waar je dergelijke aanvallen kon verwachten. Brooks was een respectabele club. In een respectabel deel van de stad – in tegenstelling tot de speelholen die zijn vrienden en hij meer dan tien jaar geleden regelmatig hadden bezocht.

Denkend aan de aanval kwam Patrick overeind van het bed, zette de biefstuk even terzijde en begon zijn doorweekte kleding uit te trekken. Hij liet ze in een slordige hoop op de vloer vallen en liep naar zijn kleedkamer. Hij schonk wat water uit de kan in de wastafel en begon zich haastig te wassen, knipperde met zijn ogen wanneer hij een gevoelige plek raakte. Kijkend naar de paarse plekken waar zijn aanvaller zijn handen om zijn keel had geslagen, schudde hij zijn hoofd. O, hij zag er met zijn gehavende gezicht en snel blauw worden vlekken geweldig uit – echt de droom van iedere bruid. Hij schoot in een roodzijden kamerjas, liep terug naar zijn slaapkamer en legde de biefstuk weer op zijn oog nadat hij was gaan liggen.

Het was laat, en hij was moe, maar de slaap wilde niet komen. De gebeurtenissen van de avond maalden door zijn brein. Beroving en verminking waren niet ongewoon in Londen, maar er was iets raars aan wat er vanavond was gebeurd. Een rijtuig en het barre weer gebruiken om een slachtoffer te grazen te nemen was slim, dat moest hij hem nageven, maar het leek wat al te toevallig. Patrick kon tientallen redenen bedenken waarom het plan niet succesvol had kunnen verlopen. De schuldigen hadden op een heer alleen moeten wachten voor ze hun plan in actie konden zetten, en aangezien de meeste heren de club in paren of met een groter aantal anderen de club verlieten, hadden ze niet zeker van hun prooi kunnen zijn. Ze hadden ook niet kunnen weten of hun slachtoffer wel of niet veel geld bij zich had, noch hadden ze kunnen weten of het slachtoffer waardevolle juwelen droeg die de moeite van het stelen waard waren. En ze hadden natuurlijk ook niet kunnen weten of hun prooi nuchter zou zijn of volslagen dronken wanneer hij de club op dat uur van de avond verliet.

Hij had dus een willekeurig slachtoffer kunnen zijn, concludeerde Patrick, maar hij vermoedde van niet.

Hij fronste zijn voorhoofd. Maar het wás toeval geweest dat hij de club alleen had verlaten. En het was ook toeval dat hij niet dronken was geweest. Maar als het geen toeval was geweest dat hen had samengebracht, hoe hadden ze dan geweten dat hij bij Brooks zou zijn? Hij had zelf zijn bestemming niet eens geweten toen hij die middag zijn huis had verlaten... of liever gezegd de middag ervoor, aangezien het inmiddels vrijdagochtend vroeg was. Het leek onwaarschijnlijk dat het rijtuig, zijn koetsier en inzittende alleen op hem hadden gewacht, en toch kon hij dat idee niet van zich af zetten. Of was hij domweg te achterdochtig?

Het was mogelijk, maar terugdenkend aan de gebeurtenissen van afgelopen week was hij ervan overtuigd. Er was een chanteur aan het werk. En hij had zich ermee bemoeid. Hij bedacht ook dat het nog maar een paar avonden geleden was dat hij bij het lichaam van Hirst had gestaan, en het was nog niet zo lang geleden dat Thea in datzelfde huis waar Hirst was vermoord in gevecht was geraakt met de mysterieuze indringer. En hoe zat het met die kerel, Yates, over wie Nigel en Adam het vanavond hadden gehad? De aanval had zeker een crimineel element in zich, en aangezien het bekend was dat Yates bemoeienissen met Hirst en Ellsworth had, was het misschien mogelijk dat Yates, om wat voor reden dan ook, zich in de strijd had geworpen. Het was iets waarover hij moest nadenken.

En hoe langer hij erover nadacht, des te meer hij ervan overtuigd raakte dat het geen toeval was geweest. De chanteur moest hebben nagedacht over een manier om het grootste obstakel te elimineren dat de onbeperkte toegang tot Lady Caldecotts portemonnee in de weg stond. Hij had lang gedacht dat het de chanteur was die Hirst had vermoord – en als dat zo was, waarom zou de man dan aarzelen nog een moord te plegen?

Zijn aanstaande huwelijk had de gedachten aan de moord op Hirst naar de achtergrond geschoven en ook, maar in mindere mate, de chanteur van zijn moeder. Jammer genoeg kon hij op dit moment niets bedenken om aan beide kwesties iets te doen; hij zou tot na het huwelijk moeten wachten. Hij fronste zijn wenkbrauwen. Hij vermoedde echter dat als Ellsworth naar de stad was teruggekeerd – Nigel het zou weten.

Toen Patrick de volgende ochtend in de spiegel keek, vond hij dat hij meer op een van de rivierpiraten leek die Silver Street in Natchez onveilig maakten, dan een respectabele heer die in Londen op bezoek was. Hij kon zich geen tijd herinneren, zelfs niet uit zijn meest decadente periode, dat hij er zo, eh, kleurrijk had uitgezien.

Zijn oog zat halfdicht, omringd door een zwart-blauwe kring, en over zijn kaak liep een vuurrode striem, waardoor het leek of hij constant een grimas op zijn gezicht had. De afdrukken van de vingers van de aanvaller waren onzichtbaar onder een zorgvuldig gestrikte das, evenals de andere pijnlijker herinneringen aan zijn wanhoopssprong uit het rijtuig.

De neiging om niet naar buiten te gaan en zijn gehavende gelaatstrekken niet aan de buitenwereld te tonen, was sterk, maar er waren dingen die hij moest doen. En een ervan was dat hij van Nigel wilde horen of Ellsworth naar de stad was teruggekeerd.

Nigel schrok toen hij Patricks gezicht zag op het moment dat hij binnenkwam. Er werden enkele minuten verspild terwijl Patrick hem verzekerde dat hij er erger uitzag dan hij zich voelde.

'Allemachtig,' mopperde Nigel, nadat Patrick zijn verhaal had verteld, 'als wat jou is overkomen geen reden is om in je club rustig iets met je vrienden te drinken, dan weet ik het niet meer!'

Patrick glimlachte – pijnlijk. 'Op dit moment kan ik nauwelijks tegen je argumenten ingaan.'

'Dat zou ik ook denken!'

Ze zaten in de zitkamer die aan Nigels slaapkamer grensde – Nigel had zich kort voor Patricks komst met moeite uit bed gesleept. Patrick dronk van zijn koffie en probeerde zijn gedachten op een rijtje te zetten. Hij was niet in de stemming om een gesprek op gang te brengen – gelukkig maar, want Nigel zag eruit alsof hij zich amper zijn eigen naam herinnerde.

Patrick zette zijn kopje neer. 'Aangezien jij alles schijnt te weten wat er gaande is... heb jij misschien wel gehoord of Ellsworth is teruggekeerd?'

Nigels ogen rolden bijna uit hun kassen. Hij was niet stom – ook niet na een nacht zwaar drinken. 'Vertel me nou niet dat je denkt dat Ellsworth iets te maken heeft met wat jou is overkomen!'

Patrick haalde zijn schouders op. 'Waarom denk je dat?'

Nigel snoof verontwaardigd. 'Omdat jij niet iemand bent die dat soort dingen denkt zonder wraak te willen nemen. En je zit hier de volgende ochtend fris en kwiek en wilt alles weten over die knakker van een Ellsworth. Zelfs een gek zou dat denken. En ik ben geen gek!'

'Stel dat ik dacht dat het Ellsworth was,' mompelde Patrick, 'zou jou dat dan verbazen?'

'Ja en nee. Ellsworth is een smeerlap – heb ik je verteld,' antwoordde Nigel genietend. 'Erger – hij is een lafaard.' Nigels ogen vernauwden zich tot spleetjes. 'Wat jou is overkomen klinkt meer als het werk van Yates. En het zou me niet verbazen als Ellsworth hem, Yates, heeft ingehuurd om het vuile werk voor hem op te knappen.' Zijn lip krulde verachtelijk omhoog. 'Zoiets lafhartigs is net iets voor hem.'

Patrick knikte. 'Misschien heb je gelijk. Maar om Yates in te huren had hij hem moeten zien – ik denk niet dat hij stom genoeg zou zijn om een dergelijk verzoek schriftelijk te doen. Weet je dus of Ellsworth naar de stad is teruggekeerd?'

'Niet dat ik heb gehoord.' Hij keek Patrick aan. 'Waarom ben je in Ellsworth geïnteresseerd?'

'Geen bepaalde reden,' zei Patrick achteloos.

'En ik vraag me af waarom ik moeite heb je te geloven,' zei Nigel, terwijl hij zijn kop pakte en een slok nam. Hij zette zijn kop weer neer en staarde Patrick aan. 'Je voert iets in je schild. Heb ik al eerder gezegd. Wat is het?'

Patrick zuchtte. Nigel en hij waren al zo lang bevriend, hij vertrouwde hem, en Nigel verdiende een of andere verklaring. Met een wrange glimlach zei Patrick: 'Ik kan het je niet vertellen – het is niet mijn geheim om te delen.'

Nigel bestudeerde hem enkele seconden. 'Thea? Zit zij in moeilijkheden?'

'Nee – het is jouw zaak niet. En als ik er lang genoeg over nadenk zou ik me door jouw conclusie beledigd kunnen voelen.'

'Zou me niets kunnen schelen – ik laat me door jou echt niet tot een duel verleiden.'

Patrick lachte, en stond op. 'Goed dan – jij bent bijna net zo openhartig als ik.'

Patrick verliet glimlachend Nigels huis aan Albemarle Street. Onder aan de stoep bleef hij staan en keek links en rechts de straat in, terwijl hij zijn volgende stap overwoog. Hij zou naar zijn moeder kunnen gaan, en naar zijn verloofde. Dan zouden ze voor het huwelijk alvast in alle rust aan zijn regenboogkleurige gezicht kunnen wennen.

Hij hield zijn vermoedens voor zich en vertelde zijn moeder dat hij het slachtoffer van een poging tot beroving was geweest. Ze was verbijsterd terwijl hij haar zijn verhaal vertelde, maar hij was in staat haar te overtuigen, zelfs toen ze opperde dat het gebeurde in verband stond met haar chanteur.

Maar Thea onder ogen komen, was niet zo eenvoudig. Ze zat met Modesty op de sofa in de huiskamer waar ze hem had ontvangen, terwijl hij zijn verhaal nog eens vertelde.

'Het was de man die Hirst heeft vermoord, is het niet? En nu heeft hij geprobeerd jou te vermoorden,' zei ze terwijl ze voortdurend naar zijn blauwe, gekneusde gelaatstrekken keek.

Modesty hapte naar adem. 'Natuurlijk! Dat is er gebeurd.'

Patrick trok een gezicht. Zijn hoop dat zij het als een beroving zouden zien, ging niet op. Hij had beter moeten weten. Zijn lieveling was veel slimmer dan goed voor haar was.

Hij nam tegenover hen plaats. 'Het zou kunnen, ik kan het ook niet anders zien. Maar het belangrijkste is dat ik er heelhuids vanaf ben gekomen.'

'Deze keer wel,' zei Thea toonloos.

Patrick keek naar Modesty. 'Mag ik haar een ogenblik alleen spreken?'

'O, natuurlijk.' Modesty stond op en verliet het vertrek.

Patrick ging naast Thea zitten en nam haar handen in de zijne. 'Lieveling, we weten niet of dat wat gisteravond is gebeurd iets met de moord op Hirst te maken heeft.'

Haar ogen zochten de zijne. 'Dat geloof je zelf toch niet?'

Patrick dacht aan een leugentje, maar kijkend naar haar intelligente ogen bestierven de woorden hem op de lippen.

Met een wrang gezicht schudde Patrick zijn hoofd. 'Nee. Net als jij denk ik dat degene die me gisteravond te grazen wilde nemen iets te maken heeft met de man die Hirst heeft vermoord.'

Thea's adem stokte in haar keel, en haar hand sloot zich over de zijne. 'Er is iets dat ik je moet vertellen voordat we deze kwestie verder bespreken.' Haar gezicht betrok en haar stem werd zacht. 'Sinds hetgeen er in de paskamer bij mevrouw De Land is gebeurd, heb ik er aldoor aan moeten denken.' Ze haalde diep adem, en haar gezicht verbleekte. 'Het had niet moeten gebeuren, maar toen het eenmaal was gebeurd, had ik jou niet met dat beest van een Randall moeten vergelijken. Het was onaardig en oneerlijk. Ik bied je mijn verontschuldiging aan.'

Patrick voelde zich minder dan niets toen hij haar aankeek. Zijn ogen stonden echter teder, en hij zei: 'Lieveling, ik ben degene die jou een verontschuldiging moet aanbieden. je was onder mijn hoede – en ik heb tot mijn schande veel meer ervaring dan jij je kunt voorstellen. Ik had je nooit mogen aanraken. Ik heb me schandelijk misdragen – niet jij. Echt niet.' Hij glimlachte triest. 'Maar wat ik zei is de pure waarheid – wanneer ik bij jou ben, kan ik mijn handen niet van je af houden... en dat wetende had ik het nooit zo ver moeten laten komen. Het was geheel en al mijn schuld.'

Er speelde een glimlach bij haar mondhoek. 'Als je doorgaat met je op deze manier te verontschuldigen, geloof ik dat ik je een heel aanvaardbare echtgenoot zal vinden.'

Wat kon hij hierna anders doen dan haar tegen zich

aan trekken en een stevige kus geven? Ze beantwoordde zijn kus enthousiast, haar armen gleden rond zijn nek. Patrick voelde zijn hartstocht ogenblikkelijk groeien en maakte zich met moeite uit haar omhelzing los.

Haar ogen straalden van verlangen, en hij kreunde, waarna hij nog een snelle kus op haar roze mond drukte voor hij haar een eindje van zich af duwde. 'Als je doorgaat met op die manier naar me te kijken,' mompelde hij, 'sta ik niet voor mezelf in.'

De heerlijkste gevoelens verspreidden zich in haar lichaam, en even dacht ze eraan de conventie in de wind te slaan en te zien hoe standvastig hij nou eigenlijk was. Alleen de gedachte dat Modesty elk moment zou kunnen terugkomen hield haar tegen.

'Ik vraag me af of je na morgen zoveel beheersing zult kunnen opbrengen,' plaagde ze.

Zijn blik verduisterde, en Thea voelde een steek van opwinding door zich heen gaan. Zodra ze zijn vrouw zou zijn, zou hij vast niet zoveel beheersing kunnen opbrengen!

Ze sloeg haar ogen neer en zei: 'Je cadeau werd gistermiddag bezorgd. Dank je.'

Patrick glimlachte. 'Wat? Gooi je het niet in mijn gezicht?'

Ze lachte. 'Ik heb eraan gedacht, maar ik bracht het niet op. Modesty dacht dat je het had gestuurd omdat we ruzie hadden gemaakt – ze wist dat er iets mis was toen ik thuiskwam, maar ze heeft er geen idee van wat er precies bij mevrouw De Land is gebeurd. Ze heeft me ervan overtuigd dat de juwelen veel te kostbaar waren om ze in je gezicht te gooien – of in de goot.' Ze aarzelde. 'Dus heb ik ze aan haar gegeven.'

Patrick stikte bijna. 'Wat heb je gedaan?'

'Nou, je had toch niet gedacht dat ik ze zou houden?

Terwijl ik zo woedend op je was?' vroeg ze op zo'n redelijke toon dat hij moest grinniken.

'Nee, niet echt,' gaf hij wrang toe, denkend aan het kleine fortuin dat de topazen en diamanten hem hadden gekost. Hij hief haar hand en drukte er een kus op. 'Ik vertrouw erop dat je in het vervolg de cadeautjes die ik voor je koop niet zult weggeven.'

'Alleen wanneer ik op dat moment niet kwaad op je ben,' mompelde ze, met twinkelende ogen. Haar stemming veranderde plotseling. Ze stak haar hand uit en legde hem langs zijn gekneusde gezicht. 'Twijfel je eraan dat hetgeen er gisteravond is gebeurd in verband staat met Hirst?'

Hij schudde zuchtend zijn hoofd. 'Nee. Ik ben ervan overtuigd dat degene die in het rijtuig was, dezelfde persoon is die Hirst heeft vermoord – of onze indringer.'

'Denk je niet dat hij dezelfde persoon was?'

'Dat zou natuurlijk mogelijk zijn, maar daar kunnen we niet van uitgaan.' Met de chanteur van zijn moeder in gedachten zei hij: 'Het is mogelijk dat er twee verschillende krachten aan het werk zijn – waar wij, ik, midden in zitten.'

Thea keek vastberaden. 'We moeten degene ontmaskeren die hierachter zit.' Gedurende een ogenblik overwoog ze hem van het briefje te vertellen dat ze voorafgaand aan haar bezoek aan mevrouw De Land had ontvangen. Een steek van schuld flitste door haar heen. Was ze oneerlijk door Patrick informatie te onthouden? Misschien moest ze het hem vertellen.

Een klop op de deur onderbrak haar gedachten. Zonder op een antwoord te wachten zwaaide de deur open, en Edwina trippelde de kamer binnen.

Ze zag er charmant uit. Ze droeg een breedgerande hoed, afgezet met kant en veren; een paar goudblonde krulletjes dansten langs haar gezicht. Haar witte handschoenen waren versierd met geborduurde rozenknopjes, en haar blauwe, mousselinen jurk benadrukte haar welgevormde lichaam. Ze liep glimlachend op hen af, maar haar glimlach verdween zodra ze Patricks gezicht zag. Ze slaakte een kreet van schrik, en haastte zich naar voren.

Patrick stond zuchtend op en vertelde dat hij de avond ervoor in handen van straatrovers was gevallen. Edwina was zowel razend als gefascineerd door zijn verhaal. 'U mag uzelf feliciteren dat u in staat was te ontsnappen, sir,' zei ze toen hij klaar was. 'U mag echt van geluk spreken.' Ze keek hem bewonderend aan. 'Het was erg dapper van u om uit het rijtuig te springen. Ik weet zeker dat ik van angst was flauwgevallen.'

Patrick gaf alle beleefde antwoorden en was opgelucht toen het onderwerp eindelijk werd losgelaten. Edwina wendde zich tot Thea. 'Ik wilde niet storen. Maar nu Hirst de stad uit is, voelde ik me vanochtend eenzaam en dacht een poosje bij jou door te kunnen brengen.' Ze sloeg haar ogen neer, en voegde er triest aan toe: 'Maar ik zie dat je al bezoek hebt en niet op mijn gezelschap zit te wachten. Ik zal maar weer opstappen.'

'O, doe niet zo theatraal,' zei Modesty die achter haar de kamer binnenkwam. 'Ga zitten en blijf – daar zat je tenslotte naar te vissen, nietwaar?'

Even zag het ernaar uit dat Edwina dit als een belediging zou opvatten, maar toen lachte ze, en bekende: 'Zoals altijd, lieve, lieve Modesty, heb je helemaal gelijk.' Ze keek Thea aan, en vroeg: 'Vind je het echt niet erg wanneer ik blijf? Ik stap meteen op wanneer ik iets belangrijks verstoor.'

Thea schudde haar hoofd. 'Nee. Patrick was voornamelijk gekomen om me over zijn tegenspoed van gisteravond te vertellen.'

Patrick stond nog steeds naast de bank. 'En aangezien ik dat inmiddels heb gedaan, geloof ik dat ik degene ben die zou moeten vertrekken. Ik weet zeker dat de dames nog veel te bespreken hebben.' Hij grinnikte naar Thea. 'Trouwjurken en zo.'

'O, dat hebben we zeker,' beaamde Edwina. 'Ik ben gisteren met Thea meegegaan naar mevrouw De Land – haar jurk is gewoon fantastisch – ik ben groen van afgunst.'

'Daar heb je geen reden toe,' zei Modesty droog. 'Heeft je zus niet afgesproken dat mevrouw De Land op een later tijdstip een baljurk voor je maakt?'

Edwina had het fatsoen schuldig te kijken. 'Eh, ja, dat heeft ze gedaan.' Ze glimlachte stralend naar Thea. 'Mijn zus is het liefste wezen dat je je kunt voorstellen.'

Edwina bleef nog slechts een paar minuutjes langer. Ze was net vertrokken toen Tillman de kamer binnenkwam. Hij zag er ongemakkelijk uit. 'Miss, het spijt me dat ik u stoor, maar dit is net bezorgd.' Hij fronste zijn voorhoofd. 'Het werd door een straatjongen gebracht.'

Alarm flitste door Thea heen. Ze pakte het opgevouwen papier van de butler aan en stuurde hem weg. Zich bewust van de andere twee die haar gadesloegen, vouwde ze het briefje open en las de inhoud. Ze verbleekte, en een kreet ontsnapte haar. Zwijgend overhandigde ze Patrick het briefje. Zijn gezicht werd grimmig toen hij las:

U was zo onverstandig u niet aan de afspraak op woensdag te houden. Nog zo'n vergissing en uw knappe aanstaande echtgenoot zal niet zo makkelijk kunnen ontkomen.

Hoofdstuk 14

'En aan wat voor afspraak heb je je niet gehouden?'
vroeg Patrick op neutrale toon.

Thea haalde diep adem en keek Modesty aan.

Modesty stak haar hand uit. 'Mag ik het?'

Hij bleef Thea aankijken terwijl hij Modesty het briefje
gaf.

'O, hemeltje!' riep Modesty nadat ze het briefje had
gelezen. 'Dit is verschrikkelijk.' Ze keek naar Thea, haar
gezicht een mengeling van medelijden en 'ik heb het je
gezegd'.

Patrick wierp Modesty een blik toe. 'Kennelijk ben ik
de enige die niets weet over de ontmoeting waar het
briefje naar verwijst. Zou iemand me op de hoogte kunnen brengen?' Een zure toon kroop in zijn stem. 'Uiteindelijk heb ik te lijden gehad doordat jij je niet aan die afspraak hebt gehouden, dus lijkt het me logisch dat ik te
horen krijg waarom dat was.'

'Modesty vroeg me het je te vertellen toen ik het eerste
briefje had ontvangen, maar ik –' Thea stopte, vervuld
van schuld en enig ongemak door zijn houding. 'Maar ik
wilde het niet,' zei ze zacht.

Zijn gezicht verried niets toen hij vroeg: 'Mag ik dat
eerste briefje zien?'

Thea knikte en belde Tillman. Toen de butler binnenkwam vroeg ze of hij haar het gebloemde porseleinen doosje van haar toilettafel wilde brengen.

Ze wachtten zwijgend op Tillmans terugkomst, en nadat hij Thea het doosje had overhandigd vertrok hij weer. Thea vouwde het briefje open en gaf het aan Patrick.

Modesty en zij wachtten bezorgd op zijn reactie. Hij zweeg enkele ogenblikken en overwoog de situatie.

Ten slotte vroeg hij aan Thea: 'Was er een bepaalde reden waarom je me niets over het eerste briefje hebt verteld? Een andere dan het feit dat je zoals gewoonlijk weer eens je dwaze, koppige, ergerlijke zelf was?'

Thea's kin schoot omhoog. 'Ik heb me niet aan de afspraak gehouden – zo dwaas was ik dus ook weer niet,' bitste ze, woede zichtbaar in haar ogen. 'En aangezien ik me niet aan die afspraak heb gehouden was er geen reden het jou te vertellen.'

De blik in zijn ogen beloofde voor de komende paar minuten niet veel goeds. Maar hij bedacht zich kennelijk over wat hij had willen zeggen. Hij wendde zich af en ijsbeerde een poosje door het vertrek, worstelend om zijn zelfbeheersing te herwinnen. Het was niet het feit dat haar daden hem de avond ervoor in moeilijkheden hadden gebracht, maar wel dat ze hem kennelijk niet had vertrouwd. Hij haalde diep adem. Maar waarom zou ze hem eigenlijk wel vertrouwen? Ze dacht al dat hij haar met een trucje tot een huwelijk had gedwongen, en ze had alleen zijn woord dat zij Hirst niet had vermoord. Hij had ook geweigerd zijn eigen redenen, waarom hij op de plaats van de moord was geweest, met haar te delen, erkende hij grimmig. Alles bij elkaar had ze een opmerkelijke zelfbeheersing… en vertrouwen getoond. Hij glimlachte triest. Veel meer zelfbeheersing en vertrouwen dan hij onder dezelfde omstandigheden zou hebben getoond.

Hij keek weer naar de twee briefjes in zijn hand, en liep terug naar Thea en Modesty. 'Werd het eerste briefje op dezelfde manier bezorgd als het tweede?'

Thea schudde haar hoofd. 'Nee. Woensdagochtend waren hier heel veel mensen op bezoek. Tillman vond het briefje nadat de meeste bezoekers waren vertrokken.'

Patrick zuchtte. 'Onze schuldige geeft ons geen enkele aanwijzing over zijn identiteit.' Hij keek Thea aan, zijn gezicht verzachtte. 'Het heeft geen zin te morren over wat er is gebeurd.' Hij glimlachte naar haar. 'Geloof me, liefje, ik heb liever dat ik onder de blauwe plekken zit dan dat jij je woensdagmiddag aan die afspraak had gehouden.'

Thea keek hem perplex aan. 'Wat bedoel je? Het briefje eist alleen geld – ik was niet in gevaar. Bovendien kan ik wel tegen een stootje.'

'Ongetwijfeld, maar ik hou er niet van te worden kaalgeplukt – of ik het me nou kan permitteren of niet. En het bevalt me nog minder dat de vrouw met wie ik op het punt sta te trouwen, wordt gechanteerd – vooral terwijl ik weet dat ze van niets anders beticht kan worden dan een roekeloze aard.'

'Nou, bedankt,' mompelde Thea, niet wetend of ze zich gevleid of beledigd moest voelen.

Patrick keek fronsend naar de briefjes. 'Het lijkt me dat die briefjes in hetzelfde handschrift zijn geschreven, maar verder zegt dat ons erg weinig.' Hij keek Thea aan. 'Ik had erg graag van dat eerste briefje op de hoogte willen zijn.'

'Wat precies de reden is waarom ik het je niet heb verteld,' zei Thea. 'Als je het had geweten, had jij net zoiets dwaas gedaan als dat waarvan je mij hebt beschuldigd.'

Hij trok een gezicht. 'Touché.'

'En wat gaan we nu doen?' vroeg Modesty. 'De volgende eis betalen? Ik denk dat we er geen van allen aan twijfelen dat er een volgende eis zal komen. Het lijkt dat betalen onze enige keus is – tenzij we willen riskeren dat jou nog meer kwaad wordt aangedaan.'

Patrick ging tegenover de twee dames zitten. Hij strekte zijn lange benen voor zich uit en wreef over zijn kin. 'Op het moment kunnen we denk ik niets anders doen dan op een volgend briefje wachten. En afhankelijk van zijn eisen moeten we zien of we de persoon achter dit alles kunnen ontmaskeren.'

'Het bevalt me niets,' zei Thea, haar handen ineen op haar schoot. 'Ik voel me zo hulpeloos – en kwaad.'

'Ik ook, lieveling,' antwoordde Patrick vriendelijk. 'Maar de briefjes maken ons niets duidelijk. Hoewel ze wel een verklaring zijn voor wat mij gisteravond is overkomen.'

Met een schuldige uitdrukking op haar gezicht leunde Thea naar voren. 'O, Patrick, het spijt me zo dat ik je niets over dat eerste briefje heb verteld. Als ik dat had gedaan, zou jij niet zijn aangevallen. Het is allemaal mijn schuld!'

Modesty snoof verontwaardigd. 'Natuurlijk, van wie anders? Zeker niet van de persoon die de briefjes heeft geschreven of die heeft geregeld dat Patrick zou worden aangevallen. Natuurlijk kunnen we hém niets kwalijk nemen – alleen jou.'

Thea bloosde en staarde naar haar schoot. 'Je hebt gelijk me te bespotten,' zei ze zacht, 'maar ik kan er niets aan doen dat ik het gevoel heb dat als ik niet zo dwaas was geweest om Hirst te ontmoeten dit niet zou zijn gebeurd.' Ze keek Modesty aan. 'Dus *is* het mijn schuld.'

Modesty's gezicht verzachtte onmiddellijk. 'Nee, kuikentje, het is niet jouw schuld. Het is de schuld van degene die Hirst heeft vermoord en die al deze gebeurtenissen in gang heeft gezet. Als het je schuldige geweten niet beledigt, moet je beseffen dat je niets meer bent dan een pion in andermans spel.'

'Ze heeft gelijk, weet je,' zei Patrick. 'Je enige fout is dat je een onstuimige aard hebt – een feit waar onze schuldige misbruik van maakt.'

'Als jullie beiden klaar zijn mij te tonen wat een laag, inconsequent, onstuimig radertje ik in andermans kuiperijen ben, dan stel ik voor dat we een plan uitwerken om de volgende boodschap af te handelen. En we weten dat er een volgende boodschap zal zijn.'

Ze bespraken de kwestie, maar kwamen niet tot een besluit over een plan. Wat ze wel overeenkwamen, was dat als Thea een briefje zou ontvangen waarin om geld of iets anders werd gevraagd, en Patrick was nogal onvermurwbaar over dat 'iets anders', zij of Modesty hem meteen zou schrijven.

'Maar een briefje zal natuurlijk niet nodig zijn,' mompelde Patrick grijnzend. 'Na morgenmiddag ben ik niet van plan mijn bruid erg ver van mijn zijde te laten wijken.'

Thea bloosde weer, ditmaal om een andere reden, beelden van in bed liggen met haar man warrelden door haar brein. Ze had zichzelf nog maar nauwelijks onder controle toen Patrick enkele minuten later opstond en afscheid nam.

De rest van de middag en avond ging in een roes voorbij. Aan het eind van de middag kwam er een stroom bezoekers om haar te feliciteren, en in het begin van de avond gingen Modesty en zij naar mevrouw De Land om de trouwjurk voor de laatste keer te passen. Ze verlieten de winkel met mevrouw De Lands stellige belofte dat de jurk de volgende ochtend niet later dan tien uur zou worden bezorgd.

Lady Caldecott had erop gestaan dat de bruid en bruidegom en verscheidene familieleden die avond bij haar thuis zouden dineren. Dus begaven Thea en Modesty, vergezeld door Edwina, zich na het passen rechtstreeks naar het huis van de Caldecotts. De avond verliep plezierig, maar Thea voelde zich duizelig en verward, nauwelijks in staat te geloven dat ze de volgende avond om dezelfde tijd mevrouw Patrick Blackburne zou zijn.

Telkens weer dwaalde haar blik naar Patrick, waarbij er een opwindende huivering over haar rug trok wanneer ze de uitdrukking in zijn anders zo koele grijze ogen zag. Hij hing vanavond de gentleman uit, en ondanks de blauwachtige schaduwen op zijn gehavende gezicht, zag hij er wellevend en hartveroverend knap uit in zijn strak zittende grijze jas en zwartzijden broek, zijn linnen helderwitte hemd tegen zijn gebruinde huid. Iedere keer dat hun ogen elkaar ontmoetten, ervoer ze een pang van zoete verwachting in haar buik.

Met moeite maakte ze haar blik van hem los en probeerde zich op anderen te concentreren. Het was moeilijk, maar uiteindelijk lukte het haar Patrick en de uitwerking die hij op haar had op afstand te houden en enkelen van de andere gasten gade te slaan.

Edwina was opgewonden over het feit dat ze zich vanavond in het gezelschap van zoveel machtige leiders van de society bevond. Het selecte gezelschap maakte haar duizelig van geluk; haar tafelgenoot aan de ene kant was een markies, en aan de andere kant zat een oogverblindende, pasgetrouwde gravin. Na het diner, nadat de meeste gasten naar de elegante blauwe salon waren gegaan waar koffie en delicate gebakjes werden geserveerd, voegde Edwina zich bij Thea, Modesty en

Lady Roland die in een hoek van de kamer stonden.

Haar ogen glansden, en haar gezicht straalde. Kijkend naar alle glitter en roem die in het vertrek was verzameld, slaakte ze een diepe zucht. 'O, Thea, je bent zo'n geluksvogel! Vind je me erg slecht wanneer ik zeg dat ik je benijd?' Ze schudde haar goudblonde hoofd. 'Door hier vanavond te zijn besef ik hoe graag ik had gewild dat ik naar jou en Modesty had geluisterd toen jullie me waarschuwden niet met Hirst te trouwen. Mijn leven zou zo heel anders zijn verlopen.'

'Achteraf hebben we allemaal makkelijk praten,' zei Modesty droog. 'De kunst is vooruit te kijken.'

Edwina knikte. 'Je hebt natuurlijk gelijk. En ik beloof jullie dat ik vanaf nu alles anders zal doen.' Bij het zien van Modesty's sceptische blik, voegde ze eraan toe: 'Heb ik niet toegestemd Thea's advies op te volgen en naar het platteland te verhuizen? Bewijst dat niet dat ik probeer verantwoordelijk te zijn?'

'Inderdaad,' zei Thea met een hartelijke glimlach. 'Uit Londen weggaan is een fantastische eerste stap om je fortuin te behouden.' Denkend aan het effect, wanneer Edwina zou horen dat Hirst was vermoord, vervolgde Thea: 'Soms kan de toekomst er donker uitzien, maar geloof me, die tijd gaat voorbij. En als je wordt geleid door degenen onder ons die van je houden, zweer ik je dat je toekomst er stralend en zonnig zal uitzien.'

'Dat hoop ik,' antwoordde Edwina, haar lieflijke, jonge gelaatstrekken plotseling somber.

Op dat moment kwam Patrick aanlopen, een vermoeide uitdrukking op zijn donkere, knappe gezicht. Hij pakte Thea's hand. 'Ik ben bang, lieve dames, dat ik jullie mijn bruid moet ontnemen. Moeder staat erop dat iedereen voor het eind van de avond nog een laatste toast uitspreekt.'

Zodra deze ronde achter de rug was liep het feest geleidelijk ten einde, en Thea was blij te kunnen vertrekken. Patrick vergezelde de dames naar huis; Edwina was met Thea en Modesty meegekomen, en zij werd als eerste naar huis gebracht. Aangekomen op Grosvenor Square begeleidde Patrick zijn verloofde en Modesty het huis in.

Modesty wenste Thea en Patrick welterusten en liet ze in de kleine zitkamer alleen, zodat ze voor hun huwelijk nog een ogenblik samen konden zijn.

Patrick glimlachte naar Thea. 'Morgenavond om deze tijd is het allemaal achter de rug – dan zijn we man en vrouw en hopelijk niet langer het middelpunt van ieders belangstelling. Ik weet niet hoe jij erover denkt, maar ik heb me de hele avond een soort kermisattractie gevoeld. Heb je het erg zwaar gehad, liefje?'

Thea lachte, zag er innemend uit in een amberkleurige, zijden japon. 'Je vergeet dat ik eraan gewend ben dat er naar me wordt gestaard – gewoonlijk minachtend – dus was het voor mij een nieuwtje dat ik zoveel felicitaties in ontvangst mocht nemen. Ik heb er eigenlijk van genoten.'

'En ik vertrouw erop dat je ervan gaat genieten om met mij getrouwd te zijn,' zei hij zacht, terwijl zijn mond de hare bedekte. Hij kuste haar teder, hartstocht onder controle. Dit was alleen maar een nachtzoentje. Niets meer. Het deed er niet toe dat hij de hele avond door haar parfum was gekweld en het besef dat ze in minder dan vierentwintig uur zijn vrouw zou zijn. Hij had gezworen dat een incident, zoals bij mevrouw De Land niet meer zou gebeuren. Maar ze was zo lief, zo warm en verleidelijk in zijn omhelzing en hij verlangde zo hevig naar haar dat al zijn goede voornemens verdwenen.

Hij rukte haar slanke lichaam tegen het zijne, wat hij

de hele avond al had willen doen. Hij kreunde gesmoord toen zijn lippen haar mond beroerden, en zijn tong drong genietend in de warme naar wijn smakende diepten van haar mond. Een scheut van vurige passie flitste door hem heen, en onmiddellijk dronken en blind van verlangen, drukte hij haar bijna tegen de muur om haar ter plekke te nemen.

Thea had nooit geweten hoe snel het verlangen iemand kon overweldigen, hoe snel een eenvoudige kus in iets veel heftigers kon veranderen. Hem weerstaan kwam helemaal niet in haar op, niet nu haar hart en lichaam erom schreeuwden om door hem te worden genomen. Tegen zijn gespierde lengte gedrukt was het stijve bewijs van zijn eigen hunkering duidelijk. Ze sloeg haar armen om zijn nek en kuste hem net zo verrukt en verlangend terug.

Zijn hand greep de amberkleurige zijde rond haar heupen, trok de rok van de japon omhoog. Zodra hij het warme vrouwelijke vlees van haar dij aanraakte, kreunde hij weer, en zonder zijn gedreven strelingen te staken, dreef hij haar achteruit tot de muur van de kamer hen tot stoppen dwong.

Met haar rug tegen de muur huiverde ze toen hij eindelijk in staat was door alle lagen van haar japon heen te dringen en haar tussen haar benen aan te raken, waarna zijn vingers meteen haar hunkerende centrum vonden. Thea kreunde, golven van genot spoelden door haar heen terwijl hij het tere vlees wreef en kneep, zijn kus werd harder, dwingender.

Hij was door het dolle heen van het verlangen zichzelf in haar zachte diepten te verliezen, waardoor hij alles om zich heen vergat, behalve zijn hevige behoefte haar te bezitten. Hij tilde haar ene been op en legde het rond zijn heupen, zijn hand maakte de voorkant van zijn broek los. Hij zou haar hebben, hij zou niet worden afgewezen. Naar de hel met zelfbeheersing.

Die gedachte zond een ijzige pijl van gezond verstand door hem heen, en, bijna stikkend van frustratie vertraagde hij zijn bewegingen, verzachtte zijn kus. Hij bleef haar echter nog even kussen, ongeacht de eisen van zijn lichaam. Ze was opgewonden en bereid, en hij besloot dat tenminste een van hen vanavond bevrediging zou vinden, dus knielde hij tussen haar benen. Hij hield haar ene been over zijn schouder en kuste haar intiem tussen haar dijen, zijn tong en lippen dronken haar geur en smaak op. Hij hield haar tegen de muur, terwijl zijn vingers en tong haar kwelden. De spanning en het beven van haar lichaam vertelden hem duidelijker dan woorden dat ze zich op het randje bevond.

Overweldigd door schokkende, ongekende emoties bracht iedere stoot van zijn vingers, iedere lik van zijn tong haar op een volgend niveau van genot tot ze niet meer kon denken. Het genot en de pijnlijk zoete gevoelens waren zo machtig, dat ze ervan overtuigd was dat ze het niet veel langer kon verdragen. Ze had gedacht dat hetgeen ze bij mevrouw De Land had ervaren haar had voorbereid op lichamelijk genot, maar ze ontdekte dat er nog andere gevoelens van genot waren... Plotseling krampte haar lichaam samen, verstrakte in een zoete, zoete pijn. Het volgende moment explodeerde de extase door haar heen.

Stomverbaasd sloeg ze slap tegen de muur, maar Patricks handen voorkwamen dat ze op de vloer viel. Hij kuste dat tintelende vlees voor een laatste keer, en met een scheve, tevreden glimlach rond die wetende mond, stond hij op, haar verkreukelde rok gleed weer op zijn plaats.

Zijn lichaam was een en al pijnlijk onbevredigd verlangen, maar het besef dat tenminste een van hen vannacht goed zou slapen maakte de pijn draaglijk. Bijna.

Thea staarde hem met niets ziende ogen aan, het samentrekken en weer ontspannen van haar lichaam zond nog steeds schokjes van genot door haar heen. Het was de zachte aanraking van zijn vingers tegen haar wang die haar weer in de werkelijkheid bracht.

Haar ogen waren wijd opengesperd, haar gelaatstrekken zacht, en Patrick dacht dat hij nog nooit zoiets lieflijks en opwindends had gezien. Het was een aanblik, hield hij zich voor, die hij in de toekomst nog vaak hoopte te zien. Alleen zou zijn gezicht de volgende keer dezelfde uitdrukking hebben.

Met een scheef lachje zei hij: 'Het was niet mijn bedoeling dat dit zou gebeuren... maar ik had je gewaarschuwd.'

'Gewaarschuwd?' vroeg Thea schor, haar brein was vertroebeld.

'Dat ik mijn handen niet van je af kan houden.'

'O, dat,' mompelde ze blozend.

Patrick lachte. 'Ja, dát!' Hij kuste haar, en zei tegen haar trillende mond: 'En ik ben van plan dát in de toekomst veel vaker te doen.'

Nadat hij zich ervan had overtuigd dat ze beiden waren hersteld, kuste hij haar nogmaals. 'Het is het beste dat ik nu ga, voordat je me weer in de verleiding brengt. Ik heb me tegen mijn voornemens in al veel te veel laten gaan.'

Hoe Thea de trap naar haar kamer beklom, wist ze zich later niet meer te herinneren. Omhuld door een vage gloed, haar lichaam bevredigd en slap, lukte het haar uiteindelijk haar kleren uit te trekken en een dun nachthemd aan te trekken. Het was een lange vermoeiende dag geweest. Af en toe ook absoluut plezierig, en ze bloosde toen ze zich herinnerende hoe heel erg plezierig. Maar achter haar glimlachjes en uiterlijke zelfbeheersing, was ze zich bewust geweest van een onvermijdelijke spanning en gespannenheid. Blij dat ze in bed lag, had ze verwacht dat de slaap niet lang op zich zou laten wachten.

Maar ze lag te woelen, luisterde naar de klok in de gang voor haar kamer die ieder uur sloeg. Het werd een uur, twee uur, en toen de klok drie uur sloeg en ze nog steeds niet sliep, schoof ze de dekens van zich af en stond op.

Verlangend naar de slaap, ijsbeerde ze door haar kamer, vroeg zich af of een glas warme melk zou helpen. Maar de gang naar de keuken en de tijd en de moeite die het zou kosten om het keukenvuur op te porren en de melk te warmen, zou elk spoortje slaap verdrijven, dus wees ze het idee van de hand.

Ze liep naar een van de grote ramen met uitzicht op de kleine achtertuin, schoof het gordijn opzij en staarde naar buiten, haar gedachten bij Patrick en hun huwelijk. De tuin beneden was vol schaduwen, een halve maan veroorzaakte hier en daar zilveren lichtplekken.

Ze was zowel blij als angstig voor de toekomst. Er was veel wat ze niet wist over haar aanstaande man, veel rond hun plotselinge verloving wat haar met ontzetting vervulde, en toch... Ze glimlachte. En toch zou ze met hem trouwen, en met vreugde in haar hart. Vreugde, erkende ze triest, getemperd door voorbehoud.

Het was het heimelijke openen van haar slaapkamerdeur dat haar uit haar dromerij wekte. Geschrokken draaide ze zich half om. Alleen vaag maanlicht verlichtte het vertrek, en ze kon de zwarte gestalte die was binnengekomen nauwelijks onderscheiden. Ze had de sterke indruk dat het een man was. Een man die de deur zorgvuldig achter zich sloot voor hij zich in de richting van haar bed begaf. Op het punt te gaan schreeuwen, naar de identiteit van de persoon te vragen, kleefde haar tong plotseling aan haar verhemelte. Er was iets zo heimelijk en zo sluw en duisters aan de bewegingen van de indringer dat de angst door haar heen schoot, en voorkwam dat ze haar positie verraadde.

Vanwaar ze stond, half verborgen achter het gordijn, kon ze zijn vorm onderscheiden, hoorde zijn hijgende ademhaling terwijl hij stilletjes haar bed naderde. Ze hield haar adem in, tuurde in de schaduwachtige duisternis en haar hart begon heftig en pijnlijk te bonken.

Degene die was binnengekomen was van plan haar kwaad te doen – dat wist ze, maar ze kon niet zeggen hoe ze dat wist; ze wist alleen dat haar leven in gevaar was, daar twijfelde ze geen seconde aan. Bang om haar positie te verraden, bleef ze als bevroren staan, haar brein werkte op volle toeren.

Het kon niemand van de bedienden zijn. Ze waren al generaties lang in dienst, en het was ondenkbaar dat een van hen haar kwaad wilde doen. Maar er sloop iemand naar het bed waar zij had moeten slapen. Wie was hij?

De persoon die Hirst had vermoord! Haar mond werd droog. Ondanks alle onzekerheden in haar brein was ze ervan overtuigd dat hij was gekomen om haar te vermoorden. Hij moest, dacht ze, een van de ramen op de begane grond hebben gebroken. Ze kreeg een inval die haar groeiende angst vergrootte. Hoe had hij geweten welke kamer van haar was? Was hij iemand die ze kende? Iemand die het huis kende?

Onder haar angst ontstak haar woede. Hoe durfde deze persoon haar huis binnen te dringen met de gedachte haar te terroriseren! Haar handen balden zich tot vuisten. Ze dacht snel na, en verwierp allerlei ideeën om een eind aan deze beproeving te maken, om de indringer op de vlucht te jagen.

De bedienden sliepen allemaal op de bovenste verdieping; Modesty's kamer was dichtbij, maar Thea dacht niet dat haar aanwezigheid veel zou veranderen, en het zou haar waarschijnlijk alleen maar in gevaar brengen. Afgezien van het feit dat schreeuwen haar een dwaas gevoel zou bezorgen, zou het ook niet veel helpen. Tegen de tijd dat haar geschreeuw het hele huishouden had gewekt, zou zij dood zijn. Ze voelde zich gefrustreerd en hulpeloos, maar woede jegens de indringer had het grootste deel van de angst weggenomen en daar probeerde ze haar voordeel mee te doen. Ze kreeg een inval; het duelleerpistool dat ze naar het huis aan Curzon Street had meegenomen. Door toeval was het hier, in haar kamer, in de la van het tafeltje naast haar bed.

Plotseling flitste een straal maanlicht op een voorwerp dat de persoon in zijn hand had. Het was een dolk, en Thea snakte naar adem bij het zien van het glimmende lemmet.

Maar haar ademhaling had de indringer gealarmeerd, en met de snelheid van een aanvallende slang draaide hij zich in haar richting en sprong op haar af. Ze had geen tijd om te denken of een plan te beramen; instinct dwong haar tot daden, en ze sprong voorwaarts, greep de zilveren kandelaar die op de hoek van een bureau naast het raam stond.

Haar beweging deed de indringer schrikken, en hij aarzelde. Die kostbare seconde was de enige tijd die ze nodig had. Thea's hand sloot zich om de zware voet van de kandelaar en met een rauwe strijdkreet draaide ze zich om naar haar aanvaller.

De kreet ontstelde hen alle twee: de indringer bevroor ter plekke; Thea was stomverbaasd dat er zo'n geluid uit haar mond was gekomen.

Zij herstelde zich als eerste en sprong naar voren, hield de kandelaar vast alsof het een knots was. 'Hier ben ik,' zei ze schor, 'jij ellendig, stinkend stuk uitschot. Laten we eens zien hoe dapper je bent.'

Angst gemengd met woede gaf haar de bruutheid en de kracht waarvan ze niet had geweten dat ze die bezat. Ze sloeg uit alle macht toe en er flitste een intense tevredenheid door haar heen toen de kandelaar in contact kwam met zijn schouder. Het was niet de plek waarop ze had gericht, maar ze had hem tenminste geraakt – en hard.

Hij kreunde en wankelde achteruit. Thea slaakte weer een kreet, een klaroengeschal dat door het vertrek weergalmde. Zonder acht te slaan op het gevaar waarin ze verkeerde bleef ze hem achtervolgen, sloeg en schreeuwde uit alle macht.

Ze had de verrassing aan haar kant, maar de indringer herstelde, en met iets tussen een vloek en een snauw sprong hij op haar af. Moeiteloos sloeg hij de kandelaar uit haar hand. Thea wankelde geschrokken achteruit. Hij sprong meteen op haar af en samen vielen ze om en rolden over de vloer.

Zich bewust van de dolk in zijn hand kronkelde Thea als een paling terwijl ze gilde en, ja ze was beschaamd het toe te geven, zo hard mogelijk schreeuwde. Telkens weer wist ze de dolk op een haar na te ontwijken. Het was een helse, wanhopige strijd, waarbij de aanvaller in het voordeel was. Hij was groter en sterker, maar Thea had woede en angst aan haar kant, en ze gaf alles wat ze in zich had. Ze klauwde hem herhaaldelijk in het gezicht en gebruikte ook haar voeten en knieën. Zijn grootte werkte in zijn voordeel, en ze moest niet alleen de dolk ontwijken, maar ook zijn vuist – en hij had er niets op tegen om die te gebruiken, zoals ze tot haar ergernis ontdekte. Maar het was de dolk die Thea het meeste vreesde, en een onverwachte steek in haar schouder, en een langs de zijkant van haar hals en nog een op haar pols, vertelden haar dat, mocht ze het overleven, ze er niet ongehavend vanaf zou komen. Ze moest een wapen hebben.

Haar vingers vonden de gevallen kandelaar en met hernieuwde kracht sloeg ze hem op zijn hoofd. Vloekend greep hij de kandelaar en rukte hem weer uit haar hand. Angst maakte haar wanhopig; ze greep zijn hand die de dolk vasthield en beet erin tot ze de ziltige smaak van bloed op haar tong proefde, waarop ze bijna kokhalsde.

Hij gaf een kreet van woede, pakte haar haren vast en rukte haar hoofd achterover. Haar greep verslapte, maar met de zijkant van haar hand gaf ze hem een harde klap tegen zijn keel waarop hij haar losliet; hij snakte naar adem, zijn aanval een ogenblik vergeten.

Dat was het enige voordeel dat ze nodig had. Angst stelde haar in staat hem een fikse duw te geven en, toen zijn gewicht verschoof, overeind te krabbelen. Wankelend rende ze, ondanks haar pijnlijke lichaam, hijgend naar het tafeltje naast haar bed. Ze trok de la open en voelde de koele troost van het pistool.

Het was klaar voor gebruik, en ze draaide zich om naar haar aanvaller. Hij had zich voldoende hersteld van de klap tegen zijn keel om overeind te komen, en nu stond hij op ongeveer anderhalve meter bij haar vandaan, zijn verschijning als een donkere schaduw in het duister van de kamer.

'Blijf staan!' riep ze. 'Als je je beweegt, schiet ik je dood.'

De deur van haar slaapkamer vloog open en helder gouden licht scheen in het vertrek. Modesty, in haar kamerjas, een lange vlecht over een schouder, stond in de deuropening, een helder brandende kaars in een kandelaar in haar hand. 'Allemachtig,' riep ze uit, 'wat is hier aan de hand, dat gillen en schreeuwen – o, mijn God!'

Vastbesloten zijn prooi te grijpen, zonder een keer achterom te kijken, sprong de indringer op Thea af, de dolk geheven. Op dat ogenblik kreeg ze een indruk van een verwrongen gezicht, lippen in een grimas vertrokken, de dolk op haar hart gericht. Instinct in plaats van opzet leidde haar vingers toen ze de trekker overhaalde.

Het geluid van het schot was explosief in de beslotenheid van de kamer. Thea's oren tuitten en haar ogen prikten door de blauwe rook die uit het pistool kwam. De geur van kruitdamp was overheersend.

Modesty schreeuwde. De indringer, met een uitdrukking van stomme verbazing op zijn gezicht, wankelde achteruit, greep naar zijn borst waar een bloedrode bloem plotseling opbloeide. In afschuw sloeg Thea hem gade toen hij voor haar voeten op de vloer ineenzakte, de dolk nog in zijn hand. Hij kronkelde, kreunde en lag stil.

Thea voelde zich geschokt en misselijk; onverwachte snikken deden haar lichaam beven, en ze plofte neer op de rand van haar bed. Modesty staarde stomverbaasd naar haar, vervolgens naar het lichaam op de vloer, toen weer naar Thea.

Zonder een woord te zeggen reikte ze naar het belkoord en rukte er een paar keer aan. Dit was geen tijd om rekening te houden met de bedienden – mocht er na het pistoolschot nog iemand liggen te slapen.

Ze zette de kandelaar op een tafel en liep op Thea toe. Zachtjes onderzocht ze Thea's kneuzingen en verwondingen. Terwijl ze dat deed bleven beiden zwijgen, maar haar aanraking was zacht en troostrijk. Ze bette Thea's tranen met een punt van haar kamerjas. 'Stil maar, kuikentje. Het is allemaal voorbij. Niemand kan je nu kwaad doen. Je bent veilig.'

De kreten van afschuw van Tillman en een stoere knecht die in de deuropening verschenen, deden Modesty opkijken van wat ze deed. Ze keek Tillman aan en zei: 'We hebben warm water nodig en kruidenwijn.' Ze keek naar het lichaam. 'En verwijder dit ding uit het huis – breng het voorlopig naar de tuin – laat geen van de andere bedienden zien wat je aan doen bent. O, en daarna stuur je,' ze keek naar de knecht die naast Tillman stond, 'Eldon naar meneer Blackburne met het verzoek direct hierheen te komen.' Ze keek Tillman streng aan. 'En geen woord tegen iemand anders. Zeg tegen de andere bedienden dat Miss Garrett een nachtmerrie heeft gehad en van angst uit haar bed is gevallen.' Met harde ogen voegde ze eraan toe: 'En elke opmerking dat ze een schot hebben gehoord doe je af als onzin. Begrepen?'

Tillman knikte met een grimmig gezicht, en als bij toverslag verdwenen hij en Eldon, waarna ze de deur stevig achter zich dichtdeden.

Modesty ging naast Thea op het bed zitten, een hand wreef troostend over Thea's rug.

Thea's ergste snikken waren afgenomen, en met een beverige, betraande glimlach zei ze: 'Heeft iemand je weleens verteld dat je een goede generaal zou zijn?'

Modesty keek haar stralend aan. 'Weet je dat dat een van de aardigste dingen is die je ooit tegen me hebt gezegd?' Ze bekeek Thea nog eens aandachtig, ontdekte dat er blauwe plekken over haar hele gezicht en lichaam ontstonden. De blauwe plekken zouden wegtrekken en de messteken in haar schouder, hals en pols waren niet diep. Met een beetje handig gedrapeerde sjaals en handschoenen konden de messteken verborgen blijven tot ze waren genezen. Thea's gezicht was een andere kwestie.

'Ik geloof dat we voor één ding dankbaar moeten zijn,' zei Modesty.

'En dat is?'

Modesty gaf een klopje op Thea's hand. 'Jij en je bruidegom zullen, vrees ik, allebei een blauw oog hebben op jullie bruiloft.'

◖

Hoofdstuk 15

Tegen de tijd dat Patrick arriveerde was het lichaam weggehaald. Thea en Modesty, beiden nog steeds in kamerjas, ontvingen hem in de kleine huiskamer. Thea's verwondingen waren verzorgd, en de warme kruidenwijn waarop Modesty had aangedrongen, had geholpen haar overspannen zenuwen te kalmeren. Patrick raasde als een windstoot het huis binnen, stoof langs Tillman alsof hij niet bestond. 'Waar is ze?' vroeg hij, zonder zijn vaart in te houden. Toen Tillman het hem vertelde, overbrugde hij met zijn lange benen de afstand die hem van Thea scheidde. Zijn donkere gezicht was een gespannen grimas op het moment dat hij de zitkamer binnenstormde. Op het moment dat hij Thea in haar roze kamerjas, zittend op de kleine sofa, in het oog kreeg, bleef hij staan. Ze zag er heel klein en ondraaglijk dierbaar uit zoals ze daar zat, haar handen verstrengeld op haar schoot, haar donkere ogen vol herinnering aan de doodsangst. Lieve God! Ze was veilig. Hij wilde nooit meer de pure angst ervaren die hem was overvallen toen hij met het nieuws werd gewekt dat een van haar bedienden was gekomen met de eis dat hij onmiddellijk naar haar toe moest gaan. Met een hoofd vol rampzalige scenario's had de afstand tussen hun huizen nog nooit zo groot geleken.

Staande in de deuropening haalde Patrick diep adem en deed zijn best om zijn heftige emoties onder controle te krijgen. Ze leefde en was, ondanks de blauwe plekken op haar gezicht, ongedeerd. Maar die blauwe plekken deden zijn hart bevriezen, en er verscheen een gevaarlijke, vijandige glans in zijn grijze ogen. Hij liep naar haar toe, zonk op een knie neer en omvatte haar beide handen met de zijne. 'Wat is er gebeurd? Je bediende wilde me niets vertellen, alleen dat ik meteen moest komen.' Hij glimlachte vreugdeloos. 'Ik had hem ter plekke kunnen wurgen.'

Thea schonk hem een beverig lachje. 'Ik geloof dat onze indringer van Curzon Street me een bezoek kwam brengen.' Ze haalde diep adem, en haar koude vingers spanden onder zijn warme handen. 'Ik heb hem neergeschoten. I-i-ik heb hem gedood, Patrick.'

'Heel goed,' antwoordde hij op vlakke toon, waarbij hij haar bleef aankijken. 'Bespaart mij de moeite.' Zijn blik dwaalde over haar heen, nam haar verwondingen op, en zijn mond vertrok grimmig toen hij nu pas het katoenen verband rond haar pols ontdekte. Beheerst wikkelde hij het door Modesty zo keurig aangelegde verband eraf. Een spier in zijn kaak spande aan toen hij naar de dunne, rode lijn staarde die haar zachte, blanke huid markeerde. Teder kuste hij de rode, pijnlijke inkeping. Het besef dat hij haar slechts door toeval niet was kwijtgeraakt, klauwde in zijn binnenste. Hij onderdrukte de naakte woede die hij jegens de man voelde die dat had aangericht, en vervolgde zijn voorzichtige onderzoek.

'Ik ben echt ongedeerd,' zei ze. 'Hij viel me aan met een mes, en ik heb een paar steekwonden, maar niets ernstigs.'

'Hmm, is dat zo?' vroeg Patrick, een slanke hand schoof de kraag van haar kamerjas opzij. Het spiertje in zijn kaak verkrampte weer toen hij de snee in haar nek bekeek en nogmaals op het moment dat hij de steekwond op haar schouder ontdekte.

Overrompeld door zijn koele manier van doen en verward door de bekende manier waarop zijn ogen en handen over haar heen dwaalden, mompelde Thea: 'Ik ben prima – echt. Ik heb je al gezegd dat hij – me niet veel kwaad heeft gedaan. Vraag het Modesty – ze heeft me grondig onderzocht.'

Patrick keek vragend Modesty aan, en haar snelle hoofdknik gaf hem het antwoord op zijn onuitgesproken vraag.

'Ik heb haar net als jij goed onderzocht,' bevestigde ze. 'Ik moest mezelf ervan overtuigen dat ze vrijwel ongedeerd was.' Haar ogen twinkelden. 'Ik kan je verzekeren, lieve man, dat er behalve de blauwe plekken en de drie messteken niets is om je zorgen over te maken. Ze overleeft het wel – ondanks onze indringer,' voegde ze wrang aan toe.

'Ah, ja, de indringer,' mompelde Patrick. 'En waar mogen zijn stoffelijke resten dan wel zijn?'

'Ik heb zijn lichaam door de bedienden naar de tuin laten brengen. Zou je zelf een kijkje willen nemen?' vroeg Modesty.

Patrick knikte. Modesty stond op, keek naar Thea en zei: 'We blijven niet lang weg, kuikentje.'

Maar Thea wilde zich niet langer laten betuttelen. Haar donkere ogen leken nog steeds te groot voor haar gezicht toen ze zei: 'Ik ga met jullie mee.'

Patrick en Modesty wisselden een blik. Modesty haalde haar schouders op. Patrick staarde Thea aan en knikte. Het was beter Thea vlak in de buurt te hebben dan haar alleen te laten.

Het was vochtig en kil in de tuin, mistflarden dreven

over de geschoren heggen en keurige borders. Het lichaam lag op een strook gras vlak bij het huis; Eldon stond erbij, een flakkerende kaars in zijn hand.

Patrick en Modesty hadden beiden een tweearmige kandelaar en in het gouden schijnsel van de kaarsen bekeken ze zijn lichaam. De dode man lag met zijn gezicht naar de grond, maar Patrick zag aan de snit van zijn jas en broek dat hij geen gewone inbreker was. De laarzen waren van mooi leer gemaakt en zelfs in het flakkerende kaarslicht was hun glans opvallend.

Met een uitdrukkingsloos gezicht duwde Patrick hem met de punt van zijn eigen gepoetste laars op zijn rug. Thea en Modesty leunden tegen elkaar aan bij de aanblik van de gapende wond die hem had gedood; de bediende draaide zich met een groen gezicht om.

Patrick bestudeerde de wond en vervolgens de verslapte gelaatstrekken van de dode man. Hij herkende hem niet, maar hij vermoedde dat hij zijn naam kende.

Hij keek Modesty aan en vroeg: 'Heb je de autoriteiten gewaarschuwd?'

Modesty schudde haar hoofd. 'Nee. Ik wilde dat jij eerst de situatie in ogenschouw nam.'

'Goed gedacht – mijn complimenten.' Hij keek naar het huis. 'Is het bekend hoe hij is binnengekomen?'

'Ja, dat heb Tillman laten controleren terwijl we op jouw komst zaten te wachten – alle deuren en ramen zijn nagekeken en hij ontdekte dat de deur van de leveranciersingang was geforceerd. Hij stond op een kier, en we nemen aan dat hij het huis via die deur is binnengekomen.'

Patrick fronste zijn wenkbrauwen en keek Thea aan. 'Was er sprake van diefstal?'

Modesty schudde haar hoofd. 'Nee. Voor zover wij kunnen zeggen is hij door de leveranciersingang binnengekomen en rechtstreeks naar Thea's kamer gegaan. De andere vertrekken van het huis schijnen ongemoeid te zijn. Ik heb Tillman alles laten controleren.'

'Hij was gekomen om me te vermoorden, denk je niet?' vroeg Thea moeizaam.

Patrick kon de waarheid niet voor haar verbergen, en knikte. 'Daar ziet het wel naar uit, lieveling.' Hij glimlachte, een glimlach die Thea ondanks de omstandigheden verwarmde en een gevoel van veiligheid bezorgde. 'En jij, lieve, slimme schat van me, hebt hem verslagen.'

Thea huiverde. 'Het was puur toeval dat ik niet in bed lag. Als ik had geslapen…' Ze haalde diep adem. 'Of als ik dat duelleerpistool niet in mijn la had gehad…' De woorden stierven weg toen de verschrikking van de nacht tot haar doordrong.

Ogenblikkelijk schoven Patricks armen om haar heen, zijn lippen beroerden het zwartzijden haar bij haar slaap. 'Denk er niet meer aan,' zei hij. 'Het is voorbij. Je bent veilig.' Hij hief zijn hoofd en keek haar aan. 'En ik zal je in veiligheid houden. Dat zweer ik bij de maan boven ons hoofd.'

Modesty schraapte haar keel, en ze keken haar beiden aan. 'Op dit moment zijn buiten ons, Tillman en Eldon, de bediende die naar jouw huis kwam, de enigen die weten wat er is gebeurd.' Ze keek Patrick veelbetekenend aan. 'Ze zijn allebei discreet en uiterst loyaal tegenover de familie – vooral tegenover Thea. Eldon is de neef van Tillman, en Tillman is al sinds hij een jongeman was bij de Garretts in dienst. Zij zullen niets zeggen. Maar, als jij denkt dat het beter is dat we de autoriteiten op de hoogte brengen, dan zal ik Eldon eropuit sturen om dat te doen.'

Met een arm nog steeds rond Thea's schouders schudde Patrick zijn hoofd. 'Nog niet, alsjeblieft. Ik wil eerst weten wie hij is en ik ken iemand die me dat kan vertellen.'

Als Nigel verbaasd was over het feit dat hij uit zijn bed werd gehaald en meteen naar Grosvenor Square moest komen, was dat niet aan zijn gezicht te zien toen Patrick hem in de hal van Thea's huis begroette. Hij trok een wenkbrauw op bij het zien van de twee dames in kamerjas, maar verder liet hij niets merken. In zijn donkerblauwe jas, buffelleren broek en pijnlijk netjes gestrikte das, zag hij eruit alsof hij door St. James Street ging flaneren in plaats van zich om vijf uur in de ochtend in het huis van de beruchte Thea Garrett te bevinden.

Terwijl hij en Patrick door de gang naar de achterkant van het huis liepen, mompelde hij: 'Ik vertrouw erop dat je een uitstekende reden hebt om me op dit hondse uur uit bed te halen.'

Patrick grinnikte naar hem. 'Vertel me niet dat je daadwerkelijk in bed lag.'

'Nog maar een uurtje,' zei Nigel snel, om zijn reputatie van losbol in stand te houden.

'Dan was je dus nog niet vast in slaap, toch?' zei Patrick, terwijl hij zijn vriend naar de tuin leidde. Bij het zien van het lichaam bleef Nigel staan, zijn blauwe ogen gingen wijd open, zijn beheersing brak.

'Goeie God!' riep hij uit. 'Wat voor de duivel is hier aan de hand?'

'O, niet zoveel,' mompelde Patrick, 'alleen een poging tot moord, die Thea wist af te slaan... en ze heeft de indringer uit noodweer neergeschoten.'

'Allemachtig,' mompelde Nigel, en hij liep zorgvuldig om het uitgestrekte lichaam heen. Na enkele seconden in het flakkerende kaarslicht naar het gezicht te hebben gestaard, keek hij Patrick aan. 'Jij hebt hem geloof ik nooit ontmoet?' En toen Patrick zijn hoofd ontkennend schudde, vervolgde hij: 'Dat dacht ik al. Nou, laat me je voorstellen aan, eh, wijlen meneer Thomas Ellsworth.'

'Dat dacht ik al,' zei Patrick.

Nigel keek naar Eldon, die vlakbij stond. Nigel gebaarde Patrick hem te volgen, en ze liepen een eindje weg.

'Hoeveel mensen weten hiervan?' vroeg Nigel zacht.

Patrick haalde zijn schouders op. 'De dames, de butler en diens neef daar, en wij.'

Nigel gromde. 'Zes mensen. Beetje veel om een geheim te bewaren... vooral zo'n geheim als dit!'

'Modesty heeft me verteld dat Tillman en Eldon al heel lang voor de familie werken – zij zullen niets zeggen.' Bij het zien van Nigels opgeluchte gezicht, vervolgde hij: 'Maar het hele huishouden weet dat er vanavond iets is gebeurd – Tillman heeft ze verteld dat Thea door een nachtmerrie werd gewekt, angstig opstond, niet wist waar ze was en een paar dingen omver heeft gestoten, en daarna heeft hij ze terug naar bed gestuurd. Ze geloven het waarschijnlijk niet – er werd met een pistool geschoten – maar ze kunnen Tillman in zijn gezicht niet voor leugenaar uitmaken. Ze kunnen speculeren, maar als wij samen één front vormen, kunnen we het misschien tot een roddel beperken.'

'Verdomme! Over een uur weet heel Londen ervan! Je weet hoe bedienden roddelen – ook al weten ze niet wat er echt is gebeurd.'

'Zodra we het bij de autoriteiten hebben gemeld doet het er niet meer toe wat de bedienden zeggen,' antwoordde Patrick, zijn ogen gefixeerd op Nigels gezicht.

'Maar we gaan het niet melden – en dat weet je,' zei Nigel. 'We moeten hier eerst heel goed over nadenken voor we iets doms doen.'

'Wat stel jij voor?' vroeg Patrick, opgelucht dat Nigels

gedachtegang in dezelfde richting liep als de zijne.

'Op dit moment helemaal niets,' zei Nigel. 'Maar één ding staat als een paal boven water – geen van ons moet in verband worden gebracht met de dode man. Vooral Thea niet! Wij weten dat ze onschuldig is, maar denk je dat de rest van Londen dat zal geloven? Je onverwachte verloving en overhaaste huwelijk wekken al genoeg roddels – en het feit dat je laatst in elkaar bent geslagen heeft alleen maar meer brandstof aan het inferno van nieuwsgierigheid geleverd. Het allerlaatste dat je nu nodig hebt is een dode man op je stoep.'

Patrick knikte, en mompelde: 'Ja, dat ben ik met je eens. De bedienden zullen niet praten – dat heeft mevrouw Bradford al bevestigd.' Hij wachtte, beraamde een plan. 'Ben je met het rijtuig gekomen?' Nigel knikte. 'Dan stel ik voor, tenzij je koetsier niet te vertrouwen is, dat je het rijtuig naar de achterkant van het huis laat rijden, waar we Ellsworth erin leggen en hem naar Hounslow Heath rijden. Ellsworth zal het slachtoffer van een struikrover zijn geworden.'

'Mijn koetsier zal zwijgen als het graf,' zei Nigel bits, beledigd dat Patrick iets anders had gedacht. Hij dacht even over het plan na. 'We doen het,' zei hij ten slotte. 'Het voornaamste is dat het lijk niet híer wordt gevonden.'

Weer terug bij de dames vertelde Patrick hun de naam van de dode man, en wat Nigel en hij van plan waren met het lichaam te doen. 'Waarom melden we het niet gewoon in Bow Street?' vroeg Thea, haar grote, donkere ogen op Patrick gericht. 'Ik héb de man gedood.'

Patrick zuchtte en keek naar Modesty. Ze waren met hun drieën in de kleine huiskamer; Nigel, Tillman en Eldon waren aan de achterkant van het huis bezig het lichaam van Ellsworth in Nigels rijtuig te leggen.

Modesty begreep Patricks blik. 'Dat mag wel waar zijn, liefje, maar heb je al aan de implicaties gedacht van wat er is gebeurd? Je hebt op de vooravond van je huwelijk met Patrick een man in je slaapkamer gedood – niemand zal geloven dat het zelfverdediging was. De roddels en het schandaal zullen sterker zijn dan de waarheid. En jij zult de schuld in je schoenen geschoven krijgen.' Ze sloeg haar ogen neer. 'Voor Patrick zal het natuurlijk nog veel erger worden. Hij zal waarschijnlijk voordat jullie veertien dagen getrouwd zijn jouw eer in meerdere duels moeten verdedigen. Arme kerel. Als je erop staat Bow Street in te lichten, moeten we maar hopen dat je nieuwe man zo handig met zwaard en pistool is als zijn reputatie beweert.'

Patrick mocht het dan niet eens zijn met Modesty's tactieken, maar hij moest toegeven dat ze werkten. Thea, die in zijn armen stond, huiverde bij Modesty's laatste woorden, en ze herinnerde zich een ander duel, waarbij haar broer om het leven was gekomen.

'Modesty laat de situatie veel erger klinken dan hij is,' mompelde hij, 'maar er zit enige waarheid in haar woorden. Het zou voor alle betrokkenen beter zijn wanneer Ellsworth ergens anders wordt gevonden.'

Thea knikte, alle vechtlust was uit haar verdwenen bij de gedachte dat Patrick zich naar het duelleerterrein moest begeven. Haar vingers klauwden in zijn jas, verkreukelden zijn onberispelijk gesteven revers, terwijl ze half vroeg, half eiste: 'Je zult toch wel voorzichtig zijn?'

Zijn ogen twinkelden. 'Lieveling, niets zal mij ervan weerhouden morgen met je te trouwen.'

'Dat bedoelde ik niet!' Ze wachtte, haar gepijnigde blik dwaalde over hem heen. 'Die man, Ellsworth,' begon ze zacht, 'probeerde me vannacht te vermoorden. I-i-ik wil niet dat jou iets overkomt.'

'Nigel zal bij me zijn – en ik ken niemand die ik in een gevaarlijke situatie liever bij me zou hebben. Er zal me niets overkomen, lieveling.' Zich bewust van Modesty's belangstellende blik, kuste hij Thea preuts op haar voorhoofd in plaats van op haar verleidelijke mond waar hij naar verlangde. 'Ik wil dat je naar bed gaat en probeert nog wat te slapen – hoewel ik weet dat het moeilijk is. Maar je zult je hoofdje rustiger neerleggen nu je weet dat Ellsworth degene moet zijn die Hirst heeft gedood en zijn lichaam heeft verborgen – en ik weet zeker dat het ook Ellsworth was met wie we op de avond van het bal bij Hilliard in gevecht raakten.' Hij schudde haar zacht heen en weer. 'Het is voorbij, lieveling. Ons mysterie is opgelost. We zullen misschien nooit precies weten wat er tussen Hirst en Ellsworth is gebeurd, wat de oorzaak van hun ruzie was, hoewel ik ervan overtuigd ben dat ze ruzie hebben gehad. Ze moeten, toen Hirst weer bij zijn positieven kwam, hun ruzie hebben voortgezet – lang nadat jij het huis had verlaten. Ellsworth heeft Hirst gedood. Zo simpel is het.' Hij trok een gezicht. 'We hebben natuurlijk nog wel het probleem dat wij de enigen zijn die weten dat Hirst dood is. En jammer genoeg kunnen we dat niet bekendmaken zonder onszelf te beschuldigen – vooral niet omdat we de dood van Ellsworth eruit laten zien alsof hij het slachtoffer van een struikrover is geworden.' Toen het ernaar uitzag dat Thea wilde protesteren, legde hij een vinger over haar lippen. 'Ik besef dat het feit dat Hirst dood is binnenkort naar buiten moet worden gebracht – je zus moet het in ieder geval te horen krijgen – maar laat me uitpraten. Zodra het fatsoenshalve na ons huwelijk mogelijk is, zullen we haar sterk aanmoedigen navraag te doen naar de verblijfplaats van haar echtgenoot.' Hij keek Modesty aan. 'Feitelijk kan Modesty daar meteen al mee beginnen. Wanneer je zus probeert hem te lokaliseren, zal het snel genoeg duidelijk worden dat hij Londen nooit heeft verlaten – of althans nooit levend heeft verlaten. Er zal een zoekactie op touw worden gezet, en ik ben ervan overtuigd dat een discrete hint richting Bow Street hen zal aanzetten om de relatie tussen Hirst en Ellsworth eens nader te bekijken. Het zal riskant zijn, maar Nigel en ik moeten in staat zijn het onderzoek in de richting te sturen die wij willen.' Thea zag er nog steeds bezorgd uit, en onwillekeurig kuste hij haar op de mond. 'Wat zich ook in je hoofdje afspeelt – morgen is onze trouwdag en ik wil geen kwijnende bruid! Nadat Nigel en ik het lichaam hebben weggebracht, gaan we ieder naar ons huis en proberen zelf ook nog wat slaap te krijgen.'

Aan Thea's gezicht was duidelijk te zien dat ze nog steeds haar bedenkingen over de kwestie had. Zuchtend mompelde ze: 'Je hebt ongetwijfeld gelijk. Maar ik –' Ze trok een gezicht. 'Het bevalt me niet, maar aangezien iedereen het ermee eens schijnt te zijn, heb ik geen andere keus dan me bij je plannen neer te leggen.' Ze keek hem neutraal aan. 'Ik zou je echter één ding willen vragen. Vertrouw je erop dat Nigel zijn mond zal houden? Je bent toch niet vergeten dat hij een beruchte roddelaar is?'

'Alleen wanneer hij dat zelf wil,' antwoordde Patrick. 'Het amuseert hem die reputatie in stand te houden, maar als het nodig is kan hij heel goed zijn mond houden.' Patrick grinnikte naar haar. 'Bovendien is hij nauw bij onze plannen betrokken – hij zal echt niet willen dat zijn betrokkenheid bij de avonturen van vanavond bekend zal worden.'

'Dat kan wel zijn, maar ik wil weten of je hem alles gaat vertellen.'

Patricks gezicht werd ernstig. 'Ik zal hem alleen zoveel vertellen als jij toestaat.'

Thea beet op haar lip. 'Weet je zeker dat hij te vertrouwen is?' Patrick knikte. 'Vertel hem dan alles waarvan jij vindt dat hij het moet weten – hij verdient de waarheid als bewijs dat hij onze vriend is en omdat hij zijn eigen reputatie riskeert om ons te helpen.'

Kort daarna hobbelden Patrick en Nigel in Nigels rijtuig door de Londense straten met het lichaam van een dode man op de zitplaats tegenover hen. Er kon veel misgaan met hun plan, en geen van beiden was gelukkig met het feit dat zoveel mensen hun mond moesten houden. Als ook maar een van hen een tipje van de sluier zou oplichten... Patrick blokkeerde die gedachte. Niemand zou zijn mond opendoen. Ze hadden geen reden om over de gebeurtenissen van de afgelopen nacht te praten, maar als ze het zouden doen, zou de hel losbarsten.

Bijna alsof hij wist wat Patrick dacht, zei Nigel: 'De lippen van mijn koetsier zijn verzegeld, en Thea's mensen zijn loyaal – zij zullen niet praten. Maar als het ergste zou gebeuren, en iemand zou gaan praten, komen we er wel uit wanneer we elkaar steunen en alles ontkennen. Let maar op! Iedereen luistert naar me! Niemand zou het aandurven mij van liegen te beschuldigen.'

Ze reden verder zwijgend door het landschap, zich er beiden van bewust dat het al licht begon te worden. Nadat ze een verlaten deel van de weg hadden bereikt, verstopten ze het lichaam van Ellsworth zo snel mogelijk in het struikgewas onder een groepje bomen, en binnen enkele minuten reden ze weer terug naar Londen.

'Als iemand ons thuis ziet komen,' zei Nigel, 'zullen ze denken dat we een vrijgezellenparty hebben gehad.'

Patrick onderdrukte een enorme geeuw. 'Beter dan wat we in werkelijkheid hebben gedaan.'

Nigel keek hem aan. 'Wat zei Thea precies over het, eh, lichaam weghalen?'

'Ze wilde het aanvankelijk niet, maar Modesty en ik hebben haar ervan overtuigd dat het een verstandige oplossing was.'

Nigel zweeg even, wreef met zijn vinger over zijn neus en zei: 'Eh, ik wil niet nieuwsgierig zijn, ouwe jongen, maar denk je ook niet dat het tijd wordt dat je vertelt wat er allemaal aan de hand is?'

Patrick zuchtte, staarde niets ziend uit het raam naar buiten. Thea had gelijk, Nigel verdiende een verklaring, maar hij had gehoopt het te kunnen vermijden. Toch moest hij Nigel nageven dat hij lang geen vragen had gesteld, zelfs niet toen hij met een dode man werd geconfronteerd. Behalve het deel over zijn eigen redenen waarom hij die noodlottige avond in het huis aan Curzon Street was, vertelde Patrick hem het hele verhaal.

Toen hij klaar was keek Nigel hem in de duistere beslotenheid van het rijtuig verscheidene minuten aan. 'Raar verhaal,' zei hij ten slotte. 'Het punt is, mijn vriend, dat je niet hebt verteld waarom jíj daar die avond was.'

Patrick kreunde. 'Nigel, mijn redenen om daar te zijn hebben niets te maken met wat er is gebeurd.'

Nigel vernauwde zijn ogen tot spleetjes. 'Dan heb je het volkomen mis! Hirst en Ellsworth waren een stel vreemde snuiters die iets in hun schild voerden – er zijn genoeg mensen die dat kunnen bevestigen. Wil je mij nu laten geloven dat jij daar die avond toevallig was? Volgens mij stinkt het.'

Patrick glimlachte. 'Kan wel zijn, maar meer vertel ik je niet. Hij aarzelde. 'Nigel, het is niet mijn verhaal om te vertellen.'

'Hmm, en dat is het dan?'

'Ja.'

Het onderwerp was van de baan en de buitenwijken

van Londen kwamen snel naderbij. De zon was op toen Patrick voor zijn huis werd afgezet.

'Mooie dag voor een huwelijk,' merkte Nigel op, voordat Patrick de deur van het rijtuig dichtdeed.

'Zeg dat wel.' Patrick trok een wenkbrauw op. 'En een gedenkwaardige nacht om mijn laatste nacht als ongetrouwde man te markeren.'

Nigel bulderde van het lachen. 'En het vervelende is dat we de gebeurtenissen met niemand kunnen delen. Verdraaid, ik zou voor een jaar genoeg verhalen te vertellen hebben.'

'Maar dat doe je toch niet?' vroeg Patrick, met een bedrieglijke slaperige blik in zijn grijze ogen.

Nigel schudde zijn hoofd. 'Doe nou niet vervelend tegen me! Als jij dacht dat ik zou gaan kletsen, had je me er niet bij laten halen. Prettige dag, mijn vriend.'

Het huwelijk zou over minder dan acht uur worden gesloten, en Patrick was ervan overtuigd dat hij geen oog dicht zou doen, maar tot zijn verbazing viel hij in slaap zodra zijn hoofd het kussen raakte.

Thea kon de slaap niet zo makkelijk vatten; maar na wat rusteloos gewoel lukte het haar ten slotte toch in slaap te vallen. Ze sliep niet zo diep als Patrick, herinneringen en verschrikkelijke dromen achtervolgden haar.

Ze werd wakker door het geluid van rammelend serviesgoed en ging rechtop zitten. Met roodgezwollen ogen zag ze Modesty de kamer binnenkomen, een dienblad in haar handen.

'Goed!' zei Modesty, die er walgelijk stralend en opgewekt uitzag terwijl ze het blad op Thea's toilettafel neerzette. 'Je bent wakker.'

'Hoe kan ik anders terwijl jij dienstmeisje speelt – en niet zo heel goed ook,' mompelde Thea, waarbij ze de dekens terugsloeg en opstond. Ze rekte zich uit en kreunde toen haar pijnlijke spieren en blauwe plekken zich lieten voelen.

Thea's slechte humeur deerde Modesty niet. 'Kom op, kuikentje,' drong ze aan, en schonk een kop koffie in, 'drink dit lekker warm op – je zult je veel beter voelen.'

Modesty had gelijk, en enkele minuten later glimlachte Thea haar over de rand van het kopje toe. 'Heb je nou altijd gelijk?'

Modesty kneep in haar kin. 'Gewoonlijk wel. Vooruit, ik heb een bad voor je laten klaarmaken, en mevrouw De Land zal hier binnen een uur zijn om je jurk voor de laatste keer te passen. Ze zei dat ze de laatste veranderingen en afwerking hier in huis zou doen.'

Er was geen tijd meer om verder te praten. Het volgende uur vloog voorbij, iedere tik van de klok bracht haar dichter bij het moment dat ze naast Patrick Blackburne zou staan en zijn vrouw zou worden. Thea probeerde de steek van paniek en opwinding te onderdrukken toen ze aan dat speciale moment dacht; voor een deel was ze opgewonden en verlangde ze ernaar, maar voor een deel was het ook absoluut beangstigend. Terwijl de ochtend vorderde, vroeg ze zich af of ze gek was. Had ze echt toegestemd met deze man te trouwen, die praktisch een vreemde voor haar was? Het antwoord werd pijnlijk duidelijk door de grote bedrijvigheid om haar heen. Modesty, Maggie, mevrouw De Land en verscheidene vrouwelijke bedienden hielden zich druk bezig met elk detail van haar jurk, haar kapsel en haar gezicht.

Haar gezicht stemde iedereen tot nadenken. Het blauwe oog dat Modesty gisteravond had voorspeld, was in volle glorie zichtbaar, evenals een donkere verkleuring op haar wang, maar het was niet zo erg als ze hadden gevreesd. Een vakkundig gebruik van rijstpoeder verborg de ergste verkleuringen, en ze hoopten dat de kringen onder haar ogen als bruidszenuwen zouden worden aangemerkt.

Mevrouw De Land trok een wenkbrauw op bij het verhaal over een nachtmerrie en een verschrikkelijke val om de vele paarse en groene plekken op Thea's lichaam te verklaren. De messteken werden genegeerd.

Mevrouw De Land bewees zo discreet te zijn als over haar werd beweerd, liep de kamer door en pakte een strook van het zijdeachtige materiaal waarvan de onderjurk was gemaakt. Voor hun verbaasde ogen tornde ze de kleine pofmouwtjes van de jurk, vervaardigde een paar nieuwe lange mouwen en naaide die vervolgens aan de jurk, waarna de blauwe plekken en de snee aan Thea's pols waren verborgen. Nadat ze de laatste steekjes had afgehecht, stapte mevrouw De Land achteruit om het resultaat te bekijken. De lange mouwen, concludeerde ze, waren het werk van een genie. Ze maakten de jurk veel mooier dan de originele pofmouwtjes. Maar die halslijn… Lady Caldecott zou ontstemd zijn wanneer de bruid van haar zoon over het middenpad zou lopen en iedereen zou de onmiskenbare messteek in haar hals zien en de gemarmerde blauwe plekken die de zachte, blanke boezem markeerden. En Lady Caldecott zou volgens mevrouw De Land ongetwijfeld bereid zijn iets extra's te betalen boven haar reeds exorbitante rekening wanneer de omstandigheden haar zouden worden uitgelegd. Heel, heel voorzichtig, natuurlijk.

Er was nog maar weinig tijd, en met een blik op de vergulde klok op de schoorsteenmantel pakte mevrouw De Land een lange strook Brussels kant van het bed. Met geoefend gemak voegde ze nog een paar extra repen kant aan het lijfje toe. Tegen de tijd dat ze klaar was, waren de blauwe plekken op Thea's borst onder het tere kant verborgen.

Kijkend naar Modesty mompelde mevrouw De Land: 'Een ingetogen jurk is voor een bruid van het grootste belang, vindt u niet?'

'Absoluut,' antwoordde Modesty, en volgens haar deden de veranderingen niets af aan het originele ontwerp van de jurk. In feite waren de veranderingen heel, heel fraai. Ze keek naar de snee in Thea's hals. Maar het was allemaal voor niets, dacht ze, wanneer er niet nog iets aan die vurige rode wond werd gedaan.

Maar mevrouw De Land had de oplossing. Met een laatste stuk van het gaasachtige kant maakte ze met vaardige vingers een strik rond Thea's nek.

Toen Thea zichzelf eindelijk in de spiegel mocht bekijken, kon ze nauwelijks geloven dat zij het oogverblindende wezen was dat werd weerspiegeld. Haar donkere haar was in een hoop van losse krullen op haar hoofd gespeld, een paar krullerige lokjes bungelden langs haar oren. De lange mouwen en hogere halslijn gaven de jurk een bijna middeleeuws aanzien, en de fraaie strik rond haar nek, nou die strik redde de dag, concludeerde ze. Met een vage glimlach raakte ze de strik aan. Het was zelfs mogelijk dat het in de mode zou komen.

Het rijtuig dat hen naar het huis van de Caldecotts zou brengen stond voor het huis te wachten, en Thea legde de laatste hand aan haar uiterlijk: een stel paarlen oorringen. Mevrouw De Land en de anderen, behalve Modesty, waren al vertrokken. Modesty, aantrekkelijk in een nieuwe grijsgestreepte zijden japon, stond naast Thea.

Met een zachte uitdrukking in haar ogen vroeg Modesty: 'Ben je gelukkig, liefje? Ik weet dat jouw periode van hofmakerij niet conventioneel is verlopen, maar op een of andere manier past dat wel bij je, vind je niet?'

Thea zuchtte, maar haar donkere ogen glansden. 'Na

w-w-wat er is gebeurd, had ik nooit gedacht dat ik nog eens zou trouwen...' Ze keek langs haar jurk naar beneden, haar vingers beroerden hem bijna met verwondering. Ze keek Modesty stralend aan. 'Of ik gelukkig ben? O, ja!'

De deur van de kamer ging open en Edwina zeilde naar binnen, haar blonde krullen dansten. Gekleed in een blauwzijden creatie bleef ze op de drempel staan.

Er lag een verbaasde uitdrukking op haar gezicht terwijl ze naar Thea keek. 'O, Thea,' hijgde ze ten slotte met een glimlach om haar rozenknopjesmond, 'je ziet er prachtig uit!'

Thea lachte en maakte plagend een buiging. 'Dank je, liefje.'

'Rij je met ons mee?' vroeg Modesty. 'Ik dacht dat je rechtstreeks van jouw huis naar de Caldecotts zou rijden.'

Edwina liep de kamer door en legde haar hand op Thea's arm. 'Dat was ik inderdaad van plan, maar toen besefte ik dat ik veel liever samen met mijn zus wilde arriveren. We zijn tenslotte familie.'

Modesty leidde de twee jonge vrouwen naar de trap. 'En dat feit schijn je je alleen te herinneren wanneer het jou uitkomt.'

Edwina's knappe gezicht kreeg een pruilende uitdrukking. Thea keek hoofdschuddend van de een naar de ander.

'Dames,' zei ze, 'het is mijn trouwdag. Kunnen jullie alsjeblieft aardig tegen elkaar doen? Voor mij? En in mijn geluk delen?'

Modesty omhelsde Thea beschaamd, en om niet achter te blijven, deed Edwina hetzelfde. Beiden beloofden hun geschilpunten vandaag te vergeten.

Met Edwina aan haar ene kant en Modesty aan de andere, schreed Thea de trap af in het besef dat ze de volgende keer dat ze dit zou doen mevrouw Patrick Blackburne zou zijn. Die gedachte was zowel opwindend als uitermate angstaanjagend.

☾

Hoofdstuk 16

Op aandringen van Lady Caldecott werd het huwelijk in de grote balzaal van Caldecott House gehouden. Iedereen die ze kende, en soms niet kende, die een oranjerie bezat, had ze verzocht haar van een keur aan bloemen te voorzien. De balzaal was onder haar vakkundige handen in een waar lustoord veranderd.

Lange groene slingers hingen vanaf het hoge plafond naar beneden, en de wanden waren met guirlandes van lelies en rozen versierd. Palmen en boompjes in gouden en zilveren potten stonden langs de randen van de ruimte. Op een podium was een zilveren boog met roze en witte lelies opgesteld. Patrick, schitterend gekleed in een donkerblauwe jas en kniebroek, stond onder de boog; de fel gekleurde kneuzingen op zijn harde gezicht gaven hem bepaald een dreigend uiterlijk. Nigel, in zijn rol van getuige, stond naast hem. Even verderop, eveneens op het podium, stond een figuur in een toga, de handen losjes voor zich ineengeslagen.

De twee rijen van haastig neergezette banken waren versierd met witte en groene strikken, en de vele leden van de bon ton zaten in hun mooiste kleding allemaal op de bruid te wachten. Modesty, Edwina en andere leden van Thea's familie zaten op de voorste banken; op de andere waren Patricks familie en vrienden gezeten. Lady Caldecott leek zo trots als een koningin in haar donkerbruine japon met parels, haar zilvergestreepte haar perfect gekruld en gekapt. Lord Caldecott zat naast haar in een jas en broek die bijna dezelfde tint als haar japon hadden. Zachte muziek van de gehuurde muzikanten vulde de ruimte. Alles stond op zijn plaats. Het was tijd.

Thea had geen keuze kunnen maken tussen haar twee ooms om haar langs het geïmproviseerde middenpad te begeleiden, en dus liep ze, nadat de dubbele deuren waren geopend, met Lord Hazlett aan haar ene kant en Lord Garrett aan de andere. Beide mannen glimlachten – liefhebbend en trots en verheugd. De aanblik van de balzaal deed Thea met haar ogen knipperen. Het was een sprookjesland van roze en wit, zilver en goud, en een huivering van verrukking trok door haar heen. Het was schitterend.

Bij de ingang aarzelde ze een ogenblik, plotseling onzeker. Toen viel haar oog op Patrick, en hij glimlachte naar haar. De wereld, haar ooms aan haar zijden, de blikken van de bon ton, alles verdween, behalve Patrick. Op voeten die nauwelijks de gepolitoerde vloer raakten, een glimlach om haar lippen die glansden onder het licht van wel duizend kaarsen, zweefde ze over het middenpad. Het besef dat ze op een of andere manier het geluk had gehad, misschien gezegend was, om met deze grote, gerespecteerde man te trouwen, flitste door haar heen.

Patricks adem stokte in zijn keel terwijl hij naar haar staarde. Hij had geweten dat ze een buitengewone aantrekkingskracht op hem uitoefende, maar hij had zich tot op dit moment nooit gerealiseerd hoe sterk zijn fascinatie voor haar was. In haar trouwjurk, haar ogen glanzend als opalen, haar glimlach duizelingwekkend, zag ze er lieflijk uit, adembenemend. Maar het was meer dan een lichamelijke lieflijkheid die hem ontroerde, meer dan haar slanke lichaam en intelligente gelaatstrekken die zijn hart sneller lieten kloppen. Het was iets aan Thea zelf, zowel haar gretige enthousiasme, haar onmiskenbare moed als het vertederende glimlachje en de stralende opwinding in haar ogen die hem aantrokken, en hij wist dat hij er nooit meer aan zou twijfelen of liefde bestond. Hij was ervan doordrongen. Voor een speciale vrouw. Voor Thea.

Het was een eenvoudige ceremonie, Patricks stem klonk helder en krachtig toen hij zijn plechtige geloften herhaalde; Thea's stem klonk zachter, maar net zo duidelijk verstaanbaar voor de aanwezige gasten. En toen was het voorbij. Ze waren getrouwd.

Thea herinnerde zich weinig van de rest van de dag. Ze wist dat de gasten naar de tuin werden geleid zodat de banken konden worden verwijderd, om plaats te maken voor tafels vol versnaperingen en verfrissingen. Ze wist dat Patrick en zij werden gefeliciteerd en toegejuicht, dat ze dansten en dronken en aten en lachten, maar niets van dat al leek echt, behalve Patrick. Haar man. En terwijl de middag vorderde, was ze zich zo van hem bewust, zo bewust van dat grote, harde lichaam dat naast haar stond, dat ze zich niet kon concentreren op wat er om haar heen gebeurde. Gesprekken, opmerkingen, vragen, vriendelijk of stekelig, drongen niet tot haar door, haar hele aandacht was gericht op de manier waarop haar huid tintelde wanneer ze hem per ongeluk aanraakte, of hoe haar hart opsprong wanneer hun ogen elkaar ontmoetten. Ze wilde alleen met hem zijn, ze hunkerde ernaar. Ze wilde dat hij al die dingen met haar deed die hij al met haar had gedaan. Een huivering van verwachting schoot door haar heen.

Terwijl ze zich die ene avond levendig herinnerde, met

haar rug tegen de muur, jurk over haar schouders, waarbij hij haar tussen haar benen proefde en opwond, trok er een blos over haar wangen, en ze werd zich bewust van een plotselinge, verwarrende vochtigheid tussen haar benen. Ze was een schaamteloze wellusteling! Maar het kon haar niet schelen; het enige dat telde was het feit dat zij vanavond in de armen van haar man zou liggen.

Omdat hun huwelijk zo overhaast was geregeld, waren er geen formele plannen voor een huwelijksreis gemaakt. Patrick had Thea eerder voorgesteld dat ze de eerste paar nachten van hun huwelijk misschien in zijn huis in Londen zouden kunnen doorbrengen. Op die manier zouden ze in het begin van de volgende week een bestemming kunnen kiezen om zich aan de spiedende ogen van Londen te onttrekken. Thea had toegestemd.

Ze had natuurlijk haar eigen redenen om de stad niet meteen te willen verlaten – haar belofte om maandag de voor Edwina zo angstaanjagende man, meneer Yates te ontmoeten. Geobsedeerd door het huwelijk en de dode man, was Yates een beetje op de achtergrond geraakt, maar ze was hem niet vergeten. Ze mocht nu dan mevrouw Patrick Blackburne zijn, maar meneer Yates was een laatste detail dat ze absoluut zelf wilde afhandelen. De enorme som geld was al van de bank gehaald; het enige dat ze hoefde te doen was zich maandag voor korte tijd aan haar echtgenoot te onttrekken om meneer Yates in Edwina's huis te ontmoeten.

Thea was bereid Yates het geld te geven dat hij van Edwina had geëist... deze keer; maar ze was vastbesloten hem heel goed duidelijk te maken dat hij, ongeacht welke schulden Hirst hem misschien ook moest terugbetalen, geen geld meer van haar te verwachten had. Nooit. Modesty had erop aangedrongen in overweging te nemen of het misschien verstandig was Patrick mee te nemen naar haar ontmoeting met Yates, maar Thea had dat voorstel van de hand gewezen. Patrick zou het er misschien mee eens zijn de man te betalen... of niet. Als ze hem erbij zou betrekken, en hij besloot de schulden van Hirst níet te betalen, omdat hij haar fortuin beheerde, zou dat zijn goed recht zijn. En als hij ervoor koos Yates niet te betalen, moest haar zus het zelf zien te regelen en zou ze worden achtervolgd door een kerel die haar duidelijk beangstigde. Nu Patrick de touwtjes van de beurs beheerde, zou Thea niet in staat zijn haar te helpen. Ze dacht niet dat Patrick onredelijk zou zijn, of onvriendelijk, maar ze was niet bereid het risico te nemen. Ze kon deze kwestie beter zelf afhandelen en zich zorgen maken over de gevolgen wanneer haar echtgenoot erachter zou komen, wat volgens haar zeker zou gebeuren, dan te riskeren dat Edwina in haar eentje was overgelaten aan de schuldenaar van Hirst.

Thea had niet het gevoel dat ze iets voor Patrick verborgen wilde houden; ze zag het meer als het opruimen van oude zaken. Haar zaken.

Maar op dit moment dacht ze niet aan Yates of de ontmoeting op maandag; al haar aandacht was op Patrick gericht en hoe snel ze het bal zouden kunnen verlaten. Een steek van schuld priemde door haar heen. Lady Caldecott had zich grote moeite getroost om de dag en de omgeving zo aantrekkelijk en mooi mogelijk te maken, en het enige dat Thea wilde was weggaan.

Dat moment kon voor Patrick ook niet snel genoeg komen, hoewel niemand uit de beleefde uitdrukking op zijn gezicht kon opmaken dat hij dolgraag alleen met zijn bruid wilde zijn. Hij was zich lichamelijk net zo bewust van Thea als zij van hem, en vanaf het moment dat ze man en vrouw waren, was hij in een halferecte staat geweest. En aangezien hij een strakke broek aanhad, bezorgde hem dat veel ongerief. Telkens wanneer ze zich door de menigte begaven, hield hij zijn onderlichaam achter Thea's jurk verborgen, en hij vervloekte zijn weerbarstige lid. Ze was gewoon te aantrekkelijk. Hij wilde hier niet zijn, glimlachend en pratend met vreemden. Hij wilde alleen met zijn bruid zijn. Naakt.

Hoewel ze voortdurend omringd waren door genodigden, was hij geheel en al op haar geconcentreerd. De aanblik van haar slanke lichaam deed zijn pols versnellen, en de kruidige geur die ervan opsteeg verleidde hem de bron ervan te vinden. Terwijl ze de goede wensen van de gasten in ontvangst namen, was hij zich erg bewust van de zachtheid van haar hand en arm onder zijn vingers, en onwillekeurig streelde hij die zachte huid. Haar zachte, verleidelijk hese stem leek hem te omwikkelen, en tegelijkertijd te charmeren en op te winden. En hoewel het al uren geleden was, proefde hij hun huwelijkskus nog op zijn lippen, en hij verlangde ernaar die zoetheid van haar mond weer te proeven.

Zijn lid zwol bij de beelden die door zijn brein flitsten, en met iets dat het midden hield tussen een kreun, een vloek en een smeekbede, trok hij Thea apart van de laatste groep vrienden en mompelde: 'We zijn hier nu al uren – het wordt tijd dat we vertrekken. Als we dat niet doen, vrees ik dat ik iets shockerends zal doen.'

Vanaf de andere kant van de ruimte observeerde Lady Caldecott het paar, en glimlachte voor zich heen. Ze mocht dan niet hebben gehoord wat haar zoon tegen zijn vrouw zei, maar ze kon zich vrij goed voorstellen wat hij in gedachten had. Ze mocht dan Patricks moeder zijn, en allang voorbij de leeftijd van de dringende paarneigingen van het lichaam, maar ze wist maar al te goed hoe sterk de eisen van die verlangens konden zijn.

Lord Caldecott glimlachte, raakte haar hand aan en hun ogen ontmoetten elkaar. Hij hief haar hand naar zijn mond en drukte een kus op de geurige huid. 'Gefeliciteerd met het geslaagde feest, liefje.' Hij keek naar de woelige menigte voor zich. 'Ik had niet gedacht dat je het op zo korte termijn zou kunnen regelen, maar het huwelijk is dé gebeurtenis van het jaar. Er zal heel wat worden gekreund en tanden worden geknarst door degenen die niet konden komen... of niet waren uitgenodigd.'

'Ja, ik weet het,' antwoordde ze, een geamuseerde glans in haar mooie ogen. 'Wat de bedoeling was.' De glans verdween, en ze keek weer naar Thea en Patrick. 'Denk je dat ze gelukkig zullen zijn?'

Hij haalde zijn schouders op. 'Misschien, maar als ze dat niet zijn, is het niet jouw schuld.' Hij glimlachte. 'Maar je hebt het natuurlijk zo snel geregeld dat je hem geen kans hebt gegeven iemand anders te kiezen.'

Lady Caldecott trok een gezicht. 'Ja, dat heb ik gedaan, maar ik denk dat ik uiteindelijk het juiste heb gedaan. Wie weet wat ze hadden gedaan wanneer ik ze niet een duwtje in de juiste richting had gegeven.' Ze haalde een schouder op. 'Instemmen zijn maîtresse te worden! Wat dacht het kind in vredesnaam?'

'Ik geloof niet dat je een jonge vrouw van zevenentwintig als een kind kunt beschouwen.' Met een speculatieve uitdrukking op zijn aristocratische gezicht keek hij naar Patrick en Thea. 'Het had misschien interessant kunnen zijn hun hofmakerij gade te slaan. Het zou bepaald amusant zijn geweest.'

'En ongetwijfeld schandelijk!'

Hij keek haar sluw aan. 'Schandalen dienen een doel, liefje.'

Haar vingers gingen naar de parels bij haar hals. 'Dat

kan wel zijn, maar ik wilde niet dat mijn zoon of zijn aanstaande bruid voer voor de roddels in Londen zou zijn. En gezien Patricks reputatie, als een losbol, rijp en bereid om door elke leeuwerik te worden geplukt – nou, en met haar verleden, zou de bon ton zich als een troep uitgehongerde wolven op hen hebben gestort. Het zou heel akelig zijn geworden. Zo akelig dat het de hele affaire had kunnen verwoesten.' Ze keek weer naar het bruidspaar en haar gelaatstrekken verzachtten. 'Zij is de eerste vrouw die echt zijn hart heeft geraakt, en te oordelen naar wat Modesty me heeft verteld, is het omgekeerde ook het geval. Dat wil ik niet door de omstandigheden laten bederven.' Haar kin ging omhoog. 'Ik heb geen spijt van wat ik heb gedaan.'

'Bravo! En dat zou je nooit moeten hebben, mijn lief. Spijt is voor de dwazen.' Nu pas merkte hij voor het eerst dat ze nerveus met de parelketting om haar nek speelde. Hij fronste zijn voorhoofd. 'Ik dacht dat je vandaag je diamanten zou dragen.'

Ze schrok, haar hand zakte naar beneden. 'O, dat was ik ook van plan, maar ik vond diamanten veel te opvallend voor een huwelijk dat 's middags wordt gesloten. De parels waren veel geschikter.' Ze glimlachte naar hem. 'Bovendien heb ik ze van jou gekregen.'

Hij boog zich naar haar over en kuste haar hand. 'Help me herinneren dat ik er een bijpassende broche bij koop.'

'Je bent veel te goed voor me,' zei ze.

'Ja, dat ben ik,' antwoordde hij, zijn lichtblauwe ogen liefkoosden haar.

Zelfs op haar leeftijd bloosde Lady Caldecott door de warmte in die blik. Haar hart fladderde onder haar met donkerbruin bedekte boezem, en ze vroeg zich af hoe het mogelijk was dat ze in deze levensfase zo gelukkig kon zijn, zo stapelverliefd... en wederzijds. Ze knipperde met haar ogen. En ze was niet van plan haar toekomst door haar verleden te laten bederven. Haar vingers gingen weer naar de parels. Naar de maan met die brieven! En naar de maan met de persoon die haar geluk bedreigde.

Gedurende de volgende paar uur dacht Lady Caldecott niet meer aan haar problemen. Patrick gebaarde vanuit de verte dat ze weldra zouden opstappen, en ze liep door de zaal naar hen toe. Ze drukte een hartelijke kus op Thea's wang. 'Veel geluk, liefje.' Terwijl ze vervolgens naar haar zoon keek ontstond er een prop in haar keel. Haar opwellende emoties verbergend, tikte ze hem op zijn wang en mompelde: 'En als jij niet gelukkig bent, zal het je eigen schuld zijn.'

Patrick grinnikte naar haar.

Onder luid gelach en ondeugende grappen baanden Patrick en Thea zich een weg naar de voorkant van het huis. En toen waren ze weg. Om, naar Lady Caldecott van harte hoopte, aan een lang en gelukkig leven samen te beginnen.

Nadat het bruidspaar was vertrokken, ebde de opwinding weg, en een uurtje later namen Lord en Lady Caldecott afscheid van de laatste gasten. Tien minuten later, nadat ze de butler en huishoudster hun taken had opgedragen, was Lady Caldecott boven in haar kamer, en bereidde zich voor op een rustige avond met haar man.

Zodra ze was omgekleed in een elegant negligé van blauwe zijde met witte kant, stuurde Lady Caldecott haar dienstmeisje voor de rest van de avond weg. Eenmaal alleen borstelde ze haar nu loshangende haren, haar gedachten bij de komst van haar echtgenoot, toen haar blik op een zilveren presenteerblaadje op de hoek van haar toilettafel viel. Er lag een envelop op. Ze legde haar borstel neer en staarde er enkele minuten naar.

Ze hield zich voor dat er een gewoon briefje in de envelop zat; van een kennis die tot zijn spijt niet naar het huwelijk had kunnen komen, of een reactie op een briefje dat ze zelf een paar dagen geleden had geschreven. Wat er in die envelop zat had vast niets met haar chanteur te maken. Maar diep in haar hart wist ze wel beter.

Het huis was vandaag door vreemden bezocht; gasten, leveranciers, en ingehuurde bedienden om te helpen bij de verwachte drukte. Het huis was sinds die ochtend vroeg een bijenkorf van activiteiten geweest, en als iemand anoniem een briefje had willen achterlaten, was deze dag bij uitstek geschikt geweest. Ze dacht erover Grimes te laten komen en hem te vragen wanneer en waar het briefje was gevonden, maar ze wist dat het zinloos was. Degene die het briefje had achtergelaten, had de tijd en de plaats goed gekozen. Grimes, of een van de andere bedienden, had het waarschijnlijk ergens ontdekt nadat de gasten waren komen binnendruppelen. Zij was ergens bezig geweest en Grimes had het briefje naar haar kamers laten brengen, waar ze het later zou vinden. Niemand zou er enige betekenis aan hebben gehecht.

Ze keek ernaar zoals ze naar een adder zou hebben gekeken, stak haar hand uit en pakte de envelop en opende hem. Zoals ze al had verwacht was het van de chanteur.

Ik heb het hard nodig en ik kan niet langer wachten. U moet me de som van tienduizend pond bezorgen, niet later dan zondag middernacht. U weet waar u het moet achterlaten.

Ze wist het niet zeker, maar ze vermoedde dat het briefje naar het huis aan Curzon Street verwees. Ze legde het briefje neer en staarde voor zich uit. Onder deze omstandigheden, en ze veronderstelde dat de chanteur dat in zijn plan had meegenomen, kon ze Patrick niet vragen deze taak voor haar te volbrengen. Ze fronste haar wenkbrauwen. Ze zou zelf met het geld naar Curzon Street kunnen gaan, maar iets in haar verzette zich ertegen het fortuin zomaar gedwee weg te geven.

Het was niet het betalen op zich waar ze bezwaar tegen had, besefte ze, als wel het feit dat ze als een lam zou worden geschoren. Ze twijfelde er niet aan dat het, als ze aan zijn eis voldeed, niet bij deze eerste keer zou blijven. En er was nog een reden waarom ze niet domweg de instructies van het briefje wilde opvolgen: ze was geen dwaas, hoewel ze niet kon ontkennen dat ze zich af en toe wel eens als een dwaas had gedragen, maar ze was ver voorbij de leeftijd van eerst doen en dan denken. Ze was niet van plan op dat uur van de nacht alleen naar dat huis te gaan. En zeker niet met tienduizend pond! Ze zou natuurlijk een van haar bedienden mee kunnen nemen, maar dat was gewoon dom, en zou hen beiden in gevaar kunnen brengen. Wat moest ze dus doen? Er was eigenlijk maar één oplossing, dacht ze met een zucht, en het was wat ze meteen had moeten doen.

Met een vastberaden uitdrukking op haar gezicht pakte ze het briefje en stond op. Resoluut liep ze naar de deur die haar slaapkamer van die van haar man scheidde. Ze klopte kort aan en ging naar binnen.

Lord Caldecotts slaapkamer was donker en verlaten, maar het flakkerende licht uit de aangrenzende kamer wees haar waar hij zich bevond. Zonder zichzelf de kans te geven van gedachten te veranderen, liep ze recht op het licht af, haar hart bonkte zwaar in haar borst.

De brieven waren lang geleden geschreven, en ze zouden nu niet meer belangrijk voor haar moeten zijn, maar dat waren ze wel. Heel erg belangrijk. Ze toonden dat ze niet altijd, zoals tegenwoordig, het toonbeeld van deugd was geweest. Die brieven onthulden dat ze eens wild en wellustig en... en schandelijk was geweest. Ze schaamde zich niet voor de hartstochtelijke emoties die ze al die jaren geleden op papier had gezet, maar ze was wel bang voor de reactie erop van haar man... dat hij minder goed over haar zou denken – dat hij haar met verachting zou bekijken.

Voordat ze getrouwd waren, was Lord Caldecott een welbekende losbol geweest en zij het gerespecteerde toonbeeld van deugd. Hun huwelijk had de society verbaasd, omdat ze alle twee uit heel verschillende delen van de bon ton kwamen. Beiden van goede afkomst en rijk, maar haar wereld was die van uiterlijk vertoon geweest; de zijne had zich te midden van zware drinkers, gokkers en vrouwenjagers afgespeeld. Ze hadden het samen nooit over hun verleden gehad, de kracht en het verbazingwekkende wonder van hun liefde had hun beider verleden aan de kant geveegd.

Lady Caldecott was voor hun huwelijk op de hoogte geweest van de reputatie van haar man, en ondanks het vertrouwen dat hij van haar hield, dacht ze onwillekeurig dat hij juist door haar fatsoenlijkheid onder haar bekoring was geraakt. Een heer kon alle minnaressen hebben die hij wilde, maar dat een vrouw van haar niveau een affaire met een getrouwde man had, was iets dat de society onvergeeflijk vond. De ontdekking dat ze niet zo deugdzaam was als Lord Caldecott had gedacht zou hun huwelijk heel goed kunnen ondermijnen. Ze wist dat ze zo angstig en dom als een jong meisje was, maar ze kon er niets aan doen. Haar man achtte haar hoog, en ze wilde hem niet desillusioneren – of dat hij haar vol afkeer zou bekijken.

Ze liep de gezellig ingerichte kamer binnen, die in blauwe en roomkleurige tinten was uitgevoerd, en zag dat hij op een van de blauwdamasten sofa's zat. Hij droeg een saffierblauwe, zijden kamerjas en genoot zichtbaar van een glas cognac.

Bij haar binnenkomst zette hij zijn glas neer en stond op. Hij liep naar haar toe, kuste haar op haar wang. 'Ah, mijn lief, je aanblik verwarmt het hart van een man. Vooral het hart van deze man.' Hij wees naar de buffetkast tegen de muur. 'Wil je iets drinken? Een beetje wijn?'

Ze haalde diep adem. 'Een glas cognac, alsjeblieft. Een groot glas.'

Zijn wenkbrauwen gingen omhoog, maar hij zei niets, liep naar de kast en schonk een glas cognac voor haar in, dat hij haar overhandigde. 'Vond je dat je na vandaag toe was aan iets sterkers?'

'Het h-h-heeft n-n-niets met vandaag te maken,' mompelde ze en ging tegenover hem op een sofa zitten. Ze omvatte het glas met beide handen en snoof de geur van de drank op. Ze nam een slokje, kuchte even toen de drank in haar keel brandde.

Met een lichte frons op zijn voorhoofd ging hij weer op zijn plaats zitten. Hij nam een slok uit zijn eigen glas. 'Nou, hoe komt het dat je je gewoonlijk vrouwelijke drinkgewoonte verzaakt?'

Ze keek hem aan. 'Hou je van me?' flapte ze eruit, haar vingers rond het glas geklemd. Geschrokken door haar uitbarsting sloeg ze haar ogen neer. Ze was een dwaas! Wat moest hij wel niet denken? Dat hij met een domme gans was getrouwd?

Hij keek verbaasd. Hij zette zijn glas neer en kwam naast haar zitten. Hij pakte haar glas uit haar hand en zette het op de vloer, waarna hij haar in zijn armen trok. Met haar hoofd tegen zijn schouder genesteld, zei hij: 'Ik stel voor dat je me vertelt wat er aan de hand is. En ja,' mompelde hij, een warme kus op haar slaap drukkend, 'ik hou van je. Twijfel daar nooit aan.'

Lady Caldecott wist niet waar ze moest beginnen, maar uiteindelijk, met haar blik op het blauwe vloerkleed gevestigd, vertelde ze hem het hele verhaal. Alles. Hij onderbrak haar niet, en toen ze klaar was viel er een korte stilte.

'Nou, het verklaart de vele bezoekjes van je zoon,' zei hij ten slotte. 'Ik moet bekennen dat ik er mijn vraagtekens bij heb gezet – hij was nooit als zo'n moederskindje op me overgekomen.' Hij keek haar aan; zijn blauwe ogen lachten. 'In feite deed hij me eerder aan mezelf denken – voordat ik jou kende natuurlijk, en een respectabel leven ging leiden.'

Lady Caldecott bloosde en keek weg. Met een zacht gebaar van zijn vinger draaide hij haar gezicht weer terug. 'Ik wilde je niet plagen, mijn lief. Ik bevind me juist enigszins in een dilemma. Dit is bepaald niet iets waarop ik had gerekend. Je hebt me verrast – heel aangenaam verrast, moet ik toegeven.'

Ze staarde hem verbaasd aan. Er verscheen een speelse uitdrukking op zijn gezicht. 'Je bent niet de enige met een bekentenis. Wacht hier, ik moet je iets laten zien.' Hij stond op van de sofa waarop ze zaten en liep zijn slaapkamer binnen. Hij kwam bijna meteen weer terug en overhandigde haar een pakje brieven.

Met trillende vingers maakte ze het verkleurde gele lint eromheen los, opende de eerste brief en las hem. Haar hart zonk haar in de schoenen. Het waren haar brieven. Ze wist niet wat ze ervan moest denken. Was haar man haar chanteur? Het leek onbegrijpelijk. Ze keek hem aan. 'Waarom?'

Hij ging weer naast haar zitten, en zei: 'Ik wilde dat je me vertrouwde.'

'Je wilde dat ik je vertrouwde?' riep ze uit, haar stem klonk schril. 'En dus chanteerde je me?'

'Eh, nee. Je, eh, oorspronkelijke chanteur was Ellsworth. Ik heb de brieven van hem gestolen.'

Ze schudde haar hoofd, begreep er niets meer van. Ze keek hem gepijnigd aan. 'Vertel me alles.'

Voor het eerst leek hij enigszins uit zijn doen. 'Mijn aandeel is nogal beschamend en toont wat een dwaas een man van mijn leeftijd kan zijn wanneer hij voor het eerst verliefd wordt.' Hij pakte haar ene hand en kuste haar vingers. 'Je weet dat ik van je hou – heel veel van je hou, en ik ben bang dat ik wat jou betreft zo kwetsbaar en dwaas ben als iedere andere verliefde dwaas.' Hij kuste haar vingers weer. 'Patricks veelvuldige bezoekjes wekten mijn achterdocht.' Hij schudde zijn hoofd bij het zien van haar gezicht. 'Nee, ik was niet jaloers op hem, maar ik vermoedde dat er meer achter zijn bezoekjes zat dan pure genegenheid. Jouw gedrag bevestigde dat – je beseft het misschien niet, maar je hebt je de laatste tijd duidelijk zorgen gemaakt, je was gespannen – ik wist dat er iets was dat je dwarszat.' Hij trok een gezicht. 'Ik hoopte dat je met je probleem, wat het ook was, naar mij toe zou komen – als je het je goed herinnert heb ik je ruime gelegenheid gegeven dat te doen. Maar desondanks wendde je je tot je zoon. Je wilde niet dat ik, je liefhebbende echtgenoot, maar je zoon de boodschappenjongen voor je speelde. En dát maakte me jaloers.'

'Je had er geen reden toe,' zei ze schor. 'Het was alleen dat ik –'

'Je wilde niet dat ik het wist,' zei hij grimmig. Zijn vingers verstrakten om de hare. 'Vertrouwde je me zo weinig?'

'O, dat was het niet! Ik was bang dat als jij wist dat ik niet altijd zo deugdzaam was geweest, je gevoelens voor mij zouden veranderen.'

Hij lachte. 'Jij kleine dwaas! Met mijn verleden? Hoe kon je nou denken dat ik minder voor je zou gaan voelen? Heb je niet geluisterd? Ik aanbid je! Wat kunnen mij die brieven nou schelen die je tientallen jaren geleden hebt geschreven?'

Er viel een gewicht van haar hart. Haar ogen straalden als die van een jong meisje. 'Echt?'

Hij trok haar in zijn armen en kuste haar. 'Echt.'

Ze liet haar hoofd, vol emoties, tegen zijn schouder rusten. 'Vertel me alles.'

'Er is niet veel te vertellen. Toen ik eenmaal door had dat er wat aan de hand was, heb ik je schaamteloos afgeluisterd, en uit de stukjes en beetjes die ik opving was ik in staat het grootste deel van het verhaal op een rijtje te krijgen. Zodra ik wist dat je werd gechanteerd en dat een bepaald huis aan Curzon Street de plaats was waar de chanteur zijn zaken regelde, ben ik in de buurt blijven rondhangen om gade te slaan wat daar gebeurde. Ik ben zelfs tot inbraak overgegaan, maar ik heb daar niets gevonden om me op een ander been te zetten.' Hij keek haar verwijtend aan. 'Niet in staat om het geheel te doorgronden, hield ik me op de achtergrond, in de hoop dat het geluk mijn kant op zou komen.' Er verscheen een vergenoegde uitdrukking in zijn blauwe ogen. 'En onlangs had ik op een nacht heel veel geluk. Evenals je zoon had ik ontdekt dat de veronderstelde schuldige Thomas Ellsworth moest zijn. Ik probeerde een manier te bedenken waarop ik hem het beste kon benaderen zonder Patrick tegen het lijf te lopen, toen Ellsworth, tot mijn vreugde, regelrecht in mijn armen liep. Natuurlijk wist ik op dat moment niet dat hij Ellsworth was – het was namelijk nogal donker op de plek waar ik me verborgen hield, maar toen ik plotseling met een vluchtende jongeman werd geconfronteerd die zich in mijn steegje wilde verstoppen, vermoedde ik wie hij zou kunnen zijn. Gelukkig hoefde ik niet tot geweld over te gaan – de stommeling botste tegen iets op en raakte bewusteloos – wat mij genoeg tijd gaf om zijn kleding te doorzoeken. Ik had Patrick en Thea eerder het huis zien binnengaan, even later gevolgd door Ellsworth. Dus was ik er vrij zeker van wie mijn onverwachte bezoeker kon zijn, en nadat ik zijn kleding had doorzocht ontdekte ik zijn identiteit en vond een interessant pakje.' Hij glimlachte peinzend boven haar hoofd. 'Ik wist niet precies wat ik had gevonden, maar ik durfde niet te blijven rondhangen uit vrees dat Patrick en Thea de achtervolging op Ellsworth zouden inzetten en mij zouden vinden. Pas nadat ik was thuisgekomen en het pakje opende, werden me alle antwoorden duidelijk. Ik moet toegeven dat het een groot geluk voor me was dat Ellsworth daadwerkelijk de brieven bij zich had toen hij de steeg in vluchtte waar ik me verborgen hield.'

Ze draaide zich om en keek hem aan. 'Waarom heb je het me niet verteld?'

Hij wreef over zijn neus. 'Nou, weet je, ik had het belachelijke idee – ik wilde dat je naar mij toe zou komen om me het verhaal toe te vertrouwen – wat het ook was. Ik wilde dat je me je moeilijkheden toevertrouwde.' Hij leek zich ongemakkelijk te voelen. 'Mijn probleem was dat ik niet ver genoeg vooruit had gedacht – toen ik die verdraaide brieven eenmaal had en besefte wat er aan de hand was, wist ik niet wat ik met ze moest doen.'

'Je had ze gewoon kunnen vernietigen – mijn chanteur zou zich hebben teruggetrokken – had me niet meer lastiggevallen.'

Hij schudde zijn hoofd. 'Nee, jij moest weten dat ze niet langer bestonden, dat de chantage voorbij was – voorgoed.'

Ze trok een wenkbrauw op. 'Dus besloot je me zelf te chanteren?'

'Niet precies. Ik hoopte dat je naar me toe zou komen. Maar als je dat niet zou doen, was ik van plan de brieven gewoon ergens in huis te laten slingeren om ze morgenavond door jou te laten vinden.'

'En het geld?'

Er verscheen een duivelse glans in zijn ogen. 'O, ik vermoed dat je de komende paar maanden overstelpt zou zijn geworden met de meest extravagante cadeaus.'

'Van mijn geld gekocht?' informeerde ze liefjes.

Hij knikte grinnikend. 'Wat had ik anders met dat verdraaide geld moeten doen – ik heb het bepaald niet nodig... zoals je zoon heeft ontdekt toen hij mijn financiën liet navorsen.'

Lady Caldecotts mond viel open. 'Heeft hij dat gedaan?'

Hij trok een wenkbrauw op. 'Wist je dat niet?' Ze schudde heftig haar hoofd en zijn laatste zorgen verdwenen. 'Nou, ik moet zeggen dat dat een opluchting voor me is. Het zat me dwars dat jij misschien wist wat hij van plan was en dat je het eens was met zijn theorie dat ik wellicht de chanteur was.'

'Hij heeft er tegen mij nooit een woord over gezegd. Die sluwe ellendeling! De volgende keer dat ik hem zie zal ik hem eens hartig toespreken.' Ze fronste haar wenkbrauwen. 'Hoe wist jij dat hij je geldzaken heeft nagevorst?'

'Liefje, je zoon mag dan van de hoed en de rand weten, en overal in de stad de weg kennen, maar je moet niet vergeten dat ik een paar jaartjes langer meeloop. Ik heb mijn eigen bronnen, en toen er discreet informaties over mijn zaken werden ingewonnen, kreeg ik het te horen.'

'Ik snap het. Ben je boos over zijn onbeschaamdheid?'

Hij schudde zijn hoofd. 'Nee. En ik wil ook niet dat jij dat bent. Hij houdt van je, en hij was vastbesloten geen steen op zijn plaats te laten in zijn poging jou te helpen – ook als dat een onderzoek naar je man betekende.'

Ze snoof verachtelijk. 'En denk je dat het mij gelukkig had gemaakt als ik had ontdekt dat het mijn eigen man was die me chanteerde?'

'Ik hoop oprecht van niet. Maar aangezien daar geen sprake van is, kunnen we het laten rusten. En verder zou ik willen voorstellen dat je je zoon ontlast van de taak die je hem hebt opgedragen: uitvinden wie jou chanteerde.'

'Je hebt waarschijnlijk gelijk.' Ze keek hem aan. 'Wat moet ik hem vertellen? Zonder de brieven heeft Ellsworth geen macht over me en er is voor Patrick geen reden meer om zijn inspanningen namens mij voort te zetten.' Ze glimlachte. 'Bovendien heeft hij een vrouw die nu zijn aandacht zal opeisen.' Ze aarzelde. 'Heb je er bezwaar tegen wanneer ik hem vertel wat er is gebeurd? Dat jij de brieven hebt?'

'Ach, nee. Ik denk dat het beter is dat ik met hem praat en de dingen verklaar.' Hij keek haar aan, en voegde eraan toe: 'Uiteindelijk ben *ik* je man en als zodanig had ik op de eerste plaats degene moeten zijn tot wie je je om hulp had moeten wenden. Gun mij dan in ieder geval het genoegen een eind aan deze kwestie te maken.' Hij kuste haar. 'Het is me een grote eer je te dienen – als je me toestaat.'

'O, lieveling, het spijt me zo dat ik dat niet heb gedaan, maar…' Ze keek weg. 'Maar ik was zo beschaamd en verward door het hele incident. Het idee dat iemand van mijn leeftijd en in mijn positie werd gechanteerd. En met die dwaze brieven die ik volgens mij lang geleden al had vernietigd. Het was zo afschuwelijk en verschrikkelijk dat ik mezelf er niet toe kon brengen het je zelf te vertellen.' Ze glimlachte wrang. 'Het was vooral dat jíj zou weten wat een dwaas ik was geweest waardoor Ellsworth macht over me had – niet zozeer de brieven zelf.' Met een lichte blos op haar wangen vroeg ze: 'Heb je ze gelezen?'

Hij glimlachte teder naar haar. 'Slechts eentje, en alleen genoeg om erachter te komen wat jou zo had doen schrikken. Ik heb niet genoten van mijn rol als luistervink, en ik genoot er net zomin van de woorden te lezen die voor een andere man waren bestemd.' Hij sloeg zijn ogen neer, en keek haar daarna uitdagend aan. 'Ik moet bekennen dat sommige dingen die je had geschreven mij ervan overtuigden dat ik te tam in mijn liefdesspel ben geweest.'

'O, werkelijk?' mompelde ze, en sloeg haar armen om zijn nek. 'Misschien wil je laten zien wat je precies bedoelt.'

Hij drukte haar tegen zich aan en kuste haar. 'O, dat zal ik zeker,' mompelde hij. En dat deed hij.

☽

Hoofdstuk 17

Terwijl Thea en Patrick het feest verlieten en in de beslotenheid van hun wachtende koets stapten, besefte Thea verbaasd dat het al schemerde. De lampaanstekers begaven zich traag door de straten waar zich al purperen schaduwen vormden. Maar daarna had ze geen tijd meer voor andere gedachten – het voertuig had zich amper in beweging gezet of Patrick trok haar in zijn armen en kuste haar.

Ze waren beiden buiten adem toen hij haar optilde en op de fluwelen zitplaats tegenover de zijne neerzette. Duizelig en opgewonden, met het gevoel alsof een zachte vlam elke centimeter van haar lichaam had aangeraakt, zat Thea hem aan te staren. Haar borsten en tepels tintelden, haar huid was rozig en warm, en tussen haar benen klopte een pijnlijk verlangen. Met grote ogen bleef ze in het vage duister van de koets naar Patrick kijken, haar half geopende lippen rood en gezwollen van zijn kus.

'Kijk niet op die manier naar me, lieveling,' mompelde hij, 'tenzij je wilt dat ik hier afmaak wat we net zijn begonnen.'

'Nou, we zijn getrouwd...' zei ze ademloos, half plagerig.

'Heks!' mompelde Patrick, met een zinnelijke glans in zijn grijze ogen. 'Breng me niet te veel in de verleiding. Ik weet me alleen fatsoenlijk te gedragen omdat we op slechts enkele minuten rijden van huis zijn, en dat is de enige reden waarom je nu veilig bent voor een grondige plundering van je lichaam.'

De rit was kort, maar de seksuele spanning tussen hen was bijna tastbaar tegen de tijd dat ze Hamilton Place bereikten. Patrick hielp haar uit de koets te stappen en begeleidde haar de stoep op en zijn huis binnen.

Chetham begroette hen, en nadat Patrick zijn bruid aan hem had voorgesteld, maakte de butler een diepe buiging. Met een glimlach op zijn uitgestreken gezicht zei hij: 'Het is me een genoegen, madam. Ik vertrouw erop dat u hier en met het personeel gelukkig zult zijn. Wanneer u gereed bent, willen de huishoudster en de kokkin u graag ontmoeten. Ze willen ook eventuele veranderingen bespreken die u mogelijk wilt instellen. Hoewel we een vrijgezellenhuishouden hebben, verheugen we ons op de verschillen die een dame in huis met zich meebrengt. We zullen u goed dienen – uw wensen zullen door ons worden vervuld.'

'D-dank u,' antwoordde Thea gecharmeerd.

Patrick snoof. 'Laat je niet voor de gek houden door zijn goede manieren. Hij is een oude despoot en probeert mij met een ijzeren hand te regeren – hij zal met jou hetzelfde doen als je hem niet in de gaten houdt.' Patrick grinnikte bij het zien van de uitdrukking die op Chethams gezicht verscheen. 'Natuurlijk zou hij liever sterven dan zijn genegenheid voor mij toegeven.'

Chetham ging rechtop staan. Hij wierp Patrick een verachtelijke blik toe en zei: 'Wilt u mij volgen, sir. De kokkin heeft een feestmaal voor u en uw bruid bereid.' Hij kuchte achter zijn hand. 'Op uw kamers.'

Patrick wilde hem verder plagen, maar een por van Thea tussen zijn ribben stilde de woorden op zijn lippen. Patrick grinnikte en volgde tam zijn vrouw en butler de trap op naar zijn kamers.

Na nog een diepe buiging liet Chetham hen bij de deur achter. Patrick duwde hem open en zei: 'Kom alsjeblieft binnen, mevrouw Blackburne.' Hij drukte een kus in haar nek, en mompelde: 'En laat me je ervan verzekeren dat je man vast van plan is af te maken waar hij in de koets ophield.'

Thea giechelde even, maar hield op toen ze naar hem keek en de gespannen uitdrukking in die grijze ogen zag. Patrick gaf haar geen tijd verder na te denken. In plaats daarvan tilde hij haar in zijn armen, droeg haar de kamer binnen en duwde de deur met een snelle beweging van zijn schouder dicht.

De kamer was zacht verlicht met slechts enkele kaarsen. Het bed met zijn moerbeikleurige en zilveren draperieën doemde op in de schaduwen van het ruime vertrek. Tegenover het bed bevond zich een open haard met een lichtgrijze, marmeren schoorsteenmantel. Gordijnen in dezelfde kleuren als die rondom het bed hingen voor de smalle ramen, en een dik wijnrood met grijs kleed lag op de vloer. In een hoek was een kleine tafel met een witlinnen kleed gedekt; een kleinere tafel ernaast bevatte zilveren bladen met verscheidene soorten afgedekte schalen. Op een eiken krukje daarnaast stonden drie flessen wijn en een fles cognac. Overal in de kamer stonden boeketjes rozen en lelies.

Toen Patrick de bloemen zag, zei hij: 'Die zijn vast het werk van mijn moeder.'

'Dat was erg aardig van haar,' zei Thea, met haar hoofd tegen zijn schouder.

Langzaam zette hij haar naast het hoge bed neer, en

schudde zijn hoofd. 'Maar verspilde moeite, vrees ik.' Hij plukte een krul los uit haar elegante kapsel. 'Als we in een prieel vol met de meest exotische bloemen van de wereld zouden zijn, ben ik bang dat ik ze niet eens zou opmerken.' Hij trok haar tegen zich aan en zijn mond ving de hare. Zijn lippen bewogen over haar lippen heen, zijn tanden schraapten sensueel over haar onderlip. Thea beefde en opende haar mond voor hem. Zijn smaak vulde meteen haar mond toen zijn tong de wijnzoete duisternis binnendrong die zij hem bood. Langzaam, grondig, verkende hij haar mond, en zijn tong, een vurige vlam tegen het gevoelige oppervlak, stookte het vuur op dat al in haar binnenste brandde. Zijn ademhaling was rauw en haperend toen hij zei: 'Weet je, er is slechts één bijzonder prachtige, lieflijke bloem die mijn aandacht trekt.' Zijn lippen beroerden de hare. 'Jij, mijn lief. Jij alleen.'

Hij kuste haar weer, duwde haar achterover op het bed. Stuk voor stuk werden haar prachtige bruidskleren van haar verhitte lichaam verwijderd. Eerst dwaalden zijn handen, toen zijn mond over haar heen, nibbelend, proevend, plagend en opwindend. Tegen de tijd dat zijn kleren waren uitgetrokken en achteloos weggegooid, en de hare op het wijnrode met grijze vloerkleed waren beland, was ze door een dermate machtig verlangen gegrepen dat haar lichaam één grote, pijnlijke hunkering was.

Patrick ervoer hetzelfde. Hij had zich de hele middag in een staat van halve opwinding bevonden, en nu hij Thea's slanke, blanke lichaam eindelijk had waar hij het wilde hebben, lukte het hem slechts met de grootste moeite haar niet als een ruige beer te bespringen. Zijn lippen streelden over haar zachte, blanke borsten, hij kreunde toen zijn vurige staaf tegen haar slanke dijbeen wreef. Het besef dat ze zijn bruid was, zijn vróuw, was de sterkste liefdesdrank van de wereld. Gedreven door behoeften die zo oud als de tijd waren, beroerde hij de stijve, zwarte krulletjes tussen haar benen, zocht het gevoelige vlees dat ze bedekten. Zodra hij had gevonden wat hij zocht, stak hij zijn vinger diep in haar hete, vochtige diepte, strelend en stotend, de paarbewegingen imiterend.

Bij die eerste invasie ontsnapte Thea een kreet, haar heupen hieven zich stimulerend naar hem op, haar vingers verstrakten rond zijn naakte schouders. Zijn kwellende mond rond haar tepel, gepaard aan het zoete gevoel van zijn warme, goedgespierde lichaam dat half op het hare lag en het ritme van zijn hand op het kruispunt tussen haar benen duwde haar plotseling over de rand. Het gevoel rimpelde omhoog in haar lichaam en het was zo krachtig dat haar onderlijf zich kromde als een strakgespannen boog, en ze schreeuwde het uit van genot toen een steek van hitte en extase door haar heen flitste. Stomverbaasd door zowel de kracht als de hevige zoetheid van haar ontlading, plofte ze terug op het bed met het gevoel dat elk botje in haar lichaam in hete honing was veranderd.

Patrick hief zijn hoofd van haar borst, en een gespannen glimlach vloog over zijn knappe gezicht. Hij drukte een kus op haar wang. 'En dat is nog maar het begin, mijn lief,' zei hij.

Hij kuste haar weer, zijn lippen hard en eisend. Zijn handen grepen haar heupen terwijl hij tussen haar benen gleed. Daar bleef hij enkele seconden rusten, zachtjes tegen haar aan wiegend, zijn stijve lid gleed opwindend door de dikke krulletjes die haar schaamheuvel bedekten.

Thea sloeg haar armen rond zijn nek, en hoewel er nog zachte golfjes van genot door haar heen spoelden, verlangde ze ernaar door hem te worden bezeten. Ze trok hem steviger tegen zich aan, haar benen verstrengelden zich met de zijne, wat hun lichamen in een positie bracht die hen nog meer genot zou schenken. Zijn kussen werden dringender, bijna ruw, en zijn greep rond haar heupen verstevigde zich terwijl hij haar houding iets veranderde zodat hij met een zekere stoot in haar door kon dringen.

Thea verstijfde, het gevoel door een opgewonden man te worden gevuld was nog nieuw en onbekend. Gedurende een onderdeel van een seconde voelde ze zich kwetsbaar en hulpeloos, en toen stootte Patrick door, zo lief, zo zacht dat genot opbloeide, alle emoties verdreef, behalve die van verwondering en verrukking... en liefde.

Patrick had dat korte moment van aarzeling gevoeld, en de oorzaak ervan geraden. Met grote moeite verzette hij zich tegen de behoeften van zijn lichaam en behandelde haar met alle zelfbeheersing die hij kon opbrengen, maar ze was zo strak, zo heet en glibberig dat hij dacht te zullen sterven van genot als hij dit langzame stoten nog veel langer moest volhouden. Zijn lichaam eiste een sneller tempo, het verlangen de extase te bereiken was bijna overweldigend.

Het verlegen porren van Thea's tong in zijn mond, en haar benen rond zijn heupen geslagen, brachten hem over de rand, verbraken het restje beheersing dat hij nog had. Hij kreunde gesmoord en begon heviger te stoten, sneller; zijn gezwollen lid dreef met elke stoot dieper en dieper in haar.

Thea hield hem tegen zich aan, het brute stoten van zijn lichaam joeg haar naar een nieuw niveau van genot. Op dit moment bestond de wereld niet meer voor hem, en zij kon alleen maar aan hun parende lichamen denken, de pijnlijk zoete druk van zijn invasie en de hunkerende, dwingende eisen van zijn kus. De heftige intensiteit van hun vereniging kon niet voortduren, en plotseling beefde Patricks grote lichaam terwijl hij hen naar de hemel voerde die geliefden zo goed kennen.

Genot spiraalde door Thea heen terwijl ze zijn lichaam omklemde, haar schede trok samen en maakte dat hij in haar strakke omhelzing kronkelde. Ze vocht om dit vluchtige gevoel vast te houden, en haar slanke lichaam bewoog onder het zijne. Maar het was zinloos; overspoeld door gevoelens die zo zoet waren, zo doordringend, dat ze bijna ondraaglijk waren, bereikte het genot onvermijdelijk zijn hoogtepunt en liet haar duizelig en bevredigd in de armen van haar man achter.

Net zo verpletterd en bevredigd als Thea gleed Patrick van haar af. Hij had het gevoel geen botten meer te hebben, de kracht en zoetheid van hun paring was met geen enkele eerdere ervaring te vergelijken. Hij hees zich op een elleboog overeind en staarde naar haar blozende gezicht; zijn hart stond bijna stil bij de steek van vreugde die hem doorsneed toen hij naar haar keek.

Haar verwarde haren lagen als zwartzijden strengen glanzend op de witte lakens, en haar ogen waren donkere peilloze poelen, de vergrote pupillen onthulden de intensiteit van het genot dat hij haar had geschonken. Hij putte mannelijke tevredenheid uit het besef dat zijn vrouw, zijn bruid, zijn echtgenote de intensiteit van dit moment met hem had gedeeld, en hij verbaasde zich over de manier waarop ze zijn leven volkomen had veranderd.

Hij, Patrick Blackburne, die de betekenis van liefde had bespot en veracht, was vurig en krankzinnig verliefd – op deze ene, slanke, donkerogige vrouw. Teder streelde hij met een vinger over haar neus, draalde bij haar bovenlip, bedenkend dat hij een zeer gelukkig man was. En dat had hij aan twee konkelende vrouwen te danken. Hij glimlachte voor zich heen. Hij moest een bijzonder mooi cadeau voor zowel zijn moeder als Modesty zien te vinden.

Kijkend naar de emoties die over zijn gezicht speelden, vroeg Thea slaperig: 'Waar denk je aan?'

'Aan jou,' zei hij eenvoudig, en drukte een kus op haar neus.

Ze strekte zich loom uit en grijnsde. 'Hmmm, dat mag ik hopen.'

Patrick lachte en strekte zich naast haar uit, waarna hij haar hoofd tegen zijn schouder nestelde. 'Heb jij over een huwelijksreis nagedacht? Is er een plaats waar je graag naartoe zou willen?' vroeg hij, langzaam haar arm strelend.

Aangenaam vermoeid, warm en loom nestelde Thea zich nog dichter tegen hem aan, genietend van de natuurlijkheid van die beweging. 'Ik zie voor ons geen noodzaak om ergens naartoe te gaan,' mompelde ze, terwijl ze opeens haar ogen nog amper kon openhouden. 'Aangezien ik ervan uitga dat we binnenkort naar jouw huis in Natchez gaan, kan de zeereis als huwelijksreis dienen.'

Patrick fronste zijn wenkbrauwen. Gezien de haast waarmee het huwelijk had plaatsgevonden, waren er veel dingen die Thea en hij niet hadden besproken, en de datum van hun vertrek naar Natchez was een van die dingen. Kennelijk leefde ze, door de verkeerde indruk die zijn moeder had gewekt, nog steeds in de veronderstelling dat het overhaaste huwelijk iets te maken had met zijn naderende terugkeer naar huis. Wat een klein probleem veroorzaakte, want hij was eigenlijk niet van plan geweest Engeland voor het voorjaar te verlaten. En in de tijd tussen zijn moeders aankondiging van hun verloving en huwelijk had hij er niet één keer aan gedacht een passage voor hen beiden te boeken. En dat wilde hij ook niet. Een zeereis was niet iets dat je in een opwelling deed, en aangezien Thea veilig met hem getrouwd was, was er geen noodzaak zich aan het voorwendsel van zijn moeder te houden.

'Eh, zou je teleurgesteld zijn als we de reis naar Natchez uitstellen, laten we zeggen tot het voorjaar?' vroeg hij. 'Ik heb eigenlijk niet meer zo'n haast om Engeland te verlaten als een paar weken geleden.'

Thea vocht tegen de golven van slaap die dreigden haar te overspoelen. 'Wat bedoel je? Zijn we niet juist vanwege je naderende vertrek zo haastig getrouwd?'

'Nou, ik ben bang dat dat mijn moeders idee was,' antwoordde Patrick naar waarheid.

Thea ging rechtop zitten en keek op hem neer, een lichte frons deed haar voorhoofd rimpelen. 'Het idee van je moeder? Waar heb je het over? Vertrekken we níet binnenkort naar Natchez?'

'Niet tenzij jij dat wilt.'

Zijn antwoord verbaasde haar, en ze staarde hem aan, nu klaarwakker. 'Ik had de indruk dat je plan om naar Natchez terug te keren de enige reden was waarom je zo'n vaart achter ons huwelijk hebt gezet.'

Hij raakte even haar gezicht aan. 'Plannen kunnen veranderen, liefje. Er is geen noodzaak om Engeland op korte termijn te verlaten, tenzij jij dat wilt.'

Ze duwde zijn hand weg en keek hem met toegeknepen ogen achterdochtig aan. 'Als jouw plannen zo makkelijk kunnen worden veranderd, waarom heb je dat dan niet gedaan voordat je me in allerijl voor het altaar sleepte?'

'Nou, kijk, ik was bang dat je je zou bedenken wanneer ik je niet, eh, snel naar het altaar zou leiden.'

Thea's ogen werden groot. 'Het was allemaal een leugen, nietwaar? Een trucje?' Toen ze de schuldige uitdrukking op zijn gezicht zag, riep ze: 'Ik wist het wel! Je hebt tegen me gelogen! En je moeder zat in het complot.' Ze keek zowel beledigd als gekwetst. 'Waarom? Waarom al die uitvluchten?'

'Zou je anders met me zijn getrouwd?' vroeg Patrick, haar recht aankijkend.

'Natuurlijk niet!' snauwde ze. 'Met mij trouwen is het laatste wat een heer met een beetje verstand zou willen.' Verbijsterd vroeg ze: 'Is dit allemaal omdat ik weigerde je maîtresse te worden? Ik heb tegen Modesty gezegd dat ik dat dacht. Heb ik gelijk?'

Patrick schudde zijn hoofd. 'Nee, mijn dwaze lieveling, dit heeft daar niets mee te maken, maar wel alles met het feit dat ik heel graag met je wilde trouwen. Zoals je je misschien herinnert, was het trouwens jouw idee om mijn maîtresse te worden... niet het mijne.' Droog voegde hij eraan toe: 'Ik had een heel andere positie voor je in gedachten – als mijn vrouw.'

Thea staarde hem met open mond aan. 'Je vrouw! Maar waarom?' jammerde ze. 'Je maakt mij niet wijs dat je met me wilde trouwen! Met mijn reputatie zou geen enkele heer met een beetje verstand met me trouwen. Ben je vergeten dat ik de dood van twee mannen heb veroorzaakt? Iedereen weet dat ik geruïneerd ben – waarom wilde je met me trouwen?'

Patrick ging ook rechtop zitten, zijn brede schouders rustten tegen het hoofdeinde van het bed. Hij nam haar ene hand in de zijne, boog zijn hoofd en staarde peinzend naar de slanke, rusteloze vingers die hij vasthield. 'Weet je dat ik er een beetje genoeg van krijg om over dat oude schandaal te horen, dat plaatsvond toen je nog heel jong was en niets te maken heeft met de vrouw die je vandaag bent. Ik denk dat je ervan geniet jezelf te blijven straffen voor wat er is gebeurd, ook al hebben de meeste mensen inmiddels ingezien dat er meer tegen jou is gezondigd dan dat jezelf hebt gezondigd.'

Thea hapte naar adem en probeerde haar hand los te rukken. Ze gaf de strijd op toen duidelijk werd dat hij niet van plan was haar te laten ontsnappen. Ze staarde hem met woede in haar donkere ogen aan. 'Hoe durf je! Je laat het klinken alsof ik een van die jammerende, sentimentele, schaapskopachtige heldinnen uit een gotische novelle ben.'

Patrick keek haar zwijgend aan. Niet in staat zijn blik te doorstaan, sloeg ze haar ogen neer. 'Het spijt me dat je me zo dwaas vindt,' zei ze stijfjes.

'Niet dwaas,' zei hij vriendelijk, 'maar je draagt je verleden als een groot, erg omvangrijk wapenschild met je mee, lieveling. Je loopt er bij iedere gelegenheid die je krijgt mee te koop en gooit het in het gezicht van iedere man die concludeert, afgezien van het schandaal, dat je een zeer begerenswaardige jonge vrouw bent.' Zijn stem daalde. 'Een heel erg charmante, begerenswaardige jonge vrouw met wie hij misschien heel graag wil trouwen.'

'Natuurlijk,' zei ze droog. 'En dat is de reden waarom mij de afgelopen jaren zo onverdroten het hof is gemaakt. Waarom de arme Modesty de gretige aanbidders gewoon bij onze deur vandaan moest slaan.'

Patrick glimlachte vaag. 'Als jij dat omvangrijke wapenschild slechts voor een ogenblik had laten zakken, zou dat zeker het geval zijn geweest. Ik ben blij dat je dat niet hebt gedaan, want anders was ik niet de gelukkige man geweest die je hand wist te winnen.'

'Je hebt mijn hand niet gewónnen – je hebt hem door pure bedotterij verkregen,' mompelde ze. 'Ik weet wie ik ben,' voegde ze eraan toe, 'en wat ik ben, en dat ik bepaald niet de huwelijksvangst van het seizoen ben – welk seizoen dan ook.' Haar stem droop van frustratie toen ze vroeg: 'Dus waarom verkoos je het met míj te trouwen?'

'Omdat ik van je hou, jij kleine gans.'

Thea gaapte hem aan. Ze knipperde met haar prachtige donkere ogen, opende haar mond, deed hem dicht, en knipperde weer met haar ogen. Die gedachte was duidelijk nooit bij haar opgekomen. Ze staarde hem sprakeloos aan, haar verwonderde blik gleed langzaam over het gezicht dat haar in zo korte tijd zo bekend en dierbaar was geworden, dat ze het niet eens had gemerkt. Hij hield van haar! Was dat mogelijk? Had hij gelijk? Had ze door haar houding mogelijke aanbidders weggejaagd? Had ze dat oude schandaal als een schild gebruikt om zichzelf te beschermen? Ze sloeg haar ogen neer en beet op haar lip. Ze was na dat afschuwelijke debacle dat tot de dood van haar broer – en Hawley's dood – had geleid zo verschrikkelijk gekwetst en verdrietig geweest dat Patrick misschien gelijk had, erkende ze onwillig. Ze had het schandaal heel goed als een ondoordringbaar wapenschild kunnen gebruiken, wapperend als een fier banier, vastbesloten iedereen te laten weten hoezeer ze geruïneerd was. En dat had ze gedaan, besefte ze plotseling, want ze was bang geweest, bang om haar hart weer te riskeren. Doodsbang te riskeren dat de volgende man die genegenheid voor haar opvatte net zo'n schurk als Lord Randall zou blijken te zijn. En daarom had ze haar uiterste best gedaan ervoor te zorgen dat geen enkele man de kans kreeg onder de harde buitenkant door te glippen die ze de buitenwereld toonde. Geen enkele man zou ooit de kans krijgen haar hart nogmaals te krenken. Ze zuchtte. Maar het was allemaal voor niets geweest, want Patrick, een man over wie ze maar weinig wist, een man van wie ze niet wist of ze hem kon vertrouwen, was moeiteloos onder haar schild gekropen en had ervoor gezorgd dat ze verliefd op hem werd. En als ze het verleden kon vergeten en hem geloven, leek het erop dat ze ongelooflijk blij moest zijn dat hij van haar hield.

Een sprankje hoop ontwaakte in haar borst. Hield hij echt van haar? Hij zei van wel. Durfde ze hem te geloven? Te vertrouwen? Haar zachte, bezorgde blik vol vragen, bleef op zijn gezicht rusten. 'Hou je van me? Hou je echt van me?'

Patrick glimlachte en trok haar tegen zijn borst. 'Ik aanbid je! En ik heb grote moeite gedaan om je aan me te binden.' Hij hief haar gezicht op en zijn ogen keken haar recht aan. 'Thea, jij kleine dwaas, ik hou meer van je dan van het leven zelf. Dát is de reden – de enige reden waarom ik met je ben getrouwd.'

'O,' zei ze slapjes, haar gedachten verward en chaotisch. Hij hield van haar! En hij was met haar getrouwd omdat hij van haar hield. Een rilling van verrukte verbazing flitste door haar heen. Hij hield van haar!

Kijkend naar haar expressieve gelaatstrekken, zei hij: 'Kun je misschien iets enthousiaster zijn, mijn lief? Ik heb je net mijn liefde verklaard. Ik heb het gewaagd mijn hart weerloos aan je voeten te leggen.' Hij kuste haar zacht. 'Ik zou wel een beetje aanmoediging kunnen gebruiken, weet je.' Toen ze hem alleen maar bleef aanstaren, schudde hij even met zijn hoofd. 'Het is in dit soort kwesties niet meer dan beleefd om in ruil jouw gevoelens voor mij te uiten.'

Thea gooide alle twijfels opzij, liet zich leiden door de liefde in haar hart en sloeg haar armen om zijn nek. 'O, ik *hou* van je!' Verlegen voegde ze eraan toe: 'Daarom

363

ben ik met je getrouwd.' Ze keek hem uitdagend aan. 'Ik had ook weg kunnen lopen, weet je.'

'Goddank heb je dat niet gedaan,' zei hij gesmoord, zijn mond vond de hare. 'Ik zou heel Engeland op zijn kop hebben gezet om je te zoeken.' Hij kuste haar, al zijn liefde en verlangen duidelijk in die ene kus. Toen hij zijn hoofd hief, glansden haar ogen. 'En niet alleen Engeland, maar ik zou over de hele wereld zijn gegaan om je te zoeken tot ik je weer had gevonden. Waar je je ook zou hebben verstopt, ik zou je hebben gevonden,' mompelde hij tegen haar lippen. 'Betwijfel nooit dat ik van jou en jou alleen hou.' Zijn grijze ogen donker en dwingend, zei hij: 'Ik zweer bij de maan dat ik je boven alles liefheb, en dat je, ongeacht hoever of snel je bij me weg zou lopen, altijd als mijn vrouw in mijn armen zou eindigen.'

'O, Patrick, ik ben écht een dwaas geweest, is het niet?'

'Maar wel een heel aanbiddelijke,' mompelde hij, met een plagerige glans in zijn grijze ogen. Hij kuste haar weer, trok haar naakte lichaam nog dichter tegen het zijne. De kus verdiepte, hartstocht wakkerde al snel weer aan.

Ze vrijden. De heftige emoties die gepaard gingen met de vereniging van hun lichamen waren net zo sterk en intens als tijdens hun vorige vrijpartij. Dit keer maakte het besef dat ze liefhadden en dat hun liefde werd beantwoord het samenzijn nog heerlijker, nog heftiger.

Nog lang nadat hun verlangens waren vervuld, lagen ze bij elkaar, hun armen om elkaar heen, hun vochtige, naakte lichamen vol vertrouwen tegen de ander genesteld. Ze fluisterden zoete woordjes terwijl ze genoten van hun samenzijn, in het besef dat ze hun hele leven nog voor zich hadden en dat de toekomst helder straalde met de belofte van grote vreugde. Een vreugde die ze samen zouden scheppen, een vreugde die ze zouden delen.

Het was verscheidene uren later voor ze er eindelijk in slaagden zich los te maken van de geneugten van het huwelijksbed, en iets van de schotels namen die voor hen waren neergezet. Ze proefden en aten van de verschillende vleessoorten, maar binnen de kortste keren kreeg hun verlangen naar elkaar weer de overhand. Als uitgehongerde pelgrims vielen ze op elkaar aan, hun jonge, gezonde lichamen genoten van het genot dat ze elkaar konden schenken.

Met haar lichaam nog zinderend van Patricks liefkozingen na hun laatste uitspatting, liet Thea haar hoofd tegen zijn schouder rusten, een been over het zijne, haar vingers woelend door zijn zwarte borsthaar. Haar lichaam deed pijn op plaatsen waarvan ze het bestaan niet had geweten, maar ze was gelukkig; gelukkiger dan ze ooit in haar leven was geweest. Ze was getrouwd. Met Patrick Blackburne, en – het beste van alles – hij hield van haar!

Onvermijdelijk stelde ze de vraag die alle geliefden stellen: 'Wanneer wist je het?'

Een lome glimlach krulde om Patricks lippen. 'Dat ik van je hield?' Hij voelde haar hoofd tegen zijn schouder knikken. 'Nou, het was niet de eerste keer dat ik je zag – in het park, en ook niet de tweede keer toen je praktisch in mijn armen belandde. Nee, toen was ik niet verliefd op je...' Hij drukte een kus op haar kruin. 'Het was bij onze derde ontmoeting, die avond toen ik je kwam vertellen dat je je zwager niet had gedood, dat ik mijn hart verloor.'

Thea's ogen werden groot en ze ging rechtop zitten, een peervormige borst piepte boven het laken uit dat ze tegen zich aan geklemd hield. 'Zo gauw? Wist je het toen al?'

Patrick knikte, zijn harde gelaatstrekken tevreden en vol liefde. 'Hmm. Ik wist het op dat moment niet, maar als ik terugkijk, besef ik dat het die avond was, toen ik je eigenlijk voor het eerst sprak, dat je me in je ban kreeg en me betoverde.' Hij glimlachte bij de herinnering. 'Ik was naar je huis gekomen in de verwachting een vulgaire harpij aan te treffen en in plaats daarvan...' Zijn ogen werden donkerder en zijn stem lager. 'En in plaats daarvan vond ik de liefde van mijn leven.'

'O, Patrick!' riep Thea smartelijk. 'Het duurde bij mij eeuwen langer voordat ik verliefd werd... althans dat geloof ik.'

Hij glimlachte en trok haar tegen zich aan. 'Het belangrijkste is dat je nu van me houdt. En je houdt toch van me?'

'Ik hou van je – met heel mijn hart,' mompelde ze tegen zijn hunkerende mond. En gedurende de volgende paar minuten toonde ze hem hoe heel erg veel ze van hem hield.

Toen Thea de volgende ochtend wakker werd, wist ze een ogenblik niet waar ze was. Maar zodra ze Patricks warme lichaam tegen het hare voelde, en hun achteloos weggeworpen trouwkleding op de vloer verspreid zag liggen, vloeiden de gebeurtenissen van de vorige dag weer terug. Ze was getrouwd. Met Patrick. En hij hield van haar! Een glimlach van pure vreugde vloog over haar gezicht, en ze rekte zich loom uit, knipperde met haar ogen toen bepaalde veelgebruikte lichaamsdelen zich lieten voelen.

Aangezien Patrick enkele ogenblikken eerder wakker was geworden, voelde hij dat geknipper van haar ogen en er trok een steek van schuld door hem heen. Hij had gisteravond zijn handen niet van haar af kunnen houden, en het was ongetwijfeld zijn schuld dat ze pijn had.

Hij nam zich braaf voor haar vanavond meer te ontzien, kuste haar schouder, en mompelde: 'Goedemorgen, mijn lief. Wat zou je vandaag willen doen?'

'Een bad zou heerlijk zijn,' zei ze. 'En iets te eten. Weet je dat ik gewoon uitgehongerd ben?' Ze ging rechtop zitten en glimlachte naar hem. 'Ik vraag me af hoe dat komt.'

Hij grinnikte. 'Ik denk dat je heel goed weet waarom je honger hebt, jij onverzadigbare kleine ondeugd. Maar ik ben het met je eens dat een bad en een stevig ontbijt een aardig begin van de dag zouden zijn.'

Patrick liet Thea achter in de grootste slaapkamer, die uit een suite bestond, en ging naar de aangrenzende kamer waar hij Chetham belde.

Een uur later, gebaad en fatsoenlijk gekleed, zaten de pasgehuwden aan een uitgebreid ontbijt in de eetkamer. Ondanks de grandeur van het vertrek, met zijn hoge, gebeeldhouwde plafonds en de enorme ruimte, was er een sfeer van intimiteit tussen het paar. Tegen de gewoonte in hadden ze plaatsgenomen aan een eind van de indrukwekkende mahoniehouten tafel, en het grootste deel van de maaltijd met hun hoofd dicht bij elkaar gezeten, elkaar hapjes voerend van hun bord en plannen makend voor de toekomst.

Over verscheidene punten waren ze het tamelijk snel eens. Hun huwelijksreis zou in Thea's huis op het platteland worden doorgebracht, technisch gesproken nu ook van Patrick, Halsted House. Indachtig haar ontmoeting op maandag met Yates, stelde Thea voor pas op dinsdagochtend naar Cheltenham en Halsted House te vertrekken. Ondanks het feit dat haar redenen om dat te doen gerechtvaardigd waren, voelde ze zich schuldig over het gemak waarmee Patrick zich bij haar wensen neerlegde.

Nu de belangrijkste beslissing was genomen, trokken

ze zich terug naar een aangenaam vertrek aan de achterkant van het huis. Daar had ze uitzicht op de verrassend uitgestrekte tuin, en hoewel hij om deze tijd van het jaar niet op z'n mooist was, brachten een paar laatbloeiende rozen enige kleur en levendigheid. Gezeten in een paar gemakkelijke stoelen, genietend van een laatste kopje koffie, bespraken ze langdurig het punt van vertrek naar Natchez.

Met een ondeugende glimlach zei Patrick: 'De keus is aan jou, lieveling. Mij maakt het niet uit waar ik ben, zolang jij maar binnen handbereik bent.'

Thea keek hem over de rand van haar porseleinen kopje aan, haar ogen zacht en glanzend. Ze weerstond de neiging in haar arm te knijpen om te zien of dit allemaal een droom was. Het was moeilijk te geloven dat ze ooit twijfels over een huwelijk met Patrick had gehad, en wat voor twijfels ze ook had gehad, ze waren allemaal verdwenen door de tedere manier waarop hij haar tot zijn vrouw had gemaakt. Ze wilde niet blijven stilstaan bij pijnlijke onderwerpen, maar het was onmogelijk niet naar de verschillen te kijken tussen de vreugde die zich op deze ochtend in haar hart bevond en de pijn en de vernedering die ze op die verschrikkelijke ochtend tien jaar geleden had ervaren. Spijt overweldigde haar, vertroebelde de glans in haar ogen. O, wat zou ze graag willen dat Tom nog leefde om haar geluk te zien nu ze getrouwd was met de man van wie ze hield. Hij zou Patrick hebben gemogen, dat wist ze zeker, en hij zou ervan hebben genoten degene te zijn die haar hand weggaf.

Patrick zag de sombere blik in haar expressieve ogen en boog zich naar haar toe. 'Wat is er, mijn lief? Je ziet er triest uit.'

Ze glimlachte bedroefd. 'Ik dacht aan mijn broer, Tom,

en dat hij jou had gemogen, en hoe trots hij gisteren zou zijn geweest om mij over het middenpad te leiden.'

'Je hebt heel veel van hem gehouden, hè?'

'O ja, en ik mis hem nog steeds verschrikkelijk. Dat zal denk ik altijd zo blijven.'

Patrick pakte haar hand en drukte er een kus op. 'Weet je, ik denk dat we ons eerste mannelijke kind naar hem moeten noemen. Het zal hem niet terugbrengen, maar ik geloof dat ik het leuk zou vinden om een zoon met de naam Tom te hebben.'

'Ik ook!' riep Thea uit, haar glimlach zo oogverblindend, dat Patrick daadwerkelijk met zijn ogen moest knipperen.

'Misschien moeten we naar boven gaan om aan het project te werken?' mompelde hij, met een verleidelijke glimlach rond zijn volle lippen.

Thea bloosde, maar haar ogen waren zacht en vol liefde toen ze zich vooroverboog en zijn mond met haar lippen beroerde. 'Weet je, ik kan niets bedenken wat me meer vreugde zou verschaffen.'

Patrick trok haar overeind, legde haar hand op zijn arm en voerde haar de kamer uit. 'Nou, zeg nooit dat ik een tiran van een echtgenoot ben. Natuurlijk zullen we precies doen wat jij wilt.'

Thea giechelde en dacht dat haar hart zou barsten van alle liefde die ze voor hem voelde. 'O, Patrick, ik hou van je,' zei ze, haar gevoelens duidelijk op haar gezicht.

Bij de deur bleef hij staan en trok haar tegen zich aan. Zijn anders koele grijze ogen, waren nu warm en liefdevol toen hij schor zei: 'Maar niet, mijn lief, zoveel als ik van jou hou – onthoud dat ik het bij de maan heb gezworen.'

Hoofdstuk 18

Voor Thea kwam de maandag veel te snel. Zij en Patrick hadden intens genoten van hun eerste uren als man en vrouw, en het was dus niet verwonderlijk dat ze helemaal niet meer aan de ontmoeting in Edwina's huis had gedacht.

Maar nu was het maandagochtend elf uur en Thea wist dat ze Yates – een bullebak en hoogst onplezierig kerel – binnen een uur zou ontmoeten. Ze zag er om twee reden verschrikkelijk tegenop; het kon alleen maar afschuwelijk worden en, nog belangrijker, ze moest liegen tegen Patrick.

Niet voor de eerste keer overwoog ze of ze de hele kwestie niet gewoon in handen van haar echtgenoot zou geven en hem het probleem laten afhandelen. Thea ijsbeerde door de kleine salon aan de achterkant van het huis en trok een gezicht. De hele last op Patricks schouders laden leek zo heel erg laf, en dus duwde ze die oplossing van zich af. De dreigementen van Yates en Edwina's moeilijkheden waren geen dingen waarvan ze vond dat ze die op dit moment met haar man moest delen. Ze mochten dan getrouwd zijn en, wonder boven wonder, verliefd op elkaar zijn, maar het feit bleef dat ze elkaar nog niet zo lang kenden, en ze wist absoluut niet hoe haar man op de situatie zou reageren. Nee, het was veel beter dat ze zich aan het oorspronkelijke plan hield. Later, hield ze zich voor, zou ze hem alles vertellen... na afloop.

Thea had de zeventienduizend pond, die nodig waren om Yates af te betalen, al van de bank gehaald – ze had het voor haar huwelijk gedaan, toen haar fortuin nog van haarzelf was. Het geld zat nu in haar grootste reticule, wachtend om aan Yates te worden overhandigd.

Wat betekende, dacht ze ongelukkig, dat ze nu vrij snel een smoesje moest verzinnen om het huis uit te komen – alleen. En dat was een echt probleem, omdat Patrick bij elke boodschap die ze kon bedenken zou voorstellen een van de bedienden te sturen of, net zo erg, haar te vergezellen.

Het noodlot, in de vorm van een boodschap van Lady Caldecott, schoot haar te hulp. Patrick kwam op dat moment het vertrek binnen, een briefje in zijn hand en een frons op zijn knappe gezicht. 'Het is verdraaid vervelend, maar mijn moeder wenst me te spreken. Nu,' zei hij. Zijn mond vertrok. 'Ze verontschuldigt zich uitvoerig voor het feit dat ze me stoort, maar ze heeft een kwestie die ze dringend met me wil bespreken. Vind je het heel erg om een poosje alleen te zijn? Ik zal niet langer dan een uurtje wegblijven.'

Thea keek hem stralend aan. 'Natuurlijk niet! In feite geeft het mij een excuus om Modesty te bezoeken en te zien hoe het inpakken van de rest van mijn spullen vordert.'

Patricks gezicht klaarde op. Hij had niet geweten hoe zijn bruid zou reageren op zijn afwezigheid, en hij was verrukt dat ze zoveel begrip toonde. Hij zou het haar niet kwalijk hebben genomen als ze tegen hem tekeer was gegaan – nog amper achtenveertig uur getrouwd en nu liet hij haar al alleen. Zijn gezicht vertrok. Om naar zijn moeder te gaan.

'Zal ik je dan ophalen zodra ik klaar ben?'

'O nee!' riep ze geschrokken uit. Vervolgens beheerste ze zich, en zei kalmer: 'Ik bedoel dat dat niet nodig is. Ik weet niet hoelang ik bezig zal zijn, en jij zou je bij ons maar vervelen terwijl we al die vrouwelijke snuisterijen uitzoeken. Je zou er echt niet van genieten. Nee. Neem de tijd die je nodig hebt bij je moeder, en ik ontmoet je weer hier, laten we zeggen na een uur?'

Hij liep naar haar toe en bleef voor haar staan. Hij drukte een kus op het puntje van haar neus. 'Ik ben blij dat ik zo'n begripvolle en attente vrouw heb. Heb ik je al verteld wat een voorbeeldige bruid je bent?'

Ze onderdrukte de steek van schuld, sloeg haar armen om zijn nek en drukte haar lippen op de zijne. 'Hmm, ik herinner me niet dat je dat hebt gezegd, maar ik geloof dat je afgelopen nacht mompelde dat ik je grote voldoening had geschonken.'

Zijn ogen werden donker en zijn stem klonk schor toen hij zei: 'Dat klopt, mijn lief. Zoveel voldoening dat ik nauwelijks kan wachten tot je me dat weer toont.' Het briefje fladderde ongemerkt naar de vloer toen hij haar in zijn armen nam en haar gretig kuste.

Met een gevoel alsof ze verdoofd was vlijde Thea zich tegen hem aan, beantwoordde zijn kus. Hartstocht en verlangen verstrengelden zich en laaiden ogenblikkelijk tussen hen op. Gedurende enkele tijdloze ogenblikken stonden ze in elkaars armen, en de wereld vervaagde.

Met grote moeite hief Patrick zijn mond van de hare. Met een ondeugende glinstering in zijn grijze ogen zei hij: 'Je bent een heks! Ik moet je nu alleen laten, maar wanneer ik terugkom…'

Er klonk zowel belofte als waarschuwing in zijn stem,

en Thea huiverde van verwachting. O, wat zou hij allemaal met haar gaan doen! Ze giechelde. En zij met hem!

Ze nam afscheid van haar man en nog geen kwartier na zijn vertrek was ze op weg naar het huis van Edwina. Ze had zich door Chetham naar het rijtuig laten vergezellen, waarna hij de koetsier het adres opgaf. Het was heel eenvoudig geweest om de koetsier enkele ogenblikken later een ander adres op te geven.

Voor de deur van het huis van haar zus, in een niet zo chique buurt, liet ze zich door de knecht uit het rijtuig helpen, glimlachte en zei: 'Kom me alsjeblieft over een uur halen.'

De jongeman in groen livrei maakte een buiging en voegde zich weer bij de koetsier. Thea keek links en rechts de straat in, een lichte frons op haar voorhoofd. Hoewel een acceptabele straat, was hij een beetje sjofel, en ze was eens te meer van plan Edwina hiervandaan te halen. Haar mond vertrok. Nadat Edwina had gehoord dat ze weduwe was. Ze rechtte haar schouders onder de paarse mantel, haalde diep adem en liep de paar treden naar Edwina's deur op. Ze zou de kwestie met Yates zo snel mogelijk afhandelen en voordat iemand wist dat ze bij haar zus was geweest, zou ze thuis zijn en in de armen van haar man – waar ze hem het hele verhaal zou vertellen. Vastberaden klopte ze kwiek op de deur.

Maar Thea dacht ten onrechte dat niemand, behalve Modesty, wist dat ze bij haar zus was. Ze werd aandachtig gadegeslagen door een ander paar ogen toen Edwina's deur openzwaaide en ze in het huis verdween.

Nog geen twee huizen verderop in de straat stapte John Hazlett net uit zijn rijtuig toen Thea het huis van Edwina binnenging. Thea! Wat deed zij hier in vredesnaam? Niet dat het enig verschil maakte – zijn taak moest toch worden volbracht. Thea vormde een extra complicatie die hij had gehoopt te vermijden. Hij had erop gerekend dat haar huwelijk met Blackburne haar juist nu uit de buurt van Edwina zou houden. Hij zuchtte. Hij had zich kennelijk vergist. Gedurende enkele ogenblikken stond hij met gefronste wenkbrauwen over de situatie na te denken, niet zeker wetend of Thea's aanwezigheid in het huis van haar zus een goed of een slecht teken was. Ten slotte schudde hij zijn hoofd en hield een ander rijtuig aan dat door de straat reed. Nou, er was één ding dat hij kon doen, en dat was wat hij om te beginnen had moeten doen. *Vertrouw erop dat Thea*, dacht hij, terwijl hij in het voertuig sprong, *een perfect plan weet te verknoeien.*

Zich onbewust van de kritische waarneming van haar neef, stapte Thea de hal in van het huis dat Edwina met Hirst deelde. Ze was verbaasd te ontdekken dat het haar zus was en niet een bediende die de deur voor haar had geopend.

'Edwina!' riep ze uit. 'Waarom open je zelf de deur? Waar is je butler?'

Edwina glimlachte slapjes. 'Ik heb je verteld dat we er wanhopig voorstaan – er zijn geen bedienden – alleen wanneer Alfred heeft gewonnen – dan hebben we genoeg bedienden, maar natuurlijk alleen maar tot hij het geld weer heeft verloren. Het is bij ons feest of hongerlijden.' Ze kreeg een wrange uitdrukking op haar gezicht. 'Meestal hongerlijden. Het is me gelukt van zijn laatste winst genoeg opzij te leggen om tweemaal per week een schoonmaakster te laten komen, en een vrouw om 's avonds te koken. Maar wat een butler betreft...' Ze lachte bitter. 'Het geld voor een butler of enige andere luxe wordt door mijn dierbare man aan de goktafel verkwist.'

Thea wist niet wat ze daarop moest zeggen. Ze kon Edwina niet troosten door haar te vertellen dat ze zich geen zorgen meer hoefde te maken over de toekomstige verliezen van haar man – hij was dood. Maar ze was verbijsterd toen ze ontdekte hoe slecht de zaken er voor haar zus voorstonden. Modesty zou zich verschrikkelijk voelen over haar opmerking dat Edwina haar situatie wel weer eens zou hebben overdreven. Edwina had de hoogte van de schuld van haar man juist onderschat.

Ondanks de schoonmaakster, die volgens Edwina tweemaal per week kwam, bespeurde Thea een slonzige sfeer in huis. Niet iets specifieks zoals vuile vloeren of stoffige oppervlakken, maar gewoon een algehele sfeer van onordelijkheid.

Thea schoof haar indrukken terzijde, glimlachte dapper en zei: 'Ben je klaar voor onze ontmoeting met Yates? Als we met hem hebben afgerekend, zul je je ongetwijfeld een stuk beter voelen. En misschien kan ik je wat geld lenen en het je een beetje gemakkelijker te maken.'

Edwina leidde Thea naar de achterkant van het huis. 'Denk je?' vroeg ze over haar schouder. 'Ik vraag me af of je echtgenoot ermee zal instemmen geld te besteden aan de vrouw van een andere man.'

Thea beet op haar lip, en wenste dat ze althans dit laatste onderwerp met Patrick had besproken. Ze wilde Edwina geen valse hoop geven en beloftes doen waaraan ze zich niet kon houden. Patrick, dacht ze met een frons op haar voorhoofd, kon met geld maar beter net zo charmant zijn als met alle andere dingen. Een zachte glimlach krulde plotseling rond haar lippen. Hij zou voor Edwina genereus zijn, concludeerde ze een seconde later, ervan overtuigd dat ze niet verliefd had kunnen worden op een krenterige tiran.

Ergens verderop in het huis sloeg een klok het kwartier, en Thea besefte dat het al kwart voor twaalf was. 'Waar gaan we heen? Moeten we niet op Yates wachten? Hij zou toch om twaalf uur komen?'

Edwina haalde haar schouders op. 'Maak je over hem maar niet druk. Het belangrijkste is: heb je het geld bij je?'

'Ja, hier in mijn reticule. Ik zal blij zijn als ik er vanaf ben – zelfs op klaarlichte dag in mijn eigen rijtuig ben ik bang geweest te worden beroofd of dat er iets anders verschrikkelijks zou gebeuren.'

Edwina leidde Thea een klein, zuur stinkend vertrek aan de achterkant van het huis binnen, en mompelde: 'Met jouw fortuin kun je het altijd weer aanvullen, nietwaar?'

'Ach, ja,' antwoordde Thea, een beetje onthutst. 'Maar zeventienduizend pond is een klein fortuin – meer dan de meeste mensen in hun hele leven kunnen verwachten. Mijn bankier was hoogst ongelukkig dat ik erop stond zo'n groot bedrag in één keer op te nemen. Ik ben ervan overtuigd dat hij het ergste denkt.'

'Je hebt natuurlijk gelijk, ik weet alleen dat Hirst het in een avondje gokken heeft verloren – een keer verloor hij zelfs vijftigduizend pond met het omdraaien van een enkele kaart. Na een tijdje zie je het niet meer als een enorme som geld.'

'Vijftigduizend pond!' riep Thea uit, geschokt bij de gedachte een dergelijk fortuin in een avond te verkwisten.

Edwina ging achter een kersenhouten bureau zitten en keek op naar haar zus. 'Ik begrijp niet waarom je zo geschokt bent – je wist dat hij een gokker was voordat je me met hem liet trouwen.'

Thea zonk neer op een stoel die met versleten goudtapisserie was bekleed, en mompelde: 'Ik liet je niet met hem trouwen – je was zelf vastbesloten met hem te trouwen.'

Edwina richtte haar grote blauwe ogen op Thea, haar

blonde krulletjes omlijstten haar lieflijke gelaatstrekken. Met een koppig trekje rond haar cupidomond argumenteerde ze: 'Maar was het niet jouw plicht om me tegen fortuinjagers als Hirst te beschermen?'

'Edwina! Ik heb uit alle macht geprobeerd je ervan te weerhouden met hem te trouwen,' protesteerde Thea. 'Je was vastbesloten – je bent met hem weggelopen, weet je nog wel?' Een blos van schaamte kleurde haar wangen. Zachtjes zei ze: 'Het is goed dat je daadwerkelijk met hem bent getrouwd – geen van ons wilde weer in een situatie als de mijne terechtkomen.'

'Het komt altijd bij je terug, is het niet?' klaagde Edwina. 'Ik ben altijd gedwongen geweest in jouw schaduw te staan, me er altijd pijnlijk van bewust dat jouw fortuin veel groter was dan het mijne, en dat de familie altijd bereid is "arme Thea" te redden – ook al ben ik degene die hulp nodig heeft. Ze zijn altijd zo bezorgd over je dat het niemand iets zou kunnen schelen of ik met mijn gezicht in het stof ben gevallen. Het is altijd "Thea, Thea, Thea!" Ik heb er schoon genoeg van!' Met een harde blik in haar blauwe ogen voegde ze eraan toe: 'Als jij er niet was geweest, had ik de grootse verbintenis kunnen aangaan die ik verdiende. Het is allemaal jouw schuld dat ik zit opgescheept met een roekeloze echtgenoot en dat ik gedwongen ben me praktisch in mijn eigen huis te verbergen om te voorkomen dat ik op mijn eigen stoep door een schuldeiser word lastiggevallen.'

Thea staarde haar zus aan. Ze had zich nooit gerealiseerd hoezeer haar zus haar verachtte en haar de schuld gaf van haar eigen ongeluk. Misschien had Modesty gelijk en was ze te toegeeflijk voor Edwina geweest. Te bereid haar gejammer en belachelijke beschuldigingen door de vingers te zien en zichzelf de schuld te geven van Edwina's tegenslagen – tegenslagen die haar zus vaak aan zichzelf te wijten had.

Thea ving Edwina's beschuldigende blik en zei rustig: 'Het spijt me dat je het zo ziet. Ik kan het verleden niet veranderen, maar voordat ik Engeland met Patrick verlaat, zal ik mijn best doen ervoor te zorgen dat de dingen voor jou goed geregeld zijn. Het is misschien het beste dat ik aan de andere kant van de oceaan ga wonen – als ik niet langer in je buurt ben kan ik je leven niet meer, eh, bederven; misschien leer je dan verantwoordelijk voor je eigen daden te zijn. Wanneer het ongeluk je dan weer treft, heb je mij niet langer om de schuld te geven.'

Edwina hapte naar adem, en zag er zo verbaasd uit alsof Thea haar had gebeten.

Thea stond op, negeerde Edwina, en begon door het sjofele vertrek te ijsberen. Het huis leek erg stil, verlaten, maar plotseling dacht Thea een geluid bij de voorkant van het huis te horen.

Kijkend naar Edwina vroeg ze: 'Hoorde je dat? Het klinkt alsof er iemand bij de voordeur is. Zou het Yates kunnen zijn?'

Edwina hield haar hoofd schuin en luisterde. Stilte omringde het huis. 'Je vergist je,' mompelde Edwina, haar blauwe ogen nors. 'Trouwens, ik heb tegen Yates gezegd dat hij de bediendeningang aan de achterkant van het huis moet gebruiken.'

Thea luisterde een tijdje ingespannen, maar hoorde niets meer, en hervatte haar rondgang door het vertrek. Gedachteloos streek ze met een vinger over de glazen voorkant van een boekenkast tegen de muur en bekeek de stoflaag op haar vinger. Er stond een verguld klokje in het midden op de boekenkast, en kijkend naar de tijd besefte ze dat het al twaalf uur was geweest. Met gefronste wenkbrauwen keek ze naar Edwina. 'Had Yates er nu al niet moeten zijn?'

Edwina keek naar de klok en knikte. 'Ja, hij had hier moeten zijn. Ik vraag me af waar hij blijft.'

Yates was niet de enige wiens afwezigheid op dat moment werd opgemerkt. In een opgewekte stemming verliet Patrick fluitend het huis van zijn moeder. Het nieuws dat Lady Caldecott had verteld was fantastisch geweest. De dreiging van chantage was afgewend; ze had de brieven teruggekregen, en nog wel door haar eigen man! Patrick schudde zijn hoofd, glimlachte om de moeite die Lord Caldecott had genomen om het hart van zijn dame te winnen. *Wat wij arme mannen al niet voor de liefde doen,* dacht hij triest, terwijl hij Lord Caldecott in gedachten in die donkere steeg zag waar hij zich verborgen had gehouden.

Het bezoek aan zijn moeder had niet lang geduurd en in een opwelling besloot hij de wens van zijn vrouw in de wind te slaan en haar bij Modesty te ontmoeten. Het nieuws dat hij bij Thea's voormalige huis te horen kreeg deed hem zijn voorhoofd fronsen.

Hij staarde Tillman aan en vroeg: 'Bedoel je dat Miss Bradford niet thuis is? Mijn vrouw zou haar bezoeken.'

Tillman keek verslagen. 'Ik weet er niets van, sir. Ik weet alleen dat Miss Bradford ongeveer een halfuur geleden is uitgegaan, voor een boodschap.' Hij schraapte zijn keel. 'Ze heeft niet gezegd waar ze naartoe ging of wanneer ze terug zou zijn.' Er flitste iets van ongerustheid in zijn ogen toen hij eraan toevoegde: 'En wat Miss Th – eh, Mrs. Blackburne betreft, ze is hier vandaag niet geweest.' Hij aarzelde, kennelijk worstelend met zichzelf, haalde diep adem, en opperde: 'Eh, helpt het u misschien te weten dat Mr. John Hazlett nog geen vijf minuten nadat Miss Bradford was vertrokken aan de deur was? Hij, eh, was nog al uit zijn doen toen hij hoorde dat ze niet thuis was.'

Patrick bedankte hem voor de informatie, verborg zijn gevoel van ongemak en ging naar zijn eigen huis. Er was geen reden, redeneerde hij, om zich zo gealarmeerd te voelen. Niemand had een reden om zijn vrouw kwaad te doen. Hirst was dood. Ellsworth was dood. De chantage was afgelopen. Hij had geen reden zo'n paniek te voelen vanwege het feit dat Thea niet was waar ze had gezegd te zullen zijn. Ze was misschien van gedachten veranderd over haar bezoek aan Modesty en nu wachtte ze thuis op hem. De strakke knoop in zijn borst verdween. Natuurlijk, dat moest het antwoord zijn. Zijn goede stemming keerde terug en hij haastte zich naar huis.

Maar thuis werd hij door Chetham begroet met het nieuws dat zijn bruid niet aanwezig was. Dat ze kort na zijn vertrek naar Miss Bradford was gegaan. Met een grimmig gezicht staarde hij Chetham aan.

Chetham kuchte, en mompelde: 'Er is een heer, sir. In de bibliotheek. Hij was teleurgesteld u niet thuis te treffen. Hij schrijft u nu geloof ik een briefje. Ene Mr. John Hazlett.'

Patrick bedankte hem en liep snel in de richting van de bibliotheek, waar hij Mr. John Hazlett aantrof die een briefje aan hem zat te schrijven.

Beleefde begroetingen werden uitgewisseld. Daarna stond John op vanachter het bureau waaraan hij had gezeten, en zei: 'Ik ben blij dat je er bent. Ik heb slecht nieuws.' Hij keek naar het briefje dat hij had geschreven. 'Niet iets dat je graag opschrijft.'

'Wat is het?' vroeg Patrick, waarbij de knoop van angst in zijn borst weer groeide. 'Is er iets met Thea gebeurd?'

John keek verbaasd. 'Goeie God, nee! Het is Hirst. Edwina's man. Hij is dood. Vermoord. Zijn lichaam werd verborgen in een oude kist gevonden in een gehucht niet ver van Cheltenham. We hebben het pas gisteravond gehoord. Waarschijnlijk heeft een van de plaatselijke bewoners hem herkend.' Zijn mond vertrok. 'Of althans wat er van hem over was. Hoewel het de laatste tijd nogal koel is geweest, was het lichaam gaan ontbinden – de stank was onbeschrijfelijk. In een poging de bron van de stank te achterhalen werd Hirsts lichaam ontdekt. Hij werd herkend, zonder enige twijfel, door de visitekaartjes die hij in zijn vestzakje had. Mijn vader kreeg het nieuws het eerst te horen. Op dit moment worden de andere familieleden op de hoogte gebracht van de tragedie.' Hij aarzelde. 'Gezien jullie recente huwelijk wilde mijn vader jou en Thea er niet bij betrekken – althans de eerste paar dagen nog niet. Hij wilde, en ik was het ermee eens, dat jullie even wat tijd voor jezelf zouden hebben voordat jullie deze lastige kwestie te horen zouden krijgen.' Hij trok een gezicht. 'Ik had eerst naar Miss Bradford moeten gaan, zoals ik van plan was, maar ik bedacht dat het misschien verstandig zou zijn me er eerst van te overtuigen dat Edwina thuis voordat ik met Miss Bradford praatte. Ook al is Miss Bradford niet aan Edwina verwant, ze heeft haar helpen opvoeden, en we dachten, omdat we er Thea nog niet bij wilden betrekken, dat Miss Bradford op een moment als dit bij Edwina zou willen zijn. Zodra Miss Bradford bij haar zou zijn en ze was op de hoogte gebracht van de dood van haar man, zou ik ervoor zorgen dat ze naar de veiligheid van ons familielandgoed werd overgebracht.' Met een wrange uitdrukking op zijn gezicht vervolgde hij: 'Maar Thea's aanwezigheid vanmorgen in Edwina's huis was een streep door mijn rekening. In de hoop dat Thea zou zijn vertrokken wanneer ik van Miss Bradford terugkwam, haastte ik me op weg, maar bij Miss Bradfords huis hoorde ik dat ik haar net had gemist – ze was een boodschap gaan doen.' Hij glimlachte ontwapenend. 'Ik was ten einde raad. Aangezien ik niet met Miss Bradford kon praten, besloot ik jou te vertellen wat er was gebeurd en jou te laten beslissen hoe snel Thea van de tragedie op de hoogte moest worden gebracht.' John trok een grimas. 'Ze mocht Hirst niet zo erg, maar zelfs zij zou hem niet dood willen hebben – vooral niet vermoord.' John schudde zijn hoofd. 'Het is schokkend, heel schokkend dat dit is gebeurd. Je verwacht niet dat een van je verwanten, zelfs geen aangetrouwde verwant, wordt vermoord.'

Patrick hoorde het enige dat belangrijk voor hem was. 'Heb jij Thea vanochtend gezien?' vroeg hij gespannen.

Geschrokken door Patricks houding, antwoordde John langzaam. 'Tja, ik was net bij Edwina's huis gearriveerd toen ik haar daar naar binnen zag gaan. Is er iets mis?'

Patrick ontspande, besefte wat er moest zijn gebeurd. 'Er is eerder sprake van een misverstand,' zei hij luchtig. 'Thea had me verteld dat ze bij Modesty op bezoek ging terwijl ik een dringende kwestie moest afhandelen.' Hij haalde zijn schouders op. 'Ik was eerder terug dan ik had verwacht en besloot naar haar toe te gaan, waarna ik net als jij ontdekte dat Miss Bradford niet thuis was. Thea moet hetzelfde hebben ontdekt en besloot vervolgens naar Edwina's huis te gaan.' Zodra de woorden uit zijn mond waren, besefte Patrick dat er iets aan zijn conclusies niet klopte. Tillman had duidelijk gezegd dat Thea daar helemaal niet was geweest. Hoe had zij dus geweten dat Modesty niet thuis was?

'Nu weet je dus dat Hirst dood is,' zei John, zijn gedachten onderbrekend, 'en wat ga je doen? Het nog een paar dagen voor Thea verborgen houden, of ga je het haar vertellen?'

Patrick trok een gezicht. Hij kon John bepaald niet vertellen dat Thea al enige tijd op de hoogte was van het feit dat Hirst dood was. Maar hij dacht dat het goed zou zijn dat de dood van Hirst openbaar bekend werd – Thea zou zich niet langer zorgen hoeven maken over wanneer en waar het lichaam zou worden ontdekt. Zijn lippen krulden bedroefd. Het betekende natuurlijk ook dat hij elke gedachte aan een huwelijksreis voorlopig wel kon vergeten. Thea zou bij haar zus willen zijn, en dat kon hij haar niet kwalijk nemen. Nee. Het zou veel beter zijn als Thea het nieuws nu te horen kreeg, want dan zou ze Edwina kunnen troosten. Ze zouden nog genoeg tijd voor een huwelijksreis krijgen – en Thea zou er veel meer van genieten als alle vervelende dingen achter haar lagen.

Kijkend naar Johns bezorgde gezicht zei hij: 'Ik ga met je mee naar het huis van mijn schoonzus. Ik denk dat het het beste is dat Thea nu bij haar is.' Hij glimlachte. 'Mijn echtgenote is een sterke vrouw. Ik denk dat ze het nieuws liever nu dan later te horen krijgt.'

'Je kent mijn nicht goed,' zei John. Hij trok een gezicht. 'Zelfs met Miss Bradford erbij zag ik er tegenop om Edwina het nieuws over Hirst te vertellen – ze kan hysterisch reageren, weet je. Ik weet dat het je plannen zal verstoren, maar ik ben blij dat jij en Thea erbij zullen zijn.'

Patrick knikte, waarna ze naar de deur liepen. Nonchalant vroeg hij: 'Hebben de autoriteiten er enig idee van wie de moord op Hirst heeft gepleegd?'

John schudde ontkennend zijn hoofd. 'Nee. Maar de moord op zich is niet zo verbazingwekkend, gezien het leven dat de man heeft geleid. Hij was een gokker van het ergste soort, en zijn reputatie was niet best.' Hij zuchtte. 'Hoewel geen van ons ooit verwachtte dat er zoiets verschrikkelijks zou gebeuren, is het, gezien zijn manier van leven en zijn vrienden, niet zo schokkend.' Hij keek Patrick aan. 'Er is echter een vreemde toevallig-

heid... Wist jij dat het lichaam van zijn neef, Tom Ellsworth, op de dag van je huwelijk werd gevonden? Hij
was ook vermoord. Neergeschoten. Je vraagt je onwillekeurig af of die twee bij iets gevaarlijks betrokken waren, toch?'

'Eh, dat is een mogelijkheid,' antwoordde Patrick.

'Het is raar om te zeggen, maar ik geloof niet dat Hirst
of Ellsworth door velen zullen worden betreurd. Ik weet
dat de meesten van mijn familie het niet zullen betreuren
dat Edwina eindelijk van Hirst is verlost. Ik weet dat velen onder hen in de afgelopen paar maanden op het punt
hebben gestaan hem eens onder handen te nemen.' Hij
grinnikte. 'Dat wil zeggen, als we eerst Thea ervan hadden kunnen weerhouden zijn hoofd eraf te slaan. Ze verachtte hem.'

Toen ze de grote hal van het huis bereikten, belde Patrick om Chetham. De butler verscheen een ogenblik later. Op Patricks verzoek het rijtuig voor te laten rijden,
maakte hij een buiging en verdween om zijn opdracht
uit te voeren.

De twee heren besloten buiten op de stoep op het rijtuig te wachten. Het gesprek tussen hen was beleefd,
maar gespannen, alle twee in beslag genomen door hun
eigen gedachten, terwijl ze vluchtig de straat in keken.
Geen van beiden verheugde zich op de taak die voor hen
lag, hoewel Patrick minder had om zich zorgen over te
maken dan John. Het nieuws over de dood van Hirst
zou voor Thea geen verrassing zijn en zou haar eigenlijk
een zekere mate van opluchting bezorgen. Hun rijtuig
kwam net de hoek om, toen er een ander rijtuig, getrokken door twee grijze paarden, aan kwam rijden. Tot Patricks verbazing sprong Nigel eruit, en draaide zich om
teneinde zijn passagier naar buiten te helpen, het was
Miss Bradford. In een oogwenk beklommen ze de stoep.

Patrick wierp een blik op Modesty's gezicht en gebaarde naar zijn koetsier, die net achter het andere rijtuig
was gaan staan, te wachten.

'Wat is er?' vroeg hij, terwijl angstaanjagende emoties
in zijn borst opwelden.

Nigel trok een gezicht. 'Je zult het van Miss Bradford
te horen krijgen. Ik heb haar alleen maar hierheen gebracht.'

Toen Patrick naar haar keek schudde Modesty heftig
haar hoofd. 'We kunnen hier niet praten. Laten we naar
binnen gaan.'

Eenmaal weer terug in de bibliotheek staarden de drie
mannen Modesty aan. Ze zuchtte. 'Ik had gehoopt deze
situatie te kunnen vermijden, maar Thea heeft me geen
keus gelaten.' Ze keek Patrick aan. 'Heeft ze je over Edwina en meneer Yates verteld?'

'Yates!' onderbrak John Hazlett haar. 'Wat heeft die
schoft met Edwina te maken?'

'Niet met Edwina, maar ik geloof dat haar man hem
een grote som geld schuldig is. Geld dat hij probeert van
Edwina los te krijgen. Thea zou Yates vanochtend om
twaalf uur in Edwina's huis ontmoeten en hem zeventienduizend pond betalen.' Bij het zien van Patricks gezicht, zei ze verdedigend: 'Ik heb haar gezegd dat ze het
jou moest vertellen, maar ik kon haar niet overhalen.'

Patrick trok een wenkbrauw op. 'Je vond het niet gepast om het me zelf te schrijven of te vertellen?'

Modesty bloosde en leek slecht op haar gemak. 'Ik
vond dat ik, eh, me al genoeg met jullie leven had bemoeid. En ik hoopte dat Thea het je zelf, zonder mijn be-
moeienis, zou vertellen.'

'Maar nu ben je toch hier... waardoor ben je van gedachten veranderd?'

'Omdat ik bang was dat Thea precies dat zou doen

wat ze heeft gedaan – naar die afspraak gaan zonder het jou te vertellen! Ik dacht dat ik niets meer met de kwestie te maken had, maar vanochtend, niet wetend wat Thea had besloten te doen, besloot ik zelf naar die afspraak te gaan.' Bezorgdheid flitste in haar blauwe ogen, en ze bekende: 'Ik ging naar Edwina's huis en klopte op de deur maar er werd niet opengedaan.' Haar handen wrongen zich ineen. 'Ik wist niet wat ik moest doen. Ik wist dat Thea er moest zijn, maar het huis leek verlaten. Er werd in ieder geval niet opengedaan.'

Patrick keek Nigel aan. Zijn gezicht en stem waren bedrieglijk mild toen hij vroeg: 'En jouw aandeel in dit geheel?'

'O, ga niet tegen hem tekeer!' bitste Modesty. 'Ik had dom genoeg mijn rijtuig weggestuurd, en liep bij Edwina's huis vandaan toen hij langsreed. Hij stopte om me te begroeten en toen ik hem mijn dilemma voorlegde, bood hij me vriendelijk een rit aan.'

'Ik moet u danken, lieve dame, dat u voor me op de bres springt,' mompelde Nigel. 'Wanneer Patrick die slaperige uitdrukking op zijn gezicht krijgt, is hij des te gevaarlijker.' Kijkend naar Patrick zei hij: 'Het is duidelijk dat Thea het bit weer eens tussen haar tanden heeft. Het feit dat Yates zich bij het tafereel heeft gevoegd, verandert het hele concept van een zusterlijk bezoek. Ik denk dat we je vrouw maar eens te hulp moeten schieten, vind je ook niet?'

'Als Yates erbij betrokken is, zal ze zeker hulp nodig hebben,' mompelde John, met een ongelukkige uitdrukking op zijn gezicht.

'Mee eens,' zei Nigel, met zijn ogen op Patrick gericht. 'Er gebeuren akelige dingen met die ongelukkige zielen die een aanvaring met Yates hebben gekregen. Hij is een zeer gevaarlijk man.'

Patricks kaak vertrok, en hij onderdrukte een vloek. Hij had moeten weten dat de kwestie niet zo soepel zou aflopen – vooral niet wanneer Thea erbij betrokken was! Zijn roekeloze schat zou een van de gevaarlijkste mannen in Londen ontmoeten en ze was er waarschijnlijk volkomen van overtuigd dat ze de zaak in de hand had. In plaats daarvan was het heel goed mogelijk dat haar lieve nekje zou worden bedreigd – zo niet door Yates, besloot hij grimmig, dan door haar toegewijde echtgenoot. Als hij zijn vrouw eindelijk in zijn handen zou hebben, en hij zich ervan had overtuigd dat haar niets was aangedaan, dacht hij dat hij haar waarschijnlijk zou wurgen.

Modesty staarde naar Nigel, haar gezicht wit van afschuw. 'Goeie genade! We hadden er geen idee van dat hij zo'n slechte reputatie had,' zei ze verdoofd, waarna ze zich omdraaide en Patrick aankeek. 'Het enige dat we wisten was dat hij Edwina had bedreigd, zijn geld eiste. Ik dacht dat ze overdreef, zoals ze altijd doet. Thea zou hem betalen...' haar stem brak af, '... en hem met de autoriteiten dreigen als hij het waagde Edwina ooit nog eens lastig te vallen.'

Patrick, die heel veel op een grote, slaperig kat leek, snorde: 'In dat geval denk ik dat ik het beste aan de zijde van mijn vrouw kan zijn wanneer ze deze bruut ontmoet. Ik zal geloof hechten aan haar dreigement.' Met een opgetrokken wenkbrauw keek hij Nigel aan. 'Mee eens?'

'O, helemaal, beste kerel. Helemaal.'

Op datzelfde moment keek Thea weer op de klok op de boekenkast. Het was inmiddels ruim een halfuur na de afgesproken tijd en er was nog steeds geen teken van Yates. Ze stond op en liep de kamer door.

'O, dit is belachelijk,' zei ze uiteindelijk. 'Waar blijft die kerel?'

'O, hij zal zo wel komen,' zei Edwina, 'daar kun je zeker van zijn. Zeventienduizend pond is een krachtig lokaas.'

De woorden waren amper over Edwina's lippen toen ze het geluid van naderende voetstappen hoorden. Beide vrouwen verstijfden en keken elkaar aan.

'Dat moet hem zijn!' siste Thea. 'Hoe is hij in vredesnaam binnengekomen?'

Met grote blauwe ogen die haar smalle gezicht domineerden, stamelde Edwina: 'Hij z-z-zei dat ik de leveranciersdeur moest openlaten… en d-d-dat heb ik gedaan.' Bij het zien van Thea's ongelovige gezicht, zei ze: 'Hij is een angstaanjagende man. Ik durfde het hem niet te weigeren.'

Thea maakte een geluid van ongeduld, bereidde zich voor op de strijd en greep de reticule die ze naast de stoel had gezet waarop ze had gezeten. Met haar kin omhoog, schouders naar achteren keek ze met bonkend hart naar de deur.

Hoofdstuk 19

De man die de deur openduwde en binnenkwam, was een vreemde voor Thea. Met Edwina's beschrijving in gedachten, was ze enigszins opgelucht dat hij er niet bijzonder dreigend uitzag. Hij was groot en zwaar, dat was waar, maar hij had ook de blauwste, vrolijkste ogen die Thea ooit had gezien, en ze voelde iets van haar ongemak wegebben. Hij was smaakvol gekleed; zijn blauwe mantel en buffelleren broek waren mooi gemaakt, zijn laarzen glommen en zijn das was schoon en keurig gestrikt. Hij glimlachte toen hij binnenkwam en sloot de deur achter zich.

'Dames,' zei hij opgewekt, 'het spijt me dat ik u heb laten wachten.'

Hij liep op Thea toe en maakte een elegante buiging. 'Mag ik me aan u voorstellen: ik ben Asher Yates. Ik bent neem ik aan mevrouw Blackburne? Uw zus heeft het vaak over u gehad.'

'Eh, ja,' mompelde Thea, terwijl ze probeerde deze charmante man in overeenstemming te brengen met Edwina's wildeman.

'O, hou op met uw spelletje!' zei Edwina nerveus vanaf haar plaats achter het bureau. 'Neem het geld en doe hetgeen waarvoor ik u heb betaald.'

Thea's verbaasde gezicht negerend, keek Yates naar Edwina. 'U denkt er dus nog steeds hetzelfde over?'

Zonder Thea's ogen te ontmoeten, knikte Edwina. 'Ja.'

Yates keek Thea aan. Hij glimlachte, en zijn ogen stonden nog net zo vrolijk, maar ze was zich er plotseling van bewust dat ze in gevaar was. Hij reikte naar de reticule die ze omklemde en zei: 'Die zal ik nemen, madam. Ik geloof dat die aan mij behoort.'

'Dat denk ik niet,' zei Thea, bij hem wegstappend. Tijd rekkend, terwijl ze probeerde Edwina's houding te doorgronden, keek ze Yates recht aan. 'U en ik,' verklaarde ze, 'hebben een paar dingen te regelen voordat ik u deze reticule overhandig.'

Hij schudde zijn hoofd. 'We hebben niets te regelen, madam – ik heb een overeenkomst met uw zus.'

'En wat mag die overeenkomst dan wel zijn?' vroeg Thea.

Hij glimlachte, en ze vroeg zich af hoe ze die glimlach plezierig en die ogen vrolijk had kunnen vinden. Het waren de koelste, meest berekenende ogen die ze ooit in haar leven had gezien.

'Een nogal eenvoudige opdracht,' zei hij. 'Ik moet u doden en ervoor zorgen dat uw lichaam ver van hier wordt gevonden.' Hij keek bedroefd. 'Het zal een tragisch ongeluk worden, denk ik. Misschien wordt u uit mijn rijtuig gesmeten en breekt u uw nek.'

Thea keek van de een naar de ander, haar gedachten tolden rond. Het was moeilijk Edwina een dergelijke boosaardigheid toe te schrijven, maar het was duidelijk dat haar zus deze glimlachende schurk had ingehuurd om haar te vermoorden. Wat haar het meest verbaasde was dat ze het feit dat Edwina tot zo'n daad in staat was zo makkelijk accepteerde.

Edwina keek haar niet aan, hield haar ogen neergeslagen, haar gezicht afgewend. Er was een blos op haar wangen en een norse trek om haar mond. Ze keek onverschillig, dacht Thea, zoals ze vroeger altijd had gekeken wanneer ze iets ondeugends had gedaan. Schuldig, maar toch ook onaangedaan.

Thea twijfelde er niet aan dat Yates de waarheid sprak. Waarom zou hij liegen? Maar ze moest de woorden uit Edwina's eigen mond horen. Rustig vroeg ze haar: 'Is dit waar? Heb je hem ingehuurd om mij te vermoorden?'

Edwina keek haar vluchtig aan en wendde haar ogen af. 'Ik wilde het niet,' zei ze zacht.

'Waarom doe je het dan?'

Edwina's lippen versmalden. 'Wat doet het ertoe? Trouwens, waarom zou ik me nader moeten verklaren?'

'Aangezien ik voorbestemd ben om te sterven... en op jouw verzoek, denk ik dat het alleen maar eerlijk is als ik begrijp waarom,' zei Thea op vlakke toon. Toen Edwina bleef zwijgen, smeekte Thea: 'Ik betaal met mijn leven voor de informatie die alleen jij en Yates me kunnen geven – zou je alsjeblieft aan mijn laatste verzoek willen voldoen? Je hebt niets te verliezen – ik ga dood, dus zal ik niet kunnen herhalen wat jij me gaat vertellen.'

'De dame heeft een overtuigend argument,' zei Yates. 'Waarom vertelt u het haar niet... waarom laat u haar niet zien wie u bent?'

'Hou je mond!' riep Edwina, Yates een gemene blik toewerpend. Ze keek naar Thea. 'Je bent er nogal kalm onder.'

Thea trok een gezicht. 'Ik betwijfel of hysterie me iets zou opleveren.' In een poging tijd te winnen en, ondanks de omstandigheden werkelijk nieuwsgierig, haalde ze diep adem, en vroeg: 'Vertel het me dus. Waarom heb je deze heer ingehuurd om mij te vermoorden?'

'Ik wilde het niet,' antwoordde Edwina, kennelijk toch

van plan Thea de verklaring te geven waarom ze had verzocht. 'Ik had gewoon geen keus.'

'Wat bedoel je – je had geen keus?'

Edwina wierp haar een pruilende blik toe. 'Ik was daar die avond – ik hoorde wat Hirst tegen je zei. Hij was bereid me voor geld te verlaten! Het was duidelijk dat hij nooit van me heeft gehouden, dat hij alleen maar met me was getrouwd om jouw fortuin in handen te krijgen.'

'Jij was daar? Maar hoe wist je van die ontmoeting? Het was een geheim,' zei Thea stomverbaasd, en tegelijkertijd ook weer niet. Ze herinnerde zich Edwina's onaangename gewoonte om door sleutelgaten te luisteren, en haar eigen ongemakkelijke gevoel die avond dat ze werd gadegeslagen.

Edwina lachte vreugdeloos. 'Op dezelfde manier als dat ik erachter kwam dat Hirst en Ellsworth chanteurs waren – ik luisterde aan de deur. Ellsworth kwam op bezoek, en Hirst vertelde hem alles over de ontmoeting die hij met jou had geregeld. Ik wist al, van wat ik een paar dagen eerder had afgeluisterd, dat ze Lady Caldecott gingen chanteren, en dat ze het huis aan Curzon Street als hun basis gebruikten. Het was makkelijk voor me om eerder dan Hirst het huis te verlaten en daar voor jullie komst aan te komen. Een goede schuilplaats vinden was ook niet moeilijk.' Ze lachte minachtend. 'Jullie hebben geen van beiden vermoed dat ik daar was.'

Thea slaagde erin haar verbazing te verbergen over het feit dat Hirst en Ellsworth Lady Caldecott hadden gechanteerd. Patricks aanwezigheid in het huis aan Curzon Street was haar eindelijk duidelijk. Hij moest er zijn geweest om de chanteur van zijn moeder te ontmoeten. Geen wonder dat hij haar niet had willen vertellen waarom hij daar was!

'Eh, nee, dat wisten we niet,' zei Thea slapjes. Ze keek naar Yates, en vroeg zich af wat zijn rol die avond was geweest. Hirst was die avond bang geweest. Hij had het geld wanhopig nodig gehad. Had Yates hem vermoord toen hij niet kon betalen?

Bijna alsof hij haar gedachten las, schudde Yates zijn hoofd. 'Nee, madam, ik was niet degene die de schaar in hem stak.' Hij knikte in Edwina's richting. 'Het was zijn lieve, zoete, liefhebbende vrouw. Ik heb alleen maar het lichaam voor haar en die lafaard van een Ellsworth weggewerkt.'

Afkeer vloeide door Thea heen. Het was Edwina geweest die hem op zo'n afschuwelijke manier had vermoord! Ze slikte de prop weg die plotseling in haar keel ontstond. Lieve, zoete, onschuldig uitziende Edwina. Thea keek haar zus ongelovig aan. 'Jij hebt hem vermoord?'

Edwina haalde haar schouders op. 'Ik was het niet van plan – ik was alleen zo woedend en gekwetst. Je moet begrijpen – ik had net gehoord dat mijn man nooit van me had gehouden – dat hij alleen op geld uit was geweest. Ik was van streek. Ik kwam de trap af om te kijken hoe ernstig je Hirst had verwond, toen er vlak na jouw vertrek een vreemde binnenkwam. Ik was geschokt. Mijn enige gedachte was ervandoor te gaan, maar hij hoorde me te trap weer op klimmen en kwam achter me aan.' Ze huiverde. 'Ik greep de ijzeren deurstop om als wapen te gebruiken en verborg me boven in een grote kast. Ik was zo bang toen ik hem op zoek naar mij hoorde rondscharrelen. Toen hij ten slotte de kast opende, dacht ik niet na, ik sloeg hem gewoon met de deurstop. Ik keek niet eens naar hem. Ik sloeg hem en rende weg.' Ze zuchtte. 'Ik was opgelucht toen wij later terugkwamen en merkten dat hij was vertrokken. Wie hij ook was, ik moet hem gewoon bewusteloos hebben geslagen.'

'De dame,' onderbrak Yates haar, 'heeft een zacht hart wat betreft het doden van vreemden.'

Edwina schonk hem een blik van pure afkeer. 'Hirst verdiende wat hij heeft gekregen,' zei ze moeizaam. 'Als hij een eerlijke echtgenoot voor me was geweest, zou ik die nacht niet daar zijn geweest, en ik zou geen ruzie met hem hebben gekregen en hem met een schaar hebben doodgestoken.'

'Is het zo gebeurd?' vroeg Thea vriendelijk, terwijl ze zich ellendig voelde, en haar eigen precaire situatie een ogenblik vergat.

Edwina knikte. 'Toen ik beneden kwam, stond Hirst overeind, hield zijn hoofd vast.' Haar lippen versmalden. 'Hij was woedend me daar te zien en begon tegen me te schreeuwen, te vloeken. I-i-ik verloor mijn geduld en confronteerde hem met wat ik wist. We hadden een verschrikkelijke ruzie. Ik wist niet meer wat ik deed – ik greep domweg de schaar van het bureau en –' ze haalde diep adem – 'stak hem.' Edwina verborg haar gezicht in haar handen. 'Het was afschuwelijk.'

Thea staarde naar Edwina's gebogen hoofd. Wat moest ze tegen haar zeggen? Edwina had een man gedood, en aan dat feit viel niets meer te veranderen. 'En wat gebeurde er toen?' vroeg Thea zacht. 'Heb je contact met Yates opgenomen?'

'O, nee,' riep haar zus uit, en hief haar hoofd uit haar handen. 'Dat was Ellsworth. Ik vluchtte naar huis zodra ik besefte wat ik had gedaan. Ellsworth wachtte hier om de afloop van Hirsts ontmoeting met jou te horen...' Ze zag er schuldig en tegelijkertijd sluw uit. 'En om mij te zien. Hij en ik zijn... waren intiem.'

Thea begreep precies wat ze bedoelde. 'Ik snap het...

jij en Ellsworth waren geliefden,' zei ze vlak. Ze keek Yates aan. 'Heeft Ellsworth contact met u opgenomen?'

Hij maakte een buiging. 'Dat klopt, madam. Ik verricht vele diensten voor mijn cliënten.'

Thea trok een elegante wenkbrauw op. 'Heeft u mijn man in dat rijtuig aangevallen?'

Hij boog weer. 'Een paar van mijn maten.' Hij glimlachte die plezierige, maar zo misleidende glimlach. 'Uw zus en Ellsworth waren niet blij met de aankondiging van uw huwelijk. Ze wilden uw fortuin.'

'Dat is niet waar!' zei Edwina verhit. 'Het was uw idee – niet het onze.'

De onderbreking negerend, haar ogen op Yates gericht, merkte Thea peinzend op: 'Meneer Yates, u schijnt nogal veel te weten.'

'Ach ja, dat klopt. Ik heb veel interesse voor het leven van mijn cliënten,' gaf hij bescheiden toe. 'Het is allemaal erg eenvoudig. Hirst en Ellsworth waren me beiden een grote som geld schuldig – vanwege die schuld besloten ze Lady Caldecott te chanteren. Ellsworth had een paar belastende brieven gevonden tussen de effecten van een oudtante, en hij dacht dat hij ze daarvoor kon gebruiken.' Yates keek spijtig. 'Jammer genoeg wisten ze niet dat ik bereid was hun schulden kwijt te schelden in ruil voor die brieven. Want die brieven hadden me nog veel meer op kunnen leveren, zoals u ongetwijfeld zult begrijpen.' Yates zuchtte om de gemiste kans. 'Maar het mocht niet zo zijn. Ellsworth ging met de brieven naar Hirst, omdat ze verwanten waren, en Hirst betere contacten binnen de bon ton had. Ik wist niets van hun plan tot Ellsworth bij mij kwam omdat hij naarstig van het lichaam van Hirst af moest. Toen kwam de chantage ter sprake en Hirsts plan om te proberen u geld afhandig te maken.' Hij trok aan zijn oor. 'Ik ben tenslotte een zakenman, en ik krijg betaald voor wat ik doe. Hirst en Ellsworth waren me al een aanzienlijke som schuldig. Ik was niet van plan betrokken te raken bij het wegwerken van een lijk voor Ellsworth als ik niet had geweten dat ik betaald zou worden, en goed betaald zou worden. Toen begon Ellsworth pas over uw fortuin. Hirst mocht dan dood zijn, maar ik moest mijn geld nog steeds krijgen, dus was ik bereid naar zijn plan te luisteren. Ik was zelfs bereid ze te helpen – vandaar de aanval op Blackburne.'

Edwina hapte naar adem. 'Schurk die je bent! Dat is een leugen! Luister niet naar hem Thea, hij probeert je alleen maar slecht over mij te laten denken.'

'O, stil,' zei Thea met een frons op haar voorhoofd. 'Ik snap die aanval op Patrick niet. Als je op mijn fortuin uit was, waarom werd Patrick dan –' Ze hield op, en schudde haar hoofd om haar eigen dwaasheid. 'Natuurlijk, wat dom van me. Je wilde hem dood hebben, is het niet? En als hij dood was zou ik niet met hem kunnen trouwen, toch? En mijn fortuin zou weer veilig zijn gesteld.' Ze keek Edwina recht aan. 'Daarom kwam Ellsworth de nacht voor mijn huwelijk naar mijn kamer. Toen de moord op Patrick was mislukt, wilde je mij laten doden – voordat ik zou trouwen.'

'Het is allemaal zijn schuld!' jammerde Edwina, terwijl ze naar Yates wees. 'Hij eiste dat we hem betaalden. Niet alleen de zeventienduizend pond die Hirst hem schuldig was, maar nog eens negenduizend om het lichaam van Hirst te verbergen en om met Blackburne af te rekenen. Zesentwintigduizend pond, Thea! Het was een nachtmerrie. We wisten niet tot wie we ons moesten wenden. Yates gaf ons geen tijd om na te denken. Met Hirsts lichaam op de vloer, bijna voor onze voeten, eiste hij dat Ellsworth die avond zijn huis en elke stuiver die hij bezat op zijn naam overschreef. Hij zei dat hij het lichaam geen centimeter zou verschuiven, tenzij Ellsworth zou betalen.' Haar mond vertrok. 'Hij nam al mijn juwelen en elk stuk zilver dat ik in huis had. Hij zei dat hij ons, aangezien we zo hadden meegewerkt, wat meer tijd zou geven voor hij de rest van het geld zou komen halen.' Met een trieste blik in haar ogen vervolgde ze: 'Daarom schreef ik dat briefje waarin ik negenduizend eiste – om alles terug te krijgen wat hij had genomen.' Ze sloeg haar ogen neer. 'We moesten jouw fortuin in handen zien te krijgen, en dat betekende dat je in geen geval met Blackburne moest trouwen. Toen Blackburne ontkwam, moesten we snel toeslaan. We moesten je huwelijk gewoon voorkomen.'

'Belooft je vriend Yates je niet alles terug te betalen wanneer hij faalt?' vroeg Thea, met ogenschijnlijke belangstelling voor de werkwijze van een huurmoordenaar. 'Het lijkt mij dat hij jou, aangezien hij zijn belofte niet heeft uitgevoerd, je geld zou moeten teruggeven.'

'Het is niet amusant!' snauwde Edwina.

'Geloof me,' zei Thea, 'ik vind hier evenmin iets amusants aan. Ik ben alleen nieuwsgierig waarom Ellsworth mij heeft aangevallen. Waarom heb je Yates die avond niet gehuurd om mij te vermoorden?' Er viel een gespannen stilte, en vervolgens riep Thea uit: 'O, wat dom van me! Je probeerde natuurlijk geld te sparen en die taak zelf op je te nemen. Is het zo gegaan?'

Voordat Edwina kon antwoorden, hoorden ze allemaal de commotie aan de voorkant van het huis. Ze bevroren alle drie, luisterden aandachtig. Thea's hart sprong op toen ze Patricks stem boven het harde bonken op de voordeur uit herkende. Maar ineens werd het heel stil, een stilte die door het huis echode. De vage hoop dat er een wonder was gebeurd en dat Patrick haar op de een of andere manier kwam redden, verdween. Ze bleven nog een paar minuten stil staan wachten om te zien of de aanval op de voordeur zou worden hervat.

Toen dat niet gebeurde ontspande Yates zichtbaar, en merkte op: 'Wie het ook was, hij is weggegaan.'

'Het was vast en zeker weer een of andere schuldeiser,' mompelde Edwina verbitterd.

'Je hebt mijn vraag nog niet beantwoord,' vervolgde Thea, alsof de onderbreking niet had plaatsgevonden. 'Was het om geld te besparen dat Ellsworth die nacht zelf naar mijn kamer kwam?'

'Ja, verdomme!' siste Edwina. 'Yates had ons uitgemolken, en we konden gewoon geen andere manier bedenken. We wilden niet nog dieper bij hem in de schuld raken. Ellsworth had hem al alles overgedragen wat hij bezat. Hirst had mijn fortuin erdoorheen gejaagd, en Yates –' ze schonk hem een blik vol haat – 'liet mij betalen voor de schulden van mijn man.' Ze keek Thea aan. 'We hadden geen keus! Jouw fortuin was het enige dat ons kon redden van een totale ondergang.' Zacht voegde ze eraan toe: 'Je moet begrijpen – ik wilde je niet echt dood hebben... maar we, ik, had je fortuin nodig.'

'Had je me niet gewoon om het geld kunnen vragen?'

Edwina's schouders zakten af. 'O, ja, dat had ik kunnen doen – althans voor de gokschulden van Hirst – vooral nadat ik je over Yates had verteld. Ik wist dat je me zou redden.' Ze haalde moeizaam adem. 'Maar toen ik Hirst had vermoord, veranderde alles. Ik wilde niet worden opgehangen! We moesten het lichaam verbergen, en Yates was de enige die we kenden die dat voor ons zou kunnen doen. En toen hij ons eenmaal aan de haak had, werd het alleen maar erger.' Vermoeid vervolgde ze: 'Als we zijn lichaam zelf hadden verborgen, was het misschien allemaal anders gelopen. We wisten niet wat we moesten doen. Voordat we de tijd hadden om na te denken, raakte Ellsworth in paniek en haalde Yates erbij. Yates veranderde de plannen. Jou vermoorden en jouw fortuin in handen krijgen, was zíjn idee. Hij presenteerde het als een oplossing voor al onze problemen. We waren te bang om te weigeren.'

'Besef je wel,' zei Thea kalm, 'dat als Yates mij uit de weg ruimt, het niet het einde van je moeilijkheden is. Je zult nog met Patrick moeten afrekenen. En je begrijpt natuurlijk wel dat als je met Yates blijft doorgaan, je hem een machtig wapen in handen geeft.' Thea keek naar Yates, die nog steeds midden in de kamer stond, ontspannen, en volkomen op zijn gemak met de situatie. 'Je zult nooit van hem af komen,' zei Thea bot. 'Hij zal je chanteren en je voor de rest van je leven laten betalen, is het niet, meneer Yates?'

'Nou, dat is niet precies de manier waarop ik het zou willen stellen,' mompelde Yates, 'maar ik denk dat ik van tijd tot tijd wel een kleine gift van de dame zou willen hebben. Voor bewezen diensten, begrijpt u.'

Thea snoof verontwaardigd.

Edwina staarde Yates vol afschuw aan toen de waarheid van Thea's woorden tot haar doordrong. 'O, God!' riep ze. 'Wat heb ik gedaan? Mijn man is dood. Mijn minnaar is dood. En allemaal voor niets.'

'Nou, nou, mevrouw Hirst, dat moet u niet zeggen,' zei Yates op sussende toon. 'Zodra ik met uw zus heb afgerekend, kunt u haar man troosten, en na een fatsoenlijke rouwperiode voor u beiden, zult u met hem trouwen en toegang tot zowel zijn fortuin als dat van uw zus verkrijgen. Precies zoals we het hebben besproken, weet u nog?'

Thea wist niet of ze verbijsterd moest zijn of geamuseerd. Even vroeg ze zich af hoeveel van dit laatste plan van Yates afkomstig was en hoeveel van Edwina. Maar een ding was heel duidelijk: voordat iets ervan in werking kon worden gezet, zou zij eerst moeten sterven. En hoewel Edwina misschien een beetje wroeging over haar dood zou hebben, twijfelde Thea er niet aan dat haar zus Yates niet zou tegenhouden.

Een zacht, gedempt geluid leek in het huis door te dringen, en Edwina schrok. 'Wat was dat?' vroeg ze angstig.

Met zijn vinger op zijn lippen sloop Yates naar de deur. Plotseling had hij een pistool in zijn hand, en hij opende voorzichtig de deur. Langzaam, heel behoedzaam, keek hij om de deurpost heen en de duistere gang in.

Concluderend dat ze niets te verliezen had, en tegen beter weten in hopend dat Patrick voor haar was gekomen, riep Thea zo hard mogelijk: 'Help! Help me! Ze gaan me vermoorden!'

Yates draaide zich om en keek haar aan... en glimlachte. Haar hart zonk. Hij had kennelijk niets gezien wat hem verontrustte.

Hij sloot de deur achter zich en liep terug naar het midden van de kamer. 'Nou, nou, my lady, dit heeft geen zin. Niemand kan u horen, en als u moeilijk gaat doen zal ik u het zwijgen moeten opleggen.' Zijn ogen dansten. 'En de manier waarop zal u niet bevallen.'

Vanonder haar wimpers bestudeerde Thea de man, vroeg zich af of er een manier was waarop ze hem onschadelijk kon maken – al was het maar voor een seconde. Als ze hem ver genoeg bij de deur vandaan kon krijgen... en als ze dan net langs hem heen kon glippen... Bleef Edwina nog over, maar Thea wist dat Yates haar echte probleem vormde, niet Edwina. Ze zou Edwina waarschijnlijk wel van haar doel kunnen afleiden, maar ze dacht niet dat haar dat met Yates zou lukken. Hij was gekomen met het plan haar te vermoorden – zo niet hier, dan ergens in de buurt – en hij zou niet makkelijk zijn over te halen zijn plannen te veranderen. Een redding op het nippertje leek onmogelijk – alleen Modesty wist waar ze was, en Modesty had duidelijk gemaakt dan ze haar handen van de hele kwestie af had getrokken. Thea fronste haar voorhoofd. *Zoals ik had moeten doen,* dacht ze ellendig. *O, Patrick, het spijt me zo – en ik was zo dom het je niet te vertellen.*

'Mij doden,' zei Thea met vaste stem, ondanks het wilde kloppen van haar hart tegen haar ribben, 'is geen garantie voor uw succes. Mijn man wenst misschien niet met Edwina te trouwen. Heeft u daar al aan gedacht?'

'O, daar zou ik me maar geen zorgen over maken,' zei Yates, zijn blauwe ogen vrolijk glinsterend. 'Dit soort dingen kan worden geregeld, en ik ben de aangewezen persoon om ze te regelen. Met een knip van mijn vingers heb ik een speciale trouwvergunning in handen. Er is een kerel die ik ken die het huwelijk zal willen voltrekken – ook al is de bruidegom, eh, halfdood. En zodra dat achter de rug is…'

Thea beet op haar lip en keek de sjofele kamer rond. *O, Patrick,* dacht ze verdrietig, *wat heb ik gedaan? Niet alleen mijn leven staat op het spel, maar het jouwe ook.* Een steek van pijn schoot door haar heen in het besef wat haar eigen koppige dwaasheid hun had opgeleverd. *Ik zal het ze niet laten doen,* zwoer ze met een plotselinge uitbarsting van woede. *Hoe wagen ze het ons leven op deze manier te vernietigen!*

Ze hief haar kin en zei kil: 'Nou, u schijnt aan alles te hebben gedacht, is het niet?'

Yates probeerde bescheiden te kijken, en Thea's mond vertrok verachtelijk. Yates had al aangegeven hoe hij haar waarschijnlijk zou doden. Ze zou uit een rijtuig worden gegooid… natuurlijk nadat hij haar nek had gebroken. Ze haalde diep adem en keek naar zijn vuisten als hammen, stelde zich voor dat die zich om haar nek sloten. Patricks gezicht, zijn tedere grijze ogen als hij naar haar keek, flitsten plotseling door haar brein. Lieve God! Ze had te veel om voor in leven te blijven – ze wilde niet sterven!

Maar hoe? Hoe moest ze ontsnappen? Ze had geen wapen. Alleen haar zware met geld gevulde reticule…

Yates wist niet waardoor hij werd geraakt. Het ene moment stond hij vol vertrouwen voor Thea, en het volgende moment deed Thea een stap naar voren en sloeg hem met de zware reticule. Angst en woede, tezamen met alle kracht van haar slanke lichaam gaven haar een verbazingwekkende kracht. Yates wankelde achteruit alsof hij met een voorhamer was geraakt.

Thea bleef niet naar het effect staan kijken; ze gooide de reticule als een hete steen van zich af, pakte haar rokken bijeen en rende naar de deur.

'O nee, dat doe je niet,' grauwde Edwina. Ze sprong op vanachter het bureau, liep eromheen en greep Thea rond haar middel. Het gewicht van Edwina's lichaam haalde hen beiden uit balans en in een warreling van rokken vielen ze samen op de vloer.

Thea herstelde zich als eerste, wrong zich los uit Edwina's greep, en gaf haar zus een slag in het gezicht die Tom haar niet had kunnen verbeteren. Edwina gilde toen er bloed uit haar neus gutste. Zonder Edwina nog een blik waardig te keuren, krabbelde Thea overeind en wankelde naar de deur.

Maar de korte schermutseling met Edwina had haar te lang opgehouden. Yates was enigszins hersteld, hij sprong met een kreet naar voren en greep Thea bij haar haren op het moment dat haar vingers de deurknop vastpakten. Met brute kracht trok hij haar tegen zich aan, en drukte het pistool tegen haar kaak.

'Doe dat nog eens, dame, en het kan me niet meer schelen of uw dood een ongeluk lijkt of niet,' beet Yates haar toe.

Edwina, een hand tegen haar neus, sleepte zich overeind van de vloer, ging half leunend tegen haar bureau staan en keek naar Thea. 'Dank je, lieve zus,' zei ze moeizaam. 'Nu zal ik geen spijt meer krijgen over je dood.'

Er weerklonk een zoevend geluid, en Thea's hart zwol toen de deur openzwaaide en Patrick, knap en o zo geliefd, verscheen in de deuropening. Met zijn gezicht erg donker boven zijn witte das, zijn schouders erg breed onder zijn elegante blauwe jas, nam hij de situatie in één oogopslag op. Hij was zich ervan bewust dat er nog steeds gevaar dreigde, maar de wilde greep van angst rond zijn hart verslapte enigszins.

Zijn blik gleed taxerend over Thea's slanke gestalte. Hoewel haar haren in de war zaten, en haar kleren rommelig en gekreukeld waren, leek ze ongehavend, en misschien daarom besloot hij Yates niet vermoorden.

Met een lome glimlach rond zijn mond beende Patrick door het vertrek, zorgeloos zwaaiend met zijn ebbenhouten met ivoren wandelstok.'Ah, daar ben je, mijn lief,' mompelde hij. 'Ik hoop dat je er geen bezwaar tegen hebt dat ik je naar huis begeleid?'

Thea glimlachte naar hem, zó'n duizelingwekkende glimlach, dat Patrick met zijn ogen knipperde, en bijna verblind werd door hun glinstering. Hij had nog nooit zoveel van haar gehouden als op dit moment, maar hij maakte zich geen illusies over wat er op het spel stond. Gevieren, Nigel, Hazlett, Modesty en hij, hadden ze een onaangenaam scenario bedacht. En het zag ernaar uit dat ze er niet ver naast hadden gezeten.

Eén ding was meteen duidelijk: Edwina moest deel uitmaken van wat er aan de hand was. Het was mogelijk dat Edwina onschuldig was en dat er niets meer achter deze ontmoeting zat dan wat ze oorspronkelijk tegen Thea had gezegd. Het was ook mogelijk, zoals Modesty had geopperd, dat Edwina hier was om Yates te helpen en dat ze daar zelf belang bij had, of dat Yates haar in zijn macht had.

Patrick maakte zich niet druk over Edwina's motieven of het geld dat Thea aan Yates zou betalen. Hij wilde zijn vrouw terug. Nu.

Hij staarde naar het pistool tegen Thea's kaak, en angst trok zijn hart weer samen. Hij had geweten dat de situatie gevaarlijk was, maar niet hóe gevaarlijk, toen ze allen waren teruggekeerd en niemand Edwina's voordeur had geopend – en God wist dat ze genoeg lawaai hadden gemaakt om de doden te wekken. Zijn instinct had hem verteld dat er iets erg mis was – en hij vertrouwde altijd op zijn instincten. Hij was bereid geweest het huis steen voor steen af te breken. Maar Nigels suggestie dat ze een minder destructieve manier moesten vinden om binnen te komen had hem ervan weerhouden de voordeur aan barrels te slaan.

Met zijn blik op het pistool dat zo dreigend tegen Thea's tere kaak werd gedrukt, was Patrick verheugd dat zijn instincten hem niet hadden bedrogen.

Hersteld van zijn eerste schrik over Patricks plotselinge verschijning, gromde Yates: 'Staan blijven! Zoals u ziet is de dame bezig.'

Patrick glimlachte liefjes. 'Maar niet voor lang meer, hoop ik.'

Yates barstte in lachen uit. 'U hebt lef, dat moet ik u nageven, beste man. Maar ik ben bang dat het u alleen een ontmoeting met Magere Hein oplevert.'

'Ik ben zo vrij daar anders over te denken,' antwoordde Patrick, 'want ik ben niet van plan in de nabije toekomst de dood te ontmoeten. Ik ben net getrouwd met het charmante figuurtje dat u vasthoudt, en van plan een lang leven met haar door te brengen.' Patricks ogen vingen Thea's blik. Zijn stem daalde. 'We hebben grootse plannen, zij en ik.'

'O, schiet op!' zei Edwina gesmoord. Ze had een nuffig kanten zakdoekje gevonden dat ze tegen haar bloedende neus drukte. Kijkend naar Yates vroeg ze nijdig: 'Wat gaan we nu doen? We kunnen hem niet laten gaan, en als ze beiden dood zijn dan is mijn kans om het fortuin te erven helemaal verkeken.'

'Ach, draait het daar allemaal om?' vroeg Patrick belangstellend. 'Een fortuin erven?'

Edwina wierp hem een blik toe, vroeg zich af hoe ze hem ooit charmant had kunnen vinden. 'Ja,' zei ze, 'daar draait het om – en jij hebt het allemaal bedorven.' Ze keek weer naar Yates. 'Nou? Wat gaan we doen?'

Yates keek nadenkend. 'Als eerste ga jij die verdraaide deur op slot doet. Ik wil niet dat er iemand anders binnenkomt.'

Met een oog op Patrick kwam Edwina achter het bureau vandaan en sloot de deur waarna ze weer haastig op haar vorige plek ging staan.

Yates knikte goedkeurend en zei: 'Dit zal bij nader inzien misschien voor ons allemaal werken. Ik neem aan dat je zus geen nieuw testament heeft gemaakt – niet nu ze net is getrouwd. En als de nieuwe echtgenoot niet in de buurt is om het testament aan te vechten, moet jij erven wat je zou hebben gekregen als je zus niet was getrouwd.' Hij trok een wenkbrauw op naar Patrick. 'Heb ik gelijk?'

Patrick haalde zijn schouders op. 'Ik heb geen rechten

gestudeerd.' Hij wreef zijn wandelstok luchtig langs zijn kaak. 'Ik geloof dat u iets vergeet... ik ben niet alleen gekomen.'

Yates grinnikte. 'Heel goed! Ik bewonder een man met lef, maar ik zit te lang in het vak om me door die nonsens te laten afschrikken.'

'O, Patrick! Het spijt me zo dat ik je hierbij heb betrokken,' riep Thea, haar spanning was zichtbaar. 'Het is een verschrikkelijke verwikkeling. Edwina heeft Hirst gedood! Ze heeft het bekend. Zij en Ellsworth waren geliefden, en ze hadden Yates ingehuurd om het lichaam te verbergen.'

Patrick keek naar Edwina. 'Een ondernemende jongedame, hoor. Modesty zei al dat je goed voor jezelf kon zorgen.'

'En jij had beter voor jezelf moeten zorgen!' snauwde Edwina hem toe.

'Vast en zeker,' antwoordde Patrick, 'maar aangezien dat ook betekent dat ik voor de vrouw zorg van wie ik hou, begrijp jij volgens mij heel goed dat ik niet domweg aan de kant kan blijven toekijken hoe ze in jouw gevoelige klauwtjes valt.' Hij keek naar Thea, zijn grijze ogen doordringend. 'Ze heeft zich nogal goed gehouden, vind je niet? Allemachtig, ik had gedacht dat ze, na de ontdekking dat haar zus een moordenares is en de confrontatie met een schurk als Yates, zou flauwvallen.'

'Thea niet!' mopperde Edwina. 'Zij is te koppig voor dat soort dwaasheden.'

'Je hebt ongetwijfeld gelijk, maar het zou handig zijn geweest,' zei Patrick, zijn ogen nog steeds strak op Thea gericht.

Thea glimlachte plotseling, haar ogen werden vochtig toen ze naar hem opkeek. 'O, ik hou van je, Patrick Blackburne – wat er ook gebeurt. Je bent zo'n slimme kerel.'

Patrick maakte een buiging. 'Dank je, mijn lief, ik waardeer je mening.'

Yates lachte en zei: 'Als hij zo'n slimme kerel is – wat krijgen we nou!'

Slechts een seconde eerder hield Yates een slank, stevig lichaam tegen het zijne gedrukt; het volgende moment worstelde hij met een gestalte zonder botten, terwijl Thea flauwviel en haar lichaam verslapte. Dat was de enige afleiding die Patrick nodig had.

In een flits onthulde de wandelstok het zwaard dat erin zat, en met een beweging van zijn pols stak Patrick het in de hand van Yates waarin hij het pistool vasthield.

Met een kreet van pijn vloog het pistool uit Yates' hand, en Thea, op magische wijze hersteld, greep zijn andere pols en zette er haar tanden in alsof ze een buldog was. Voordat Yates met zijn ogen kon knipperen was Thea uit zijn armen gesprongen en ging naast haar echtgenoot staan; Patricks zwaard drukte tegen zijn keel.

Op dodelijk kalme en gelijkmatige toon zei Patrick: 'Toch redelijk slim, vind je niet?'

'Maar niet zo slim als je denkt,' antwoordde Edwina.

Zonder zijn zwaard te bewegen keek Patrick in haar richting. Met een hard en grimmig gezicht stond Edwina achter het bureau, een klein damespistool op Thea's hart gericht.

'Nu staan we gelijk,' gaf Patrick toe. 'We schijnen in een impasse te zijn geraakt. Ik stel een onderhandeling voor; jij laat ons gaan en wij zullen doen alsof deze ochtend nooit heeft plaatsgevonden.'

Edwina liet een akelige lach horen. 'O, je wilt me aan de genade van Yates overlaten?' Haar ogen werden spleetjes. 'Ik dacht het niet!'

Voordat iemand haar bedoeling kon raden, zwaaide ze het pistool weg van Thea en schoot Yates koelbloedig neer. De explosie van het schot was oorverdovend in het kleine vertrek, grijze rook en de geur van kruitdamp vulden meteen de kleine ruimte. Yates, keurig door de slaap geschoten, zakte zonder geluid op de vloer.

'Ik heb hem nooit gemogen,' bekende Edwina. 'Alles is zijn schuld. Hij verdiende te sterven.'

Patrick had Thea achter zich geduwd, en met het zwaard losjes in de hand overwoog hij zijn volgende zet. Edwina had net gedemonstreerd dat ze met wapens kon omgaan, en hij voelde weinig voor een volgende demonstratie – niet wanneer Thea of hij het doel was.

Er werd heftig op de deur gebonkt, en Nigels stem klonk op. 'Patrick, verdomme, open de deur. Wat is daar aan de hand?'

Op kalme toon zei Patrick tegen Edwina: 'De overeenkomst staat nog steeds. Laat Thea en mij gaan en we zullen vergeten wat hier is gebeurd. Het lichaam van je man is gevonden. John Hazlett was onderweg hiernaartoe om het je te vertellen toen hij Thea het huis zag binnengaan. Hij is met Lord Embry in de hal – ze zijn met mij meegekomen. Modesty weet ook dat we hier zijn. Je hebt nog slechts één schot over in je pistool. Je kunt ons niet allemaal doden. Het is afgelopen.' Vriendelijk voegde hij eraan toe: 'Het spel is verloren. Je kunt niet winnen. Geef mij het pistool.'

Edwina's gezicht toonde dat ze besefte dat er geen uitweg was, behalve de ene die Patrick haar had geboden. Ze zou haar leven hebben, maar verder niets. De familie zou zich achter haar scharen, maar ze zouden weten wat ze had gedaan. Haar fortuin was weg. Haar minnaar was dood. Haar leven was geruïneerd. Ze had, besefte ze, niets meer om voor te leven. Helemaal niets. De lange, saaie jaren van een arme, meelijwekkende verwant zijn, strekten zich eindeloos voor haar uit.

'Edwina, Patrick heeft gelijk,' zei Thea rustig. 'Het is voorbij. Je plan is mislukt. Geef hem het pistool en laat dit hier en nu eindigen.'

'Nóóit!' riep Edwina, en voor hun geschrokken ogen richtte ze het pistool op haar eigen hoofd en haalde de trekker over.

Hoofdstuk 20

Het was een prachtige avond in april. Een volle maan stond hoog aan de lucht, en Thea en Patrick hadden zojuist buiten in de charmante tuinen op Halsted House gedineerd. Modesty, die eind februari bij hen was komen logeren, dineerde deze avond bij Lord en Lady Garrett op Garrett Manor.

De verschrikkelijke en beangstigende gebeurtenissen van die maandag eind september leken heel ver weg, aangezien er sinds die noodlottige dag zeven maanden waren verstreken. Thea werd nog steeds gekweld door de dood van Edwina. Ze had niets kunnen doen om te voorkomen dat haar zus zichzelf het leven benam, maar in de maanden daarna had ze zich steeds afgevraagd of zij schuld had aan de tragedie.

'Had ik haar maar niet zoveel gegeven,' had ze meer dan eens gezegd. 'Als ik naar Modesty en de rest van de familie had geluisterd, en strenger voor haar was geweest, had ze misschien een ander pad gekozen.'

Patrick nam haar dan in zijn armen en nestelde haar tegen zich aan. 'Het was niet jouw schuld,' mompelde hij. 'Je hoeft jezelf niet de schuld te geven voor hetgeen Edwina heeft gedaan. En het is zinloos te speculeren over de persoon die ze had kunnen zijn als jij haar anders had behandeld. Hou je vast aan de gedachte dat je het beste hebt gedaan. Weet je, Edwina maakte haar eigen keuzes – zoals in het geval van haar echtgenoot, jij was ertegen, maar ze negeerde je en trouwde met de man van háár keuze. Je had niets kunnen doen.'

Wanneer Thea wilde protesteren, kuste hij haar en zei tegen haar lippen: 'Je weet dat ik gelijk heb, lieveling. Zij maakte haar keuzes – ook die ene om zichzelf te doden.' Hij glimlachte op haar neer. 'Het enige dat je jezelf kwalijk kunt nemen is het feit dat je een edelmoedig en liefhebbend hart hebt – niet zo'n verschrikkelijk iets, zou ik zo zeggen.'

Verslagen legde Thea haar hoofd tegen zijn borst en was voor korte tijd getroost. En terwijl de weken en maanden voorbijgingen waren haar schuldgevoelens geleidelijk minder geworden, en dezer dagen zat het haar niet meer dwars en Edwina's naam werd nog maar zelden genoemd.

Natuurlijk was er een enorm schandaal ontstaan toen de lichamen werden gevonden, waarna de familie net als tien jaar geleden de gelederen sloot en hun uiterste best deed het te temperen. Edwina was amper dood op de vloer neergevallen of Patrick had Thea in aller ijl meegenomen naar Hamilton Place, waar Modesty bezorgd zat te wachten. Hij had Nigel en Hazlett bij de lichamen achtergelaten, en zodra hij zag dat Thea in de goede handen van Modesty was, was hij snel naar hen teruggekeerd.

De drie heren hadden besloten dat helemaal niets doen de verstandigste manier was om de kwestie te behandelen. Niemand, behalve de loyale koetsier die hen voor de deur had afgezet, had van Thea's aanwezigheid in het huis afgeweten, en niemand zou dat feit openbaar bekendmaken. Hun eigen aanwezigheid zou moeilijk te verklaren zijn, maar ze vertrouwden erop dat hun eerste aanval op de voordeur van Hirst niet was opgemerkt, ondanks het lawaai dat Patrick had veroorzaakt. Hun uiteindelijk binnendringen in het huis, via dezelfde ingang die Yates had gebruikt, was heel heimelijk gebeurd. En net zoals Thea's aanwezigheid niet was opgemerkt, was die van hen waarschijnlijk ook onopgemerkt gebleven.

Na een gespannen en haastige discussie waren ze het erover eens dat ze het huis het beste zo snel mogelijk konden verlaten, voordat ze in de kamer werden aangetroffen waar twee doden lagen. Aangezien de lichamen hun eigen verhaal vertelden, zouden ze ze laten liggen zoals ze lagen – om tegen zonsondergang door Hazlett te worden ontdekt, wanneer hij ogenschijnlijk voor de eerste keer bij Edwina aankwam om haar het nieuws over de moord op haar echtgenoot te vertellen.

Alles ging zoals gepland. Hazlett had een lid van de nachtwacht opgetrommeld om hem te helpen zich een toegang tot het huis te verschaffen toen er op zijn hevige kloppen niet werd opengedaan. Samen met de wacht deed hij de ijzingwekkende ontdekking in de kleine kamer aan de achterkant van het huis.

De familie probeerde de omstandigheden van Edwina's dood geheim te houden, maar het was onmogelijk. Het feit dat ze zichzelf had gedood en, zoals werd aangenomen, haar minnaar, de beruchte Yates, was genoeg om de tongen van de bon ton dagenlang in beroering te houden. De moord op Hirst was alleen maar extra brandstof voor de vele roddels en speculaties. Het overhaaste huwelijk van Patrick en Thea raakte op de achtergrond, en het enige waarover iedereen sprak was de schokkende dood van Hirst en Yates.

Zoals afgesproken vertrokken Patrick en Thea die middag naar Halsted – voordat Edwina's lichaam werd ontdekt. Met opeengeklemde kaken had Patrick tegen Nigel gezegd: 'Ik wil Thea hier helemaal buiten houden en de enige manier om dat te bereiken is haar uit Londen halen – onmiddellijk. Niemand zal het vreemd vinden – we waren immers toch van plan morgen naar het platteland te gaan. Voor de buitenwereld hebben we alleen besloten eerder te vertrekken dan verwacht. Ze kan het nieuws over de dood van haar zus net zo goed op Halsted te horen krijgen als hier. Op Halsted kunnen we ons afgezonderd houden en niet worden lastiggevallen. Ze heeft genoeg te verwerken, en ik wil niet dat ze wordt blootgesteld aan starende blikken en valse roddels.'

Thea had niet geprotesteerd; ze was verdoofd en hevig geschrokken door het gebeurde, en ze was zo volgzaam als ze nog nooit was geweest, en maakte geen bezwaar tegen Patricks plannen. Als een klein, teer poppetje had ze als bevroren in de kromming van zijn arm gezeten terwijl de koets hobbelend en zwaaiend uit Londen wegreed, en in het verflauwende daglicht waren haar gedachten somber en pijnlijk.

Ze zouden waarschijnlijk nooit precies alle feiten te weten komen van wat er was gebeurd. Of het Yates was geweest die als eerste het idee had geopperd om Thea's fortuin in handen te krijgen, of dat het Edwina was geweest die het had voorgesteld, zou altijd een open vraag blijven. Modesty, die geen illusies over Edwina had, dacht eigenlijk dat hoewel Edwina het fortuin van haar zus had willen hebben, zij daar nooit zonder aanmoediging van Yates naar zou hebben gehandeld. Patrick dacht er anders over; maar hij had Edwina tenslotte in koelen bloede een man zien doodschieten.

Thea en Patrick hadden samen de terugkeer van Ellsworth naar het huis aan Curzon Street, op de avond na de moord, besproken.

'We weten nu dat het was om de brieven van je moeder weg te halen, maar waarom nam hij ze niet mee op de avond dat Hirst werd vermoord? Waarom had hij ze daar eerst laten liggen?' had Thea zich hardop afgevraagd.

Patrick haalde zijn schouders op. 'Hij wilde waarschijnlijk niet dat Yates of Edwina te weten kwam waar ze waren. Ik kan me ook voorstellen dat hij die avond van de moord, met alles wat er aan de hand was, zo in paniek was dat hij er helemaal niet aan heeft gedacht. En omdat Yates en Edwina zich in het huis bevonden had hij misschien geen kans om ze te pakken, dus wachtte hij gewoon tot de volgende avond.'

Maar het was allemaal maanden geleden gebeurd, en hoewel ze er talloze keren over hadden gespeculeerd en hun vermoedens over het onderwerp onuitputtelijk hadden besproken, liep Thea nu niet langer rond met die hartverscheurende opgejaagde uitdrukking op haar gezicht, en de kwestie was voor geen van beiden nog van veel belang. Vooral niet op deze plezierige avond in april, nu de volle maan als een geheimzinnige, zilveren bol aan een fluweelzwarte sterrenhemel stond en de geur van vroege rozen de lucht parfumeerde.

Met zijn arm rond haar middel slenterde Patrick met Thea over het brede tuinpad dat door de maanverlichte tuinen kronkelde. Intens verliefd, zich verheugend op de toekomst die Thea en hij zouden delen, was Patrick een gelukkig en tevreden man. Hij kon zich een leven zonder Thea niet voorstellen, een dag zonder in haar prachtige, levendige ogen te kijken of een nacht zonder haar slanke, warme lichaam tegen het zijne. En hoewel hij liever had gehad dat Thea nooit in gevaar was geweest, en dat de gebeurtenissen niet zo tragisch waren afgelopen, zou hij er nooit spijt van hebben dat ze elkaar onder zulke onplezierige omstandigheden hadden ontmoet. Zonder de chantagepoging op zijn moeder, en Hirsts poging om Thea geld afhandig te maken, zouden hun wegen elkaar nooit zo dramatisch hebben gekruist en zou hij deze avond niet naast de voor hem enige vrouw in de wereld lopen. Een vrouw wier bolle buik het nieuwe leven onthulde dat ze samen hadden geschapen. De baby zou in oktober worden geboren en ze waren beiden diepgeroerd bij het vooruitzicht.

Nu hij hieraan dacht, drukte hij een kus op haar donkere hoofd. Thea keek naar hem op en schonk hem een duizelingwekkende glimlach die hem de adem benam. 'Waarvoor was dat?' vroeg ze.

'Omdat ik van je hou,' antwoordde hij, zijn grijze ogen warm en vol liefde. Zijn hand gleed naar haar buik. Hij streelde de lichte bolling en zei: 'En ook van de baby.' Hij grinnikte. 'Op dit moment ben ik zo verliefd op je dat ik je niets zou weigeren.'

Ze giechelde. 'Dat moet wel waar zijn – niet veel echtgenoten zouden blij zijn met Modesty als onderdeel van hun huishouden.' Weer ernstig zei ze: 'Vind je het echt niet erg dat ze bij ons woont?'

Patrick schudde zijn hoofd. 'Nee. Halsted is een groot huis, en zolang ik met jou mag doen wat ik wil, wanneer ik het wil, mag je half Londen uitnodigen om bij ons te wonen als jou dat plezier doet.'

'Denk je dat Modesty Natchez prettig zal vinden? Ik viel om van verbazing toen je haar voorstelde om volgende maand met ons mee te varen en dat ze ermee instemde. Ik was ervan overtuigd dat ze bij me wilde blijven tot de baby is geboren, maar ik was echt verbaasd dat ze je aanbod accepteerde om voorgoed bij ons te blijven wonen.' Thea fronste haar wenkbrauwen. 'Ze heeft het rustige leven op het platteland nooit aangenaam gevonden – wat een van de redenen was waarom ik het huis in Londen kocht. Ik ben bang dat ze zich gaat vervelen en rusteloos wordt.'

'De belangrijkste vraag, mijn lieve kleintje, is of je denkt dat Natchez jóu zal bevallen?'

Thea's gezicht klaarde op. 'O, zeker! Ik weet het gewoon. Ik verheug me er zo op jouw huis te zien en je vrienden en buren te ontmoeten. Het zal zo'n avontuur zijn.'

Patricks ogen dansten. 'Met jou getrouwd zijn is voor mij avontuurlijk genoeg!'

'Naarling!' Ze keek naar beneden waar hun kind groeide. 'Hoor je dat, Tom? Je vader vindt dat we veel te opwindend voor hem zijn.'

'O, opwindend is beslist het woord dat ik zou gebruiken om jou te beschrijven,' zei hij loom. 'En lieflijk, en charmant... maar ook koppig, ergerlijk en beangstigend.' Toen Thea haar mond opende om te protesteren, kuste hij haar, en voegde eraan toe: 'En het belangrijkste van alles – absoluut aanbiddelijk!'

Wat kon ze anders doen dan zijn gevoelens beantwoorden? Met hun armen om elkaar heen, haar hoofd rustend tegen zijn brede schouder, wandelden Thea en Patrick langzaam naar het huis. En hoog in de hemel, met zijn zilveren licht, zo standvastig en eeuwig als hun liefde, wees de maan hen de weg naar huis.

HA 10/03
KA 9/04
Do 9/05
Li 03/13

BRIE 04/2014
VE 06/2014
VIVE 05/2015
STEL 10/2015
Ni 02/2016